Hans Joachim Meyer (Hrsg.)

Dialog und Solidarität

SCHRIFTEN DES INSTITUTS
FÜR CHRISTLICHE SOZIALWISSENSCHAFTEN
der Westfälischen Wilhelms-Universität Münster

Begründet von Josef Kardinal Höffner †
Herausgegeben von Karl Gabriel

Band 41

LIT

Hans Joachim Meyer (Hrsg.)

DIALOG UND SOLIDARITÄT

Christen in der pluralistischen Gesellschaft:
Kritische Zeitgenossenschaft und solidarisches Zeugnis der Hoffnung
Studientagung des Zentralkommitees der deutschen Katholiken
(Erfurt, Okt. 1997)

LIT

Die Deutsche Bibliothek – CIP-Einheitsaufnahme

Dialog und Solidarität : Christen in der pluralistischen Gesellschaft: Kritische Zeitgenossenschaft und solidarisches Zeugnis der Hoffnung ; Studientagung des Zentralkommitees der deutschen Katholiken (Erfurt, Okt. 1997) / Hans Joachim Meyer (Hrsg.). – Münster : LIT, 1999

(Schriften des Instituts für Christliche Sozialwissenschaften der Westfälischen Wilhelms-Universität Münster ; 41.)

ISBN 3-8258-4073-5

NE: GT

Grevener Str. 179 48159 Münster Tel. 0251–23 50 91 Fax 0251–23 19 72

Geleitwort

Globaler Wettbewerb um immer knapper werdende Lebenschancen und unausweichlicher Zusammenprall der Zivilisationen - zwei Deutungen der Gegenwartssituation, die in den letzten Jahren bis in alle Verästelungen unserer gesellschaftlichen Lebens hinein spürbar an Boden gewonnen haben. Christliche Sozialverkündigung und Sozialethik wie die Praxis engagierter Christen stellen dem die Leitperspektiven von Solidarität und Dialog entgegen. Nachdem ein Ausweichen in der räumlich und zeitlich zusammengeschmolzenen Welt immer weniger möglich erscheint, gibt es zum gewaltsam ausgetragenen Zusammenprall der Werte nur die Alternative des Dialogs. Soll die Dynamik des globalen Wettbewerbs nicht zur Exklusion von immer mehr Menschen aus der Weltgesellschaft führen, bleibt nur seine Bändigung durch eine moralische Ordnung wechselseitiger solidarischer Anerkennung.

Wie auch an den Themenschwerpunkten der Schriften des Instituts für Christliche Sozialwissenschaften deutlich wird, ist Franz Furger in den Jahren seiner Herausgeberschaft für die Dialogfähigkeit der Christlichen Sozialehthik in allen gesellschaftlichen Bereichen eingetreten und galt sein bsonderes Interesse der Ausweitung von Solidarität in weltgesellschaftliche und -wirtschaftliche Bezüge hinein. Dialogbereitschaft und Sensibiltät für Solidarität sollen auch künftig einen besonderen Platz im Profil der Schriften des Instituts für Christliche Sozialwissenschaften einnehmen. So trifft es sich gut, daß der Band im Übergang von der alten zur neuen Herausgeberschaft explizit dem Thema Solidarität und Dialog gewidmet ist und Referate und Diskussionen einer Arbeitstagung des Zentralkomitees der Deutschen Katholiken dokumentiert. Hat sich der Zusammenschluß der deutschen Katholiken doch in den letzten Jahren trotz Kritik und Verdächtigungen nicht von seinem Kurs abbringen lassen, sich als Forum des Dialogs für ein Mehr an Solidarität in Kirche und Gesellschaft zu verstehen.

Münster, im November 1998 Karl Gabriel

Inhalt

Arbeitskreise

Arbeitskreis 1
Solidarität und Dialog der Christen in Staat und Politik
Freiheit hat Voraussetzungen. Die freiheitliche Demokratie im Spannungsfeld zwischen Individualität, Sozialität und Institutionen

Arbeitskreis 2
Solidarität und Dialog der Christen in Fragen von Wirtschaft, Gesellschaft und Sozialordnung
Solidarität und Dialog in der Arbeitsgesellschaft unter den Bedingungen der globalisierten Welt-Wirtschaft

Abendlob

Eucharistiefeier

„Seid stets bereit, jedem Rede und Antwort zu stehen, der nach der Hoffnung fragt, die euch erfüllt“ (1 Petr 3,15)

Abschlußveranstaltung

Abendlob

Eucharistiefeier

„Ich will euch Zukunft und Hoffnung geben“ (Jer 29,11)

Ökumenischer Eröffnungsgottesdienst

„Unverkennbar seid ihr ein Brief Christi“ (2 Kor 3,3)

Propst Joachim Jaeger

Geistliches Wort zur Begrüßung

In diesem Gottesdienst darf ich Sie alle gemeinsam anreden: Liebe Schwestern und Brüder! Als erstes ist es mein Auftrag, Sie zu grüßen, und zwar ganz herzlich zu grüßen von unserem Bischof Noack aus Magdeburg, dessen Vertreter ich hier in Erfurt bin, und Sie weiter zu grüßen von unserer evangelischen Kirchenleitung und den evangelischen Christen dieser Stadt. Die evangelische Kirche der Kirchenprovinz Sachsen hat hier in Thüringen sieben Kirchenkreise und umfaßt somit das sogenannte unierte oder auch „preußische" Thüringen neben dem lutherischen Thüringen mit dem Bischofssitz in Eisenach.

Meine Freude ist groß, daß es heute zu diesem ökumenischen Eröffnungsgottesdienst hier in der Kirche des Augustinerklosters kommt. Für uns hier in Erfurt sind ökumenische Gottesdienste etwas erfreulich Selbstverständliches. Gemeinsamkeit und herzliche Zuneigung wachsen unter uns, damit bin ich mir mit Bischof Wanke einig, und das gibt Hoffnung für künftige Zeiten.

Wer hätte sich noch vor wenigen Jahren denken können, daß einmal eine Tagung des Zentralkomitees der deutschen Katholiken in der Augustinerkirche in Erfurt mit einem gemeinsamen Gottesdienst eröffnet wird! Denn diese Kirche ist der Ort, in der der Mönch Martinus 1505 die ersten Horen mitbetete. Hier legte er 1506 seine Profeß ab, und hier feierte er seine Primiz. Hier durchlitt er seine Anfechtungen und Zweifel in einem heute kaum noch nachvollziehbaren Ausmaß. Er zweifelte nicht an Gottes Existenz und an seiner Allmacht. Solche Zweifel wären ihm gänzlich fremd gewesen. Er verzweifelte an seiner Würdigkeit vor Gott und dessen Majestät und Heiligkeit, er glaubte, vor ihr nicht bestehen zu können. Hier in dieser Kirche mußte ihn ein Mitbruder zurückzwingen an den Altar, weil er die für ihn bestürzende Nähe Gottes im heiligen Sakrament nicht ertragen zu können meinte. Hier begann, was in Wittenberg seine Fortsetzung nahm und was uns über Jahrhunderte hinweg getrennt hat, ja in beschämender Weise in Feindschaft geraten ließ.

Was wir heute an den Christen beklagen, was uns beunruhigen muß: Wir, die getrennten Christen, waren für viele ein unleserlicher Brief geworden, manche Worte durch Blut unleserlich, manche Zeilen durch Tränen verwischt, so daß viele diesen Brief beiseite legten als unzustellbar, ohne Relevanz wie unseriöse Werbepost, weil der Absender, der Geist Christi, nicht mehr erkennbar war, weil der Geist der Rechthaberei und der Zwietracht die Feder zu führen schien.

Hier kehren Sie nun ein zum ökumenischen Gottesdienst in ökumenischem Geist, durch viel Gebet, durch viel theologische Sorgfalt und durch vielfach praktizierte Geschwisterlichkeit gewachsen, und er wächst weiter und wächst. Dieser konziliare Geist läßt endlich Menschen wieder aufmerksam werden, denn nichts wird in unserer zerrissenen Welt aufmerksamer wahrgenommen, als wenn Menschen aufeinander zugehen und im Geist Christi versöhnendes Reden und Tun sichtbar wird. Bei diesen Schritten aufeinander zu wächst die Erwartung, daß die Zeit reif ist für weitere wichtige Schritte! Im sozialethischen Bereich konnten wir mit der gemeinsamen Schrift „Für eine Zukunft in Solidarität und Gerechtigkeit“ eine gemeinsame Sprache finden, und das wurde gehört. Nun liegt der evangelisch-lutherische/römisch-katholische Vorschlag für eine gemeinsame Erklärung zur Rechtfertigungslehre vor, der uns in die Mitte des neutestamentlichen Zeugnisses vom Heilshandeln Christi verweist, also ins Zentrum dessen, was wir das „Anliegen der Reformation“ nennen.

Ist uns wirklich schon bewußt geworden, was sich da vor unseren Augen und Ohren ereignet, wessen unsere Generation gewürdigt wird?

Liebe Schwestern und Brüder, ich wünsche Ihnen von Herzen für Ihr Reden und Zuhören, für Ihr Mitdenken und das Einsammeln des Gedachten den Geist Christi, der uns in alle Wahrheit leitet.

Bischof Dr. Joachim Wanke

Geistliche Einführung

Woher nimmt Paulus den Mut zu solchen Aussagen? Eine Gemeinde, der er mancherlei vorzuhalten hat: Streit und Prozessierlust, Ausschweifung, Fälle von Unzucht, ein den heidnischen Sitten angepaßtes Verhalten - von einer solchen Gemeinde sagt er: „Unverkennbar seid ihr ein Brief Christi!“Das merkwürdige Bild wird erklärlich durch den polemischen Kontext dieser Briefstelle. Der Apostel will sich gegen den Vorwurf seiner Gegner verteidigen, er bringe sich selbst mit seiner Person zu stark in der Gemeinde ins Spiel. Das entsprechende Stichwort lautete wohl: „Selbstempfehlung“. Es war damals üblich, Missionaren ein Empfehlungsschreiben auf den Weg mitzugeben. Bei der Abwehr des Vorwurfs „Selbstempfehlung“ kommt Paulus zu dem Gedanken: „Unser Empfehlungsschreiben seid ihr; es ist eingeschrieben in unser Herz, und alle Menschen können es lesen und verstehen.“ Wir wollen festhalten, daß Paulus das Faktum des Bekanntheitsgrades einer Gemeinde als Aktivposten in seinen Darlegungen einsetzt.

Im nächsten Satz führt Paulus den Gedanken weiter: „Unverkennbar seid ihr ein Brief Christi, ausgefertigt durch unseren Dienst, geschrieben nicht mit Tinte, sondern mit dem Geist des lebendigen Gottes, nicht auf Tafeln aus Stein, sondern - wie auf Tafeln - in Herzen von Fleisch.“ Das Bild fließt Paulus offensichtlich wie nebenbei in die Feder. Es wird von ihm nicht weiter verfolgt. Die Gedankenassoziation führt von dem mit Tinte geschriebenen Brief zu den auf Stein geschriebenen alttestamentlichen Gesetzestafeln und damit zu den Antithesen Buchstabe - Geist; Alter Bund - neuer Bund; Dienst des Mose und Dienst des Paulus, denen der Apostel sich dann im folgenden zuwendet.

Die vor uns liegende Studientagung „Dialog und Solidarität“ kann sich von diesem Schrifttext inspirieren lassen, und zwar in zweifacher Hinsicht. Ich mache das an den beiden Stichworten der Tagung fest: Dialog und Solidarität.

1. Dialog

Es gibt einen untrennbaren Zusammenhang von Kirche und Öffentlichkeit, von Christusbotschaft und Gesellschaft, von Glaubensbekenntnis und Glaubenspraxis, die man sehen, prüfen und kritisieren kann. In unseren Tagen mehren sich Stimmen, die unsere Kirche und den christlichen Gottesglauben in den Innenraum individueller Frömmigkeit einsperren wollen. So sehr die Qualität unseres Kirche- und Christseins von einem spirituellen „Grundwasserspiegel" abhängt, von religiös-geistlichen Quellen, ohne die auf einem Feld auch mit bester „Pastoraltechnik" nichts wächst, so sehr kommt es aber letztendlich doch auf die Früchte an, die vor aller Augen wachsen und anderen zur Nahrung und Auferbauung dienen. Ohne Bild gesprochen: Das Christentum braucht Außenwirkung nicht als Selbstbestätigung, sondern zur Identitätsbewahrung. An der Wirkung wird das Salz erkannt und am Ausleuchtungseffekt die Qualität einer Lichtquelle - um an die bekannten Bildworte Jesu zu erinnern, die zu unserem Bildwort von der Gemeinde als öffentlich gelesenem und verstandenem Brief eine bedenkenswerte sachliche Nähe haben. Darum bleiben wir bei unserem Auftrag, den wir vom Herrn haben, wenn wir uns in dieser Studientagung handfesten gesellschaftspolitischen Themen zuwenden, um ganz in der Welt, aber (mit einem Geist) nicht von der Welt , zu fragen, aber eben auch uns fragen zu lassen, was die Gestaltung unserer demokratischen Grundordnung, was Arbeitswelt, Bildung und Erziehung, Medien, Europa und Globalisierung und Umweltfragen mit unserem Glauben zu tun haben und vor allem: was diese Themen unserer Glaubenspraxis als Christen abverlangen.

Wo wäre unsere Kirche, wenn sie sich in den Jahrhunderten ihrer Pilgerschaft nicht immer wieder neu hätte von weltlichen Themen herausfordern lassen? Sie wäre in einer weltlosen Gnosis versunken. Um es einmal pointiert zu sagen: Ohne Galilei wäre uns nicht aufgegangen, daß Naturwissenschaft einem hausbackenen Gottesglauben Beine machen kann, und ohne Arbeiterprotest gegen Ausbeutung und Verelendung wäre nie eine kirchliche Soziallehre entwickelt worden. Gott hat nicht nur durch Heilige, sondern auch durch Heiden seine Kirche und die Christen auf Trab gebracht. Ob das nicht auch Paulus meinte, wenn er seine korinthische Gemeinde der öffentlichen Beurteilung aussetzte? Vermutlich war diese nicht immer sehr angenehm, vielleicht war das Urteil der Heiden manchmal auch ätzend und scharf (wie heute ein Artikel im „Spiegel"). Aber es hat mit Sicherheit geholfen, die Substanz des Evangeliums freizulegen, Spreu vom Weizen zu trennen und von der Gemeinde das einzufordern, was der Herr in ihr gelebt wissen wollte.

Heute und hier - durch die Wahl des Tagungsortes, einer Stadt in den neuen Bundesländern, unterstrichen - sind es die scheinbar an Kirche und Religion uninteressierten Menschen, die uns herausfordern. Könnte nicht dieser Kontrast Anlaß zur Selbstbesinnung sein, zur Reinigung und Vertiefung unseres Gottesbildes und zur Überprüfung unseres Redens und Handelns als Christen und Kirche? Ich bin überzeugt: Der Atheismus der Massen hier im Osten kann der „Glaubenssprache" unserer Kirche in Deutschland eine neue Grammatik vermitteln. Und wenn wir nur neu sprechen lernen, nicht: „Man glaubt", sondern: „Ich glaube", „wir gemeinsam glauben". Eine von Gottesfinsternis, von Beziehungsunfähigkeiten und Selbstzweifeln geplagte Mitbevölkerung ist für mich als Bischof nicht nur Bedrohung, sondern Herausforderung, ja geradezu ein gnadenhaft ermöglichtes Prüffeld, auf das Gott mich und uns gemeinsam stellt. Darum ist der Dialog für uns als Kirche lebenswichtig aber eben ein Dialog, in dem beide Seiten hören und sprechen.

2. Einen weiteren Gedanken möchte ich unserem Paulustext entnehmen und ihn dem Stichwort Solidarität zuordnen:

Paulus ist überzeugt, daß der Brief Christi, der die Gemeinde ist, alle Menschen als Adressaten hat. Alle sollen ihn lesen und verstehen. Die Gemeinde ist nicht nur die im Heiligen Geist versammelte Schar der Heilsanwärter, sie ist die Schar derer, die in die Welt entlassen werden, um dort als „Sauerteig“ zu wirken. Übrigens: das ist ausdrücklich von allen Gemeindemitgliedern gesagt. Nirgends ist angedeutet, daß Paulus das Werk der Sendung nur den „Amtsträgern“ zuschreibt, wenngleich er um die unterschiedlichen Gaben der Verkündigung, des Vorstehens und der Diakonie weiß. Allen in der Gemeinde gibt der Geist die Befähigung, „Brief Christi“ zu sein. Unser Text ist eine Magna Charta des Zentralkomitees der deutschen Katholiken!

Mir kommt es in diesem Zusammenhang freilich auf diesen Gedanken an: Unsere Kirche insgesamt, Amtsträger und Laien, die Theologie und die Caritas, die Orden und die Verbände, die verfaßte Kirche der Diözesen und die geistlichen Bewegungen - wir alle müssen mit dieser Welt solidarisch bleiben, nicht im Sinne einer Anpassung und Schönrederei, aber in dem Sinn einer tiefen und von Sympathie erfüllten, Freude und Leid teilenden Weggemeinschaft mit allen Zeitgenossen. Niemand darf von uns abgeschrieben werden, weder politisch, noch wirtschaftlich, noch kirchlich - auch nicht der Osten!

Damit unsere Sendung in der Welt und für die Welt effektiver werden kann, braucht sie zwei Dinge: den Willen zur Einheit und zur Demut.

Zusammenstehen in der Einheit: Der Brief, der die Gemeinde ist, ist ausgefertigt durch den Dienst des Apostels. Der Autor ist Christus selbst, aber Paulus weiß sich in der Rolle des Briefexpediteurs, der den Brief zwar nicht schreibt, aber „besorgt“, und das heißt wohl: amtlich überbringt. Wir haben nicht irgendwelche Briefe der heutigen Welt zu überbringen, sondern das Wort Christi - und darum gibt es nur christliche Sendung in die Welt im Zusammenwirken mit dem apostolischen Amt. Das Amt, auch das Petrusamt, bewahrt uns davor, in die heute so verbreitete Subjektivitätsfalle zu tappen. Das Amt erhält uns in der Einheit und in der katholischen Weite - und diese verstehe ich synchron und diachron, geschichtlich-vertikal und weltweit-horizontal. Zersplitterung und Grabenkämpfe machen eine Kirche unglaubwürdig. Die Menschen hören dann von uns dieses und jenes - und überhören es, wie so viele Botschaften, die heutzutage von selbsternannten Propheten ausgehen. Wie sagt es Paulus an einer anderen Stelle des Korintherbriefs: »Wenn die Trompete unklare Töne hervorbringt, wer wird dann zu den Waffen greifen?“ (1 Kor 14,8). Laßt uns gemeinsam die „Mitte“ der Kirche stärken und das tun, was der Einheit dient!

Und unsere Weltsolidarität braucht Demut. Der Brief Christi, den die Welt lesen und verstehen soll, will auf einen Weg bringen. Es ist eine Botschaft der Umkehr und des Neuanfangs. Er versetzt uns nicht in die Rolle derer, die schon am Ziel angelangt sind, sondern er ist eine Einladung auch an uns, uns gemeinsam mit allen Menschen auf den Weg hin zu Gottes neuer Welt zu begeben. Man könnte auch sagen: Wir Christen sind nicht besser als die Welt, aber wir sind nicht so ahnungslos. Wir haben gleichsam eine Wegkarte in der Hand, die uns das Ziel und gangbare Wege dorthin erkennen läßt. Aber wir müssen auch selber gehen, zusammen mit denen, für die ebenso die Wegkarte da ist.

Es ist gut, daß die Kirche heutzutage von falschen Podesten herabgestiegen ist. Stimmen von oben herab verzerren sich leicht, und ein zu großer Abstand erschwert das Hören. Aber eine Kirche, die zu den Menschen sagt: Eure Freude ist auch meine Freude und eure Trauer verändert auch mich, und die vor allem erkennen läßt, daß auch in ihr eine Sehnsucht lebt nach der noch ausstehenden, aber hier schon vorzukostenden Welt Gottes, die wird gehört werden. Laßt uns also in diesen Tagen die „Wegkarte“ studieren - aber danach wieder mit den Menschen in unserem Land zusammen weitergehen: im Dialog und in Solidarität.

Plenum

Prof. Dr. Hans Joachim Meyer

Begrüßung und Einführung

Ganz herzlich heiße ich Sie zur Studientagung des Zentralkomitees der deutschen Katholiken willkommen. Mit dem Ort unseres ökumenischen Eröffnungsgottesdienstes, dem mit dem Wirken Martin Luthers und mit dem Streben nach nationaler Einheit in Freiheit verbundenen Augustinerkloster, und dem Ort unserer Tagung, dem für die Geschichte der deutschen Sozialdemokratie bedeutsamen Kaisersaal, steht unsere Tagung in einer bemerkenswerten Beziehung zu unserer Vergangenheit. Das Thema stellt unsere Tagung mitten hinein in die Gegenwart.

Es ist - wie unsere heutige Situation - ein komplexes Thema. Mit den Begriffen Dialog und Solidarität bezeichnen wir den Grundcharakter unseres Beitrags zum öffentlichen Gespräch und unseres Engagements in der Gesellschaft: Den Dialog, der sich um Verständnis und Verständigung bemüht; die Solidarität, die unter dem Gebot der Mitmenschlichkeit steht. Die Wirklichkeit, in der wir uns dem Dialog und der Solidarität verpflichtet fühlen, ist die pluralistische Gesellschaft. Dies anzuerkennen, ist die Voraussetzung verantwortlichen Handelns in einer freiheitlichen Demokratie. Damit verleugnen wir nicht unsere christliche Überzeugung oder stellen sie um des lieben Friedens willen zurück. Im Gegenteil: Nur wenn wir uns als Christen bekennen und uns nicht nur in den Wertekonsens, sondern auch in den Wertestreit dieser Gesellschaft mit ganzer Kraft einbringen, werden wir jenen Anspruch erfüllen, den wir gleichsam als eine Unterstreichung unter unser Tagungsthema gesetzt haben: Kritische Zeitgenossenschaft und solidarisches Zeugnis.

Denn Zeitgenossenschaft bedeutet ja nicht, sich dem Zeitgeist anzugleichen. Es bedeutet auch nicht, unsere Überzeugung von gesellschaftlichen Mehrheitsmeinungen abhängig zu machen. Zeitgenossenschaft bedeutet vielmehr, daß wir diese Zeit und diese Gesellschaft nicht anderen überlassen, sondern sie aus christlichem Geist so gut und so weit wir können gestalten. Wir wollen keine Trittbrettfahrer des Zeitgeistes sein und uns gewiß nicht jedermann anbiedern, sondern nach unserer Überzeugung hat diese Gesellschaft nur dann eine Chance, nicht in die Irre zu gehen, wenn die Wahrheit und die Werte des christlichen Glaubens für ihren Weg wesentlich sind. Darum stellen wir kritisch und solidarisch nebeneinander. Kritisch zu sein, nimmt heute jeder für sich in Anspruch. Und nur zu oft ist es eine Begründung, um sich von Verpflichtungen loszusagen und sich vom Einsatz für andere und für das Gemeinwohl zu dispensieren. Kritisch heißt für uns, diese Zeit und was in ihr geschieht im Lichte des Glaubens zu sehen und zu beurteilen. Es heißt auch, unser eigenes Versagen in Vergangenheit und Gegenwart als einzelne Christen und als Kirche zu erkennen und klar zu benennen. Solidarisch heißt vor allem, sich für das Gemeinwohl und die gesamte Gesellschaft einzusetzen. Nur zu oft wird Solidarität genannt, was in Wirklichkeit nichts anderes ist als Gruppeninteresse oder gar Gruppenegoismus. Beliebte Vokabeln wie „Betroffenheit“ und „sich einmischen“ sind da durchaus verräterisch. Nur zu oft verbirgt sich dahinter die Absage an einen rationalen und argumentativen Diskurs und an das gesellschaftliche Gesamtinteresse zugunsten von Irrationalität und Individualismus.

Und schließlich hoffen wir, daß von dieser Tagung Impulse ausgehen für die kirchliche Arbeit auf dem Weg zum Jahr 2000 und, wenn möglich, darüber hinaus. Damit verengen wir nicht unsere Perspektive auf die kirchliche Arbeit, sondern behalten die gesellschaftliche Perspektive voll im Blick. Für uns sind kirchliche Arbeit und gesellschaftliches Engagement nicht das gleiche, aber sie gehören für uns zusammen. Wir werden uns nicht darauf einlassen, Engagement in der Kirche und für die Kirche und Engagement in der Gesellschaft und für die Gesellschaft gegeneinander auszuspielen. Und das ist durchaus eine Gefahr: Manche Christen sind so mit innerkirchlichen Problemen beschäftigt, daß ihnen die Proportionen abhanden kommen. Sich um die Erneuerung der Kirche zu mühen, ist eine ständige Aufgabe. Darum können wir nicht meinen, erst müsse die Kirche erneuert werden, ehe wir uns um die Gesellschaft kümmern. Der nichtchristlichen Umwelt wird die Kirche ohnehin stets ein Ärgernis bleiben. Andererseits können wir auch die Aufforderung nicht akzeptieren, wir sollten uns nur um die Gesellschaft kümmern und in der Kirche nur Hörende sein. Eine solche Auffassung entspricht weder dem Wesen der Kirche noch unserer geschichtlichen Erfahrung.

Das komplexe Thema, das über unserer Studientagung steht, ist also der Versuch, eine komplexen Wirklichkeit zu umreißen. Diesen Rahmen auszufüllen, kann nur im gemeinsamen Bemühen gelingen. Wenn ich im folgenden einleitend einige Gedanken formulieren, so möchte ich damit einen Beitrag zu diesem gemeinsamen Bemühen leisten.

Im Herbst 1995 hat die Vollversammlung des ZdK eine Erklärung verabschiedet, welche die feierliche Verabschiedung der Pastoralkonstitution „Gaudium et spes“ vor 30 Jahren in Erinnerung ruft und diese Konstitution als Programmschrift der Kirche auf ihrem Weg ins nächste Jahrtausend bezeichnet. Weil dies so ist, genügt es nicht, an „Gaudium et spes“ zu erinnern, sondern die Erklärung fordert uns dazu auf, diese Einsicht auch Wirklichkeit werden zu lassen Diese Studientagung soll ein weiterer wichtiger Schritt auf diesem Wege sein. Für uns bedeutet die Pastoralkonstitution, mit den Menschen unserer Zeit und ihrer Orientierungsnot solidarisch zu sein und auf der Grundlage unseres Glaubens an menschenwürdigen Lösungen gesellschaftlicher Probleme mitzuarbeiten. Natürlich tragen wir selbst an der Not der Orientierung in einer sich rasch verändernden Welt, und beanspruchen keine Sachkompetenz, die anderen nicht auch zugänglich wäre. Aber mit der Frohen Botschaft ist uns eine Quelle der Erneuerung geschenkt, aus der wir leben. Und unser Glauben gibt uns eine Wertegrundlage, ohne die jede Sachentscheidung droht, im Morast der Beliebigkeit und des Eigennutzes zu versinken.

Zum Dialog gehört, den Glauben im Blick auf die heutigen Gegebenheiten überzeugend darzustellen. Deshalb steht im Programm dieser Studientagung die Aufforderung aus dem ersten Petrusbrief, jedem Rede und Antwort zu stehen, der nach der Hoffnung fragt, die uns erfüllt. Und das Leitwort für den Katholikentag 1998 in Mainz ermuntert uns: Gebt Zeugnis von Eurer Hoffnung! Wenn wir diesen Dialog führen wollen, dann müssen wir die gesellschaftliche und die religiöse Situation analysieren. Diesem Ziel dient unsere Studientagung, von der wir uns weiterführende Überlegungen und Einsichten erhoffen.

Zu den Grundströmungen unserer Situation gehört eine dramatische Abnahme der religiösen Praxis und ein früher unvorstellbarer religiöser Traditionsbruch. Dadurch wird die Präsenz und die Wirksamkeit der Kirche im Leben des Einzelnen und im Leben der Öffentlichkeit deutlich geschwächt. Zugleich beobachten wir in unserer Umwelt bei einigen eine wachsende aggressive Antikirchlichkeit und bei vielen eine religiöse Gleichgültigkeit von bedrückendem Ausmaß. „Ich glaub‘ nix, mir fehlt nix“, dieser Titel einer Veranstaltung des letzten Berliner Katholikentages kennzeichnet die religiöse Indifferenz unserer Zeit zugespitzt, aber zutreffend. Zunehmend haben wir es in unserer Öffentlichkeit mit Kräften zu tun, die davon ausgehen, daß weder der Einzelne noch die Gesellschaft Religion und Kirche wirklich benötigen. Provokant ausgedrückt könnte man formulieren: Religion und Kirche sind für solche Kräfte Störfaktoren auf dem Weg zur totalen Globalisierung und hemmungslosen Individualisierung. Die Fixierung auf individualistische Selbstverwirklichung und persönlichen Erfolg als den einzigen Antriebskräften der gesellschaftlichen Entwicklung führt dazu, Teile der Wirklichkeit einfach auszublenden.

Dieser Verkürzung der menschlichen Existenz und der menschlichen Geschichte müssen wir die Ganzheitlichkeit des Christentums entgegensetzen, welche uns dazu anhält und dann bestärkt, den Urfragen des Woher und Wohin der menschlichen Existenz nicht auszuweichen. Wenn es um diese Grundfragen geht, braucht der Christ den modernen Wettbewerb der Überzeugungen und Weltanschauungen nicht zu fürchten. In diesem Sinne begrüße ich die klaren Worte des Vorsitzenden der Deutschen Bischofskonferenz, Bischof Karl Lehmann, zur Eröffnung der letzten Herbstvollversammlung. In diesem Wettbewerb, in dem es nicht nur um die Probleme des Tages geht, so brennend diese auch sind, sondern die Grundfragen der menschlichen Existenz klar ausgesprochen werden, kann sich die Stärke der christlichen Wirklichkeitswahrnehmung erweisen. Und da die Grundfragen der menschlichen Existenz für uns untrennbar mit dem Glauben an Gott verbunden sind, ist das Wachhalten der Gottesfrage der zentrale Dienst der Kirche an unserer Gesellschaft - ein Dienst, der um der Überlebensfähigkeit der Gesellschaft willen notwendig ist. Hier liegt auch der entscheidende Grund dafür, daß die Kirche jetzt der Öffentlichkeit mit solchem

Nachdruck den Wert und die Unverzichtbarkeit des konfessionellen Religionsunterrichts an staatlichen Schulen vor Augen führt

Es ist nicht nur von zentraler Bedeutung, die Gottesfrage wachzuhalten und damit den Tendenzen antikirchlicher Aggressivität und religiöser Gleichgültigkeit zu widersprechen. Nicht minder wichtig erscheint es mir, dem Versuch zu widerstehen, die Christen und die Kirchen auf den rein religiösen Bereich zurückzunehmen. Da wird ein Gegensatz aufgerissen zwischen christlichem Glauben und öffentlichem Handeln des Christen, und der engagierte Laie erscheint als Horrorbegriff. Worum geht es bei diesem Ruf zum Rückzug aus der Welt? Die Welt befindet sich bekanntlich im Umbruch, und da ist es ein genuin christliches Anliegen, dafür zu sorgen, daß Mitmenschlichkeit und Realitätssinn nicht unter die Räder kommen. Nach hinlänglicher historischer Erfahrung handelt es sich bei Mitmenschlichkeit und Realitätssinn nicht um freischwebende und von jedermann fraglos akzeptierte Begriffe. Ohne Wertegrundlage sind dies nur Worte ohne Saft und Kraft. Und eine Wertegrundlage ist immer konkret. Unsere Wertegrundlage ist der christliche Glaube. Wer vorgibt, nicht zu wissen, daß Anbetung und Tätigsein zusammen gehören, der muß sich sagen lassen, ob er wirklich nicht sieht oder vielleicht nur nicht sehen will, wieviele bereits darauf aus sind, eine Welt ohne ethische Werte und Bindungen herbeizuführen. Manchmal hilft zum rechten Kontext solcher Meinungen das Blättern in der gleichen Zeitung, vor allem im Wirtschaftsteil.

Wir behaupten nicht, aus dem christlichen Glauben folge ein politisches und soziales Programm, das den Glauben umsetzt und mithin ersetzt. Wir wissen um die Spannung zwischen den zeitlos gültigen Werten und Wahrheiten der Frohen Botschaft Jesu Christi und der sich stetig wandelnden Wirklichkeit. Wir wissen aber auch, daß die christlichen Werte und Wahrheiten stets der lebendigen Vermittlung in eine konkrete Wirklichkeit hinein bedürfen. Wer behauptet, er stünde nur für die Frohe Botschaft, gleichsam in Reinform, bringt sich selbst in den Verdacht, in Wahrheit für eine bestimmte historische Wirklichkeit zu stehen. Eben darum ist ja auch die Unterscheidung zwischen katholischer Kirche und Katholizismus richtig und unverzichtbar. Es ist schon bedrückend zu sehen, wie zunehmend in Deutschland historische

Einsichten und Erfahrungen verloren gehen und verschleudert werden - aus purer Dummheit oder aus grenzenlosem Hochmut. Mit aller Entschiedenheit werden wir am Öffentlichkeitscharakter des christlichen Glaubens festhalten und jedem Privatisierungsversuch von Religion und Kirche entschieden widersprechen. Die alten antiklerikalen Rezepte eines militanten Laizismus riechen auch dann nicht besser, wem man sie hingebungsvoll mit Weihwasser besprengt.

Wenn wir uns bei dieser Studientagung um eine Selbstbefragung und Selbstvergewisserung bemühen, dann dürfen wir dies bei aller notwendigen kritischen Distanz und in aller gebotenen Bescheidenheit auch mit dem gesunden Selbstbewußtsein tun, welches um das Potential des deutschen Katholizismus auf sozialem, politischen und pädagogischen, aber auch auf spirituellem und intellektuellen Gebiet weiß.

Mit Bedacht ist Erfurt als Ort für diese Studientagung gewählt worden. Erfurt hat als geistiger und geistlicher Kraftquell der katholischen Christen in der Zeit der DDR eine große Rolle gespielt und bleibt für diesen Teil Deutschlands bedeutsam. Ich möchte an dieser Stelle die Gelegenheit nutzen, Bischof Joachim Wanke sowie den Mitarbeiterinnen und Mitarbeitern des gastgebenden Bistums für die vorbereitende und begleitende Arbeit zum Gelingen dieser Studientagung herzlich zu danken. Wir wollen bei dieser Studientagung der Situation im Osten Deutschlands besondere Aufmerksamkeit zuwenden. Insbesondere möchte ich an die drei herausragenden Ereignisse der katholischen Kirche in der DDR vor der friedlichen Revolution erinnern, an die es anzuknüpfen gilt: die Pastoralsynode aller Jurisdiktionsbezirke in Dresden, das von allen Jurisdiktionsbezirken getragene Katholikentreffen in Dresden und die Ökumenische Versammlung für Frieden, Gerechtigkeit und Bewahrung der Schöpfung. Es waren dies zugleich drei Schritte zum wachsenden Öffentlichkeitsanspruch der katholischen Christen in diesem Teil Deutschlands und zu ihrer wachsenden Entschlossenheit, Einfluß zu nehmen auf die Gestaltung der Gesellschaft.

Daß die Pastoralsynode sich darauf beschränkte, über das Zeugnis des einzelnen Christen in der Berufs- und Arbeitswelt und gegenüber unseren Mitmenschen nachzudenken und zu sprechen, folgte weiß Gott nicht einer prinzipiellen Abstinenz von der Gesellschaft oder gar der

Vorstellung, der Platz des wahren Christen sei in der Nische, sondern einer nüchternen Einschätzung des allmächtigen Gegenüber, der die Gesellschaft verstaatlicht und den Staat zum Heerschaftsinstrument der Parteiführung gemacht hatte. Das Katholikentreffen machte zehn Jahre später den Anspruch katholischer Christen deutlich, in der Öffentlichkeit auf zutreten und so das Bild der Öffentlichkeit mitzubestimmen.

Die Ökumenische Versammlung für Frieden, Gerechtigkeit und Bewahrung der Schöpfung schließlich, zu deren Trägern Justitia et Pax für die katholische Kirche gehörte, machte die Nöte und Mißstände der Gesellschaft zu ihrem Thema. So wurde sie zu einem bedeutsamen geistigen Vorbereiter der revolutionären Wende im Herbst 89. Es liegt mir fern, aus unserem Leben als Christen in der DDR ein Heldenepos zu machen. Dafür erinnere ich mich zu deutlich unserer Beschämung, wenn wir aus kluger Vorsicht zu Unrecht schwiegen. Nachdem ich aber gerade erst lesen mußte, daß, „wer in der Bibel liest, den Gottesdienst besucht und sich mit Nachbarn und Kollegen gelegentlich über den Sinn des Lebens unterhält", etwas ganz anderes und offenbar besseres sei als der engagierte katholische Laie in dieser freiheitlichen Gesellschaft, will ich doch dies in aller Deutlichkeit sagen: Wir haben im Gottesdienst und in der Gemeinschaft mit Gleichgesinnten die Kraft gefunden, in einer Ordnung zu leben, die nicht nur den Glauben bekämpfte und die Kirche bedrückte, sondern die uns auch das selbstbestimmte öffentliche Engagement aus christlicher Verantwortung beschnitt und versagte. Aber wir haben darum nicht gemeint, die Gesellschaft zu gestalten sei nicht Sache des Christen und hätte mit dem Glauben nichts zu tun. Der Gottesdienst war nicht die alternative Nische, sondern er war und ist die Grundlage für ein Leben aus dem Glauben, dem allerdings in der DDR gegen unseren Willen der Zugang zur öffentlichen Debatte und zur öffentlichen Verantwortung versagt wurde.

Darum haben sich ja gerade, als die Herrschaft der SED wankte und fiel, so viele evangelische und katholische Christen an unterschiedlichen politischen Orten für die Gestaltung der Freiheit engagiert und dafür in überdurchschnittlich großer Zahl das Vertrauen ihrer Mitbürger gefunden. Diese Erfahrung im Dienst für die Mitbürger unter den schwierigen und oft bitteren Umständen raschen und radikalen Wandels hat für mich jedenfalls eine höhere christliche Authentizität als die Empfehlung, uns statt dessen - wohlgemerkt: statt dessen - aus dem Streit und der Entscheidungsnot der heutigen Gesellschaft in das Dunkel schweigender Anbetung zurückzuziehen. Wie las ich doch einst bei Chesterton: You attack reason. That's bad theology.

Wir wissen, daß der Glaube unser Fundament und unsere Orientierung ist. Und gerade darum haben wir nicht die Absicht, die Themen der freiheitlichen Gesellschaft anderen zu überlassen. Im Gegenteil: Am heutigen Tag der deutschen Einheit und vor dem Hintergrund der totalitären Erfahrungen in diesem Jahrhundert unterstreichen wir unser Bekenntnis zur freiheitlich-demokratischen Ordnung der Bundesrepublik. Dieses Bekenntnis verbinden wir mit der Zusage, daß sich das Zentralkomitee der deutschen Katholiken für den Erhalt und die Fortentwicklung unserer Verfassungsordnung einsetzen und sie gegen Gefährdungen verteidigen wird.

Das Wachhalten der Gottesfrage und die Hinführung zum Glauben verbinden wir in unserer Zeit mit der Erziehung zur Freiheit. Eine zentrale Herausforderung im Osten Deutschlands ist, daß die Frage nach Gott weithin verstummt zu sein scheint. In vielen Lebensbereichen und im Leben vieler kommt die Frage nach Gott nicht vor. In aller Nüchternheit erkennen wir, daß sich diese Haltung auch im Westen Deutschlands ausbreitet. Wir konstatieren dies ohne alle Weinerlichkeit. „Es ist, was ist," war schon immer ein guter katholischer Grundsatz. Um so mehr kommt es darauf an, die Verwurzelung aller Existenz in Gott aufzuzeigen und jeder Verengung des christlichen Glaubens auf ein bloßes Moralsystem oder auf undefinierbare Emotionen zu wehren. Der christliche Glaube umfaßt das ganze Leben und die ganze Welt und befähigt zur wahren Freiheit. Um es mit Paulus zu sagen: „Wo der Geist des Herrn wirkt, da ist Freiheit" (2 Kor 3,17).

In diesem Geiste wünsche ich uns einen fruchtbaren Gedankenaustausch und ein gutes Miteinander hier auf der Studientagung in Erfurt.

Bischof DDr. Karl Lehmann

Religion und Glaube als öffentliche Angelegenheit in der pluralistischen Gesellschaft

Es gibt Begriffe, ja sogar Schlagworte, die von den Wissenschaften eher skeptisch beurteilt werden und die auch kein Fundament haben in verbindlichen Texten, z.B. Verfassungen, dennoch werden sie fast selbstverständlich gebraucht zur Beschreibung der gesellschaftlichen und politischen Realität und der in ihr herrschenden Normen. Dies gilt für Begriffe wie Pluralismus, Toleranz, weltanschauliche Neutralität, erst recht für das Wort „Grundwerte„. Wenn man jedoch nach konsensfähigen Alternativen forscht, kommt man bald in die Verlegenheit, daß viele Ersatzbildungen noch mehr versagen. Diese Begriffe - dies ist eine erste Konsequenz - würden vielen Einwänden begegnen. Die Schlagworte erweisen sich jedoch zugleich als schwer ersetzbar. Deshalb ist es notwendig, sie so zu gebrauchen, daß die Einwände mitbeachtet werden. Es ist dann besser, sie von ihrer Funktion her und weniger von einem vorgegebenen Gehalt her aufzufassen.

I.

Der gesellschaftliche Pluralismus ist eine Tatsache, von der man heute bei allen Diagnosen und Prognosen über den Ort von Glaube und Religion in der Gesellschaft nüchtern ausgehen muß. Wir leben in Gesellschaften, die zwar durch manche Verfassungsnormen und Gesetze, Bedürfnisse und Interessen zusammengehalten werden, die auch durchaus ethische Implikationen in sich tragen, aber es gibt keine homogene Grundlage spiritueller, religiöser und ethischer Überzeugungen, von denen alle geleitet werden. Durch die unverzichtbaren Grundrechte auf Meinungs-, und Gewissens- und Religionsfreiheit ist der weltanschauliche und religiöse Pluralismus in besonderer Weise legitimiert.

Solange ein Gemeinwesen trotz dieser inneren Vielfalt faktisch genügend gemeinsame Substanz wahrt, wird es die Frage nach dem Pluralismus nur in relativ abgeschwächter Form geben. Man darf annehmen, daß dies auf der Basis eines Grundkonsenses der Nachkriegszeit, der sich vor allem auch in der Distanzierung und Abwehr der nationalsozialistischen Ideologie bildete, bei uns bis in die 70er Jahre der Fall war. Allmählich war der Vorrat an gemeinsamen Grundüberzeugungen erschöpft oder wenigstens verringert. Es ist nicht ausreichend gelungen, diese Grundüberzeugungen jedoch von der einen zur anderen Generation überzeugend weiterzugeben. Die umwälzenden Jahre nach 1968 haben dies an den Tag gebracht. Die Grundwerte-Debatte, vor allem im Jahr 1976/77, war zu sehr vom Wahlkampf bestimmt und verebbte bald wieder folgenlos. Die Verlegenheit blieb. Die fortschreitende Pluralisierung der Lebensformen, vor allem im Bereich von Ehe und Familie, aber auch hinsichtlich ethischer Maßstäbe hat die grundlegenden Verschiedenheiten mehr und mehr mit einer gewissen prinzipiellen Schärfe an den Tag gebracht. Der gesellschaftliche Individualisierungsprozeß hat dies beschleunigt. Nach der deutschen Einigung ist gerade die weltanschaulich-religiöse Neutralität unseres Gemeinwesens noch deutlicher geworden. Zusätzlich gab es durch die größere Mobilität der Menschen und durch den Aufenthalt vieler ausländischer Mitbürger mit bisher bei uns weniger bekannten religiösen Überzeugungen eine multikulturelle Grundstimmung, die auch die bisherigen kulturellen Standards in unserem Land veränderte. Der Tourismus und die Medien haben zusätzlich zu diesem Austausch beigetragen. Die Verfassungsdebatte nach der deutschen Einheit konnte diese Tendenzen gerade noch bewältigen.

In dieser Zeit beginnt auch stärker die Klage über Sinnleere und Sinnvakuum, abnehmende Bindekräfte und schwindende gemeinsame Wertüberzeugungen in unserer Gesellschaft. Auch liberale Stimmen äußerten sich besorgt. Besonders angesichts zunehmender Gewaltbereitschaft in der Gesellschaft und vor allem steigender Jugendkriminalität ist die abbröckelnde Substanz gemeinsamer Wertüberzeugungen, die auch einer anderen Generation tradiert werden, beklagt worden.

II.

Eine solche Situation, die gewiß noch differenzierter beschrieben werden kann, hat Auswirkungen auf Glaube und Religion sowie besonders auf die Kirchen als deren Träger. Die Kirchen dürfen dabei jedoch nicht ganz vergessen, daß unter anderen Faktoren auch die Kirchenspaltung des 16. Jahrhunderts durch die Pluralisierung geistiger Grundüberzeugungen in der Gestalt der Konfessionen zu ihrem Teil zu der beschriebenen Entwicklung beigetragen hat. Dieser Pluralisierungsprozeß ist jedoch weit über die Kirchen hinausgegangen und ist heute ein konstitutives Element moderner Gesellschaften, mit dem sich die Kirchen grundlegend auseinandersetzen müssen.

Eine erste Folge des radikalen Pluralismus ist eine gewisse Tendenz zur gesellschaftlich leichter akzeptablen Gleichgültigkeit aller Formen von Religiosität. Formal stehen sie unbeschadet der verfassungsrechtlichen Ausgestaltung im einzelnen mit gleicher grundsätzlicher Legitimation nebeneinander. Jede Privilegierung oder Überlegenheit stößt auf Mißtrauen oder eine ideologiekritische Beurteilung. Bei einer vorherrschend individuellen Betrachtung des Phänomens Religion und einer distanzierten Einstellung zu den Großinstitutionen erzeugte diese Sicht eine relativ undifferenzierte Nivellierung aller religiösen Phänomene. Ein Mißbrauch der Religion und ihrer Zerrformen in Aberglauben, Satanismus usw. sowie gewiß auch eine historische Bürde des Christentums über fast 2000 Jahre und gewiß auch Fehler in der Vergangenheit und Gegenwart haben eine kritische Grundeinstellung begünstigt und die Bindungen auch bei den Kirchengliedern gelockert. Dies hat militanten Gruppen und bisherigen Außenseitern neue Chancen gebracht und ihre bisher eher im Abseits verlaufenen Positionen hoffähiger gemacht.

Gottes Thron steht nicht leer, so ist der Titel eines bekannten Romans. Wo die Religion schwächer wird, ziehen problematische religiöse oder pseudoreligiöse Formen durch die Hintertür ein. Bedürfnisse, die nicht mehr vorwiegend durch die Religion erfüllt werden können, werden auf andere Weise besetzt, wie z.B. nach dem Ausfall der kommunistischen Staatsdoktrin am Weiterleben der Jugendweihe in den neuen Bundesländern abgelesen werden kann. So hat sich auch insgesamt eine Form vager Religiosität herausgebildet, die stark vom Einzelnen und seinen Bedürfnissen zusammengebastelt wird. Es kommt dann zu einem manchmal spannungsvollen oder auch widersprüchlichen Synkretismus mit allerhand Ersatz- und Versatzstücken aus allerlei Religionen. Dabei tritt besonders eine verbindliche Individualethik eher zurück, während die sozialethischen Ansprüche eher steigen. Sie sind ja auch meist an andere gerichtet. Zugleich besteht auch nach zahlreichen religionssoziologischen Untersuchungen kein Zweifel daran, daß eine solche freischwebende, subjektiv gewendete Religiosität wenigstens auf eine mittlere Dauer wenig Überlebenschancen hat, zumal wenn sie kaum oder gar nicht durch stabile Gruppen oder im Anhalt an Institutionen gestützt wird. Sie zerfällt oft rasch wieder, weil ihr nicht selten auch die Verbindlichkeit und eine dazu gehörende Lebensform fehlen.

Dieser Prozeß hat die Kirchen selbst mitverwandelt. Ihr Anspruch in der Öffentlichkeit ist anders geworden. Entweder wird er rücksichtslos absolut gesetzt, womit man sich in ein vielfaches Getto begibt. Oder aber man flüchtet in eine Subkultur, die etwas schwankt zwischen dem Kultivieren unangefochtener, wohliger und eher verborgener Nischen und der Pflege visionär-utopischer Alternativen zur faktischen Gesellschaft. In jedem Fall ist der Anspruch der Kirche leiser, manchmal freilich auch unvernehmlich geworden. So existieren Überheblichkeit, Rückzug und Scheu nebeneinander und manchmal auch ineinander. In den Kirchen selbst ist dieser Pluralismus nicht nur deshalb lebendig, weil die Angehörigen der Kirchen selbst am gesellschaftlichen Pluralismus teilhaben und dadurch von selbst entsprechende Verhaltensmuster in die Kirche mitbringen, sondern das kirchliche Leben selbst ist im Blick auf Bewegungen, Spiritualität, Lebensordnung und Lebensformen bis hinein in grundlegende Auffassungen kirchlicher Lehre vielgestaltig, ja manchmal widersprüchlich geworden. Der Versuch der Integration vieler Gruppen in das Ganze verschlingt sehr viel Zeit, was freilich noch erträglich ist, lenkt aber auch die Aufmerksamkeit in hohem Maß ab von den gesellschaftlichen Herausforderungen, denen sich die Kirchen gegenübersehen. Deshalb ist es nicht ganz unverständlich, daß unabhängige Beobachter nicht nur der religiösen Szene, sondern auch der kirchlichen Milieus nicht selten zur Feststellung kommen, die Kirche - nun in der Einzahl verstanden - löse sich immer mehr auf in viele Grüppchen, die beinahe einen sektenähnlichen Charakter haben. Ich halte eine solche Diagnose angesichts der Vielschichtigkeit des Phänomens Kirche letztlich für falsch, aber es gibt zu denken, daß durchaus wohlmeinende Beobachter einen solchen Eindruck gewinnen können.

III.

An dieser Stelle wird deutlich, wie die Individualisierung und der Pluralismus auch den öffentlichen Charakter von Glaube, Religion und Kirchen verändern. Die Sozialform der Kirchen verschwindet nicht, aber sie ändert sich. Wenn die Kirchen in diesem Pluralismus leben, schrumpft zunächst der Radius öffentlicher Anerkennung und Geltung. Auch wenn die staatskirchenrechtlichen Normen in Gültigkeit bleiben, erfolgt eine vielfache Verlagerung. Die Kirchen erscheinen zunächst in dem gleichgültigen Nebeneinander, von dem schon die Rede war. Dies nimmt ihnen zwar nicht ihre öffentliche Erscheinung und Tätigkeit, mindert sie aber allein schon durch die wachsende Vielzahl. Die Sympathie in der Gesellschaft gehört dann oft den Minderheiten, zumal wenn diese in ihrer Heimat oder in unserer Geschichte bedrängt sind bzw. waren. Andere gesellschaftliche Mächte benutzen freilich auch die Ko-Existenz vieler religiöser Gemeinschaften und religiöser Lebensformen, um dem Gewicht und dem Anspruch der größeren Kirchen Grenzen zu setzen. Hier sind natürlich rasch Machtfragen mit im Spiel. Es gibt aber auch eine andere Richtung der Verlagerung, indem nämlich Religiosität ganz in die Innerlichkeit verbannt wird. Darin liegt zunächst natürlich etwas Richtiges, weil der Glaube sich auf eine letzte personale Entscheidung stützt und in der Personmitte des Menschen wurzelt. Die neuzeitlichen Existenzbedingungen für Religion haben unter ganz verschiedenen Aspekten diese Eigenheit von Religion verstärkt, indem sie auf das Herz, das Gefühl, die Betroffenheit usw. eingeschränkt wird. Das Individuum wird so das letzte Maß aller religiösen Dinge. Problematisch wird diese partiell durchaus richtige Sicht, wenn der soziale Charakter menschlicher Lebensäußerungen und erst recht der Religion abgeblendet wird. Dies ist zwar anthropologisch und soziologisch falsch, aber mindestens für einige Zeit kann eine solche Sicht vorherrschend werden.

Damit ist ein zentrales Thema der Moderne angesprochen, das viele Facetten hat. Hiermit geht eine hochgradige Privatisierung der Religion einher, die nicht nur die öffentliche Betätigung der Kirche in ein anderes Licht rückt, sondern auch jeder sichtbaren, erst recht institutionellen Gestalt von Kirche gegenüber skeptisch ist. Religion erscheint als pure Privatsache, was sie - in einem noch ganz allgemeinen Sinne - zweifellos im Blick auf die Wahl einer religiösen Überzeugung und ihre Ausübung auch ist, damit jedoch nicht den Anspruch im öffentlichen Raum verliert. Dies sind Positionen, die der Liberalismus immer schon vertreten hat, wenngleich dies auch in vielen Spielarten erfolgte.

Die Auflösung dieser Frage ist nicht ganz einfach. Zunächst hat der christliche Glaube von der Bibel her einen Anspruch auf rationale Vermittelbarkeit seiner Gehalte, was sich durch die Entwicklung einer argumentativen Theologie und einer vielfältigen missionarischen Inkulturation konkretisiert. Die Botschaft selbst ist jedoch universal ausgerichtet und betrifft zweifellos den ganzen öffentlichen Raum zwischen Himmel und Erde. Daß dieser Öffentlichkeitscharakter keine Zwänge erlaubt, die die Freiheit des Glaubens des Einzelnen verletzen, liegt auf der Hand. Dies ist eine wichtige theologische Voraussetzung, die in den letzten Jahrzehnten - nicht zuletzt im Kontext der verschiedenen theologischen Bewegungen der Hoffnung, der Befreiung, aber auch der politischen Theologie - verstärkt wiedergewonnen worden ist, heute jedoch eher in der Gefahr ist, an Verbindlichkeit zu verlieren.

Die Bewegungen von der Gesellschaft und vom Staat her laufen anders. Da der Staat weltanschaulich und religiös neutral sein muß, jedoch auf Anerkennung von Wertüberzeugungen angewiesen bleibt, kann er selbst direkt keine ethischen Maßstäbe für das Zusammenleben der Menschen produzieren, von religiösen Überzeugungen ganz zu schweigen. Er kann freilich - in demokratischen Gesellschaften - vorwiegend indirekt durch sein Verhalten zur Erosion oder zur Pflege gemeinsamer Grundüberzeugungen beitragen. Jedenfalls darf mindestens im Sinne unsere Grundgesetzes die Religionsfreiheit nicht nur negativ verstanden werden im Sinne bloßer Duldung, sondern der Staat muß der Religion einen offenen Platz überlassen, den sie in eigener Verantwortung und durch eigene Betätigung in Anspruch nimmt und gestaltet. In dieser positiven Religionsfreiheit liegt erst die wahre Regelung, nicht nur in der halben negativen.

Wenn der Staat angewiesen ist auf das Ethos seiner Bürger, das er jedoch nicht selbst grundlegend beeinflussen kann, so muß ihm diese positive Offenheit willkommen sein, denn nur im konkret gelebten Ethos, besonders auch dem religiös bestimmten Ethos, liegt die Möglichkeit einer wertgebundenen Unterstützung. Es wäre ja ein Irrtum zu glauben, daß man abstrakte „Grundwerte" gleichsam in einem direkten Zugang verwirklichen kann. „Grundwerte" sind relativ abstrakte Größen, denn sie leben auf die Dauer nur in einem bestimmten, fest verankerten Ethos, das auch mit einer konkreten Vorzugswahl für eine Religion oder für eine Weltanschauung zu tun hat. Es gibt eben keine abstrakten Träger von „Grundwerten", sondern viele Subjekte eines jeweils eigenen und konkret bestimmten Ethos, von dem her insgesamt das Gemeinwohl mitgetragen wird. Der Staat hat zwar deshalb zu den einzelnen Religionen und Kirchen eine gewisse Distanz, aber dies ist nicht zu verwechseln mit Indifferenz. Der Staat wird in den Wahrheitsfragen zwischen den Religionen, Konfessionen und Weltanschauungen nicht Partei ergreifen. Aber man darf nicht nur diese negativ abgrenzende Dimension sehen, sondern muß auch die dadurch bedingte „Armut" des Staates selbst erkennen.

Dadurch ist auch klargeworden, daß die christliche Religion weder von ihrem eigenen Verständnis noch aufgrund unserer Verfassung in den Bereich bloßer Innerlichkeit eingeschlossen werden darf. Indem sie den ganzen Menschen mit Leib und Seele, als Individuum und in Gemeinschaft betrifft, besonders wenn es auch um Fragen der Erziehung und Bildung, der Sorge um den Menschen in Krankheit und Not geht, ist das Gemeinwohl im Spiel. Dadurch wird die Religion - von der Verfassung her mindestens indirekt - zu einer öffentlichen Angelegenheit. Dies ist auch letztlich der Grund, warum man die Kirche und mit ihr die Religion nicht nur als einen begrenzten Dienstleistungsbereich neben vielen anderen Sektoren ansetzen darf, sondern daß Glaube und Religion von Haus aus nach dem Sinn des Ganzen fragen, auch wenn dies vielleicht manchmal eine unzeitgemäße und unbequeme Frage ist. Es kann dann doch ein Dienst am Menschen sehr wohl auf der Höhe der Zeit werden.

IV.

Diagnosen gibt es vielleicht genügend, aber es nützt nichts, wenn viele Ärzte am Krankenbett stehen, die eine verläßliche Diagnose stellen, aber keine Therapie anwenden können. Im Rahmen des Studientages möchte ich deshalb wenigstens folgende Richtpunkte für eine Therapie formulieren, die zum guten Teil auch an anderer Stelle ausführlicher begründet und entfaltet sind.

1. Anerkennung der pluralistischen Grundsituation und Mut zum eigenen Standort:

Wir müßten eigentlich in einer Phase sein, wo man den gesellschaftlichen Pluralismus zwar nicht mit besonderer Freude begrüßt, aber ihn doch als Faktum und Aufgabe annimmt. Zum Jubel besteht kein Anlaß, denn er bringt auch viele Zerrissenheit und Konflikte in die kleinen und großen Lebenskreise der Menschen. Er ist auch wandlungsfähig, ohne daß man die künftigen Gestalten schon umschreiben könnte. Es ist auch nicht sicher, ob er der Weisheit letzter Schluß ist im Finden eines Schlüssels zum Zusammenleben der Menschen in Freiheit und Gerechtigkeit. Aber wir sollten davon ausgehen, daß sich auf längere Zeit keine anderen Lösungsmöglichkeiten dafür abzeichnen. Wir haben auch bis jetzt genügend Zeit gehabt, um uns in die Spielregeln eines

Zusammenlebens mit Menschen anderer Grundüberzeugungen und Religionen einzuüben. Toleranz, Dialogbereitschaft und Argumentationsfähigkeit sind in aller Munde. Dies gehört zum fast selbstverständlichen Handwerkszeug des Lebens in pluralistischen Gesellschaften. Aber bisher haben wir dies zu oft bloß im Sinne eines gleichberechtigten Nebeneinanders verstanden und haben uns eher gescheut, unsere eigene Stimme im pluralistischen Konzert deutlich werden zu lassen. Absolutistisches und fundamentalistisches Gehabe ist ebenso schädlich wie Anpassung und blinde Gefolgschaft im Blick auf den Geist der Zeit. Wenn wir im Pluralismus überleben wollen, dann brauchen wir auch mehr Mut zum eigenen Platz und zum unverwechselbaren Profil des eigenen Standortes. Wenn wir wirklich katholisch, d.h. wenigstens potentiell universal sind und unserem Glauben sowie unserer Vernunft einiges zutrauen, gelangen wir dabei nicht in eine bornierte Enge. Wir müssen endlich heraus aus einer Situation des Minderwertigkeitsbewußtseins und brauchen zum Erweis unserer Geistesgegenwart nicht allen möglichen Tendenzen nachzulaufen. Wir kommen sonst ohnehin immer zu spät und sind morgen schon von gestern.

2. Mut zur geistigen Offensive:

Wir stehen schon seit langer Zeit mit dem Rücken an der Wand und müssen uns ständig selbst verteidigen. Diese Position ist nicht gut, weil der Spielraum immer enger wird. Andere bestimmen die Themen. Wir sind stets wie in einem Verhör. Wir haben jedoch eine wertvolle und hilfreiche Substanz einer vom Glauben erleuchteten Vernunft, um den Anspruch und den Trost des Evangeliums offensiver zu vertreten. Offensiv heißt nicht aggressiv. Aber es kommt darauf an, daß wir aufbrechen und mehr in einen geistigen Wettbewerb eintreten als bisher. Wir dürfen auch andere mehr nach ihren Konzepten und ihren Lösungen befragen. Wenn dabei die Gemeinsamkeit des Humanen oder Christlichen wächst, kann es nie ein Schaden sein. Freilich dürfen wir dabei auch nicht bloß rückwärtsgewandt operieren. Wir haben schon eine ganze Reihe von Eigentoren geschossen, die unnötig sind. Wenn das Alte und Bewährte wiederholt wird, dann muß es auch seine klärende und befreiende Kraft für heute erweisen. Dies ist wahrhaft katholisch. Dies gilt besonders auch für die Theologie als Wissenschaft und alle ihre Gespräche mit den Nachbardisziplinen. Man wartet viel mehr auf uns, als wir uns zutrauen. Jetzt ist nicht die Zeit des Kleinmuts, freilich auch nicht der großen Sprüche. Alle großen Scheine müssen in Münze eingelöst werden.

3. Vertiefung des gemeinsam Christlichen nach vorne:

Die Ökumene ist ein Geschenk des Geistes in dem zu Ende gehenden Jahrhundert. Darum - so bin ich fest überzeugt - wird die Ökumenische Bewegung auch nicht mehr untergehen. Aber Krisen und Rückschläge muß sie vielleicht doch durchmachen und überstehen. Wenn nicht alles täuscht, dann stehen wir vor einer solchen Bewährungsprobe. Wir haben - Gott sei gedankt - in vielem zueinander gefunden. Vor wenigen Jahrzehnten noch unvorstellbar große Hindernisse konnten überwunden werden. Aber manchmal haben wir uns auch in unseren Schwächen angepaßt und sind zueinander geflüchtet wie Kinder, die bei Kälte ein gemeinsames Nest aufsuchen. Die Ökumene, die nur den Status quo meint anerkennen zu können, wo keiner sich ändern muß, ist für den Christen eigentlich schwer erträglich. Darum müssen wir sehr viel mehr in Auseinandersetzung mit der Stärke des Anderen wachsen und dürfen uns nicht mit dem kleinsten gemeinsamen Nenner zufriedengeben. Der gelebte Glaube ist konkret und verrät oft erst im Vollzug seine innere Kraft. Abstrakte Formeln sind noch längst nicht gelebtes Zeugnis. Darum müssen wir auch viel mehr in die gemeinsame Tiefe dringen. Ökumenische Ausrichtung allein ist zu wenig. Bei aller Offenheit müssen wir viel mehr voneinander lernen, und sei es auch durch die Auseinandersetzung und den Streit hindurch. Das Jahr 2000 wird hier wohl eine Wende bringen müssen. Es versteht sich von selbst, daß damit nicht einer Wiedergeburt des Konfessionalismus das Wort geredet wird. Wir müssen noch offener sein und noch mehr wagen, aber dies nur, wenn wir auch tiefer verwurzelt sind im Glauben und näher bei Jesus Christus bleiben.

4. Mut zum persönlichen Zeugnis:

Unsere Welt verlangt schon das persönliche Eintreten für die Sache Jesu Christi und der Kirche. An nicht wenigen Stellen bedarf es des Bekenntnisses, auch des Widerstands und des Widerspruchs. Glaube hat von Anfang mit dem mutigen, gerade auch öffentlichen Bekenntnis zu tun. Wir dürfen uns nicht wundern, wenn wir herausgefordert werden und - hoffentlich immer mehr - auch provokativ wirken. Aber mit unserer Botschaft, nicht durch ein falsches Auftreten. Dennoch vertrauen wir noch viel zu sehr auf das Amt und die Institutionen. Hier sind wir in unserem Land vielleicht sogar mehr gefährdet als anderswo, weil wir leichter nach verfügbaren Institutionen und Diensten rufen können. Aber allein damit wird man noch nicht viel bewegen. Es kommt noch viel entschiedener auf das persönliche Zeugnis des Lebens und des Glaubens an, das wir indirekt, in der Tat, aber auch direkt, im Wort, bekunden. Der künftige Christ wird ein Zeuge sein, oder er wird bald nicht mehr sein. Als Zeuge vermittelt er und ist selbst jemand, der hinter seiner Sache zurücktritt, aber gerade dadurch wirkt. Es wird ein missionarisches Zeugnis sein, das in viele Winkel unseres Lebens hineinleuchten kann, wo der Arm des Amtes nicht hingelangt. Dann verwirklichen wir die Mündigkeit des Christen und das gemeinsame Priestertum. Daran werden wir schließlich alle einmal gemessen und gerichtet, nicht an den Funktionen, die wir haben.

5. Zuerst Leidenschaft für Gott:

Wir beschäftigen uns mit vielem, allzu vielem. Deswegen sehen wir oft vor lauter Bäumen den Wald nicht mehr. Es fällt uns schwer, uns auf das Eine Notwendige zu konzentrieren. Wir haben die Radikalität und Einfachheit des Glaubens verloren und müssen sie wiedergewinnen: alle Hoffnung auf Gott zu setzen. Dann müssen freilich Besinnung und Meditation, Gebet und Anbetung einen ganz anderen Rang bekommen. Wir verwalten Gott, wenn wir es denn könnten, aber wir müssen ihn täglich von ganzem Herzen und mit allen Kräften neu suchen. Uns ist die Leidenschaft für Gott verlorengegangen. Wenn wir Gott Gott sein lassen und er wirklich alles in allem ist, verlieren wir nichts, wenn wir uns ihm vorbehaltlos zuwenden. Die Bibel verspricht uns, daß uns dann alles andere dazugegeben wird. Dann wird das Gespräch mit dem Nachbarn und dem Kranken, mit dem Künstler und dem Wissenschaftler, dem Buddhisten und dem Atheisten erst aufschlußreich. Wenn wir dann ein wenig wie die Narren Gottes in dieser Welt erscheinen, ist dies nur ein Gewinn.

Jetzt wäre es notwendig, die Leiter wieder zurückzugehen und alle Perspektiven unter diesem Gesichtspunkt hin und her zu betrachten. Aber vielleicht ist noch wichtiger, daß wir uns ansprechen lassen von den Zeugen, die eine besondere Kostbarkeit unseres Glaubens sind, den Heiligen. Sie zeigen uns, daß unser Glaube, wenn wir uns nur auf ihn einlassen, Fleisch und Blut gewinnt, keine blasse Idee bleibt oder eine ferne Utopie am Himmel ist. Lassen Sie mich nur die Heiligen dieser Tage in Erinnerung rufen: Mutter Theresa, Theresia von Lisieux, Franz von Assisi. Allein schon dies ist Sprengstoff genug.

Prof. Dr. Franz-Xaver Kaufmann

Was hält die Gesellschaft heute zusammen?

Die Suche nach den Prinzipien und die Untersuchung von Formen gesellschaftlicher Integration sind zentrale Aufgaben der Soziologie. Insofern haben die Veranstalter gut daran getan, einen Soziologen um die Behandlung des Themas „Was hält die Gesellschaft heute zusammen?" zu bitten. Allerdings sind die Antworten auf diese Frage seitens der Soziologie entweder desillusionierend einfach oder vielfältig und verwirrend. Sie sind zudem abstrakt und treffen nur sehr vermittelt die mutmaßlichen Sorgen und das Engagement von Ihnen allen, die Sie - sicher aus unterschiedlichen Motiven - zu dieser Studientagung gekommen sind.

Es herrscht heute ein verbreitetes Unbehagen über den Zustand unserer Gesellschaft, doch was „unsere Gesellschaft" ist, bleibt fraglich, und die mit dem Unbehagen verbundenen Diagnosen sind vielfältig: Für die einen stehen die Probleme der unvollendeten Vereinigung Deutschlands, für andere die Schwierigkeiten der europäischen Integration, für Dritte die wachsende Arbeitslosigkeit und die absehbaren Defizite der sozialen Sicherung sowie die damit verbundenen Ausgrenzungsprobleme im Zentrum ihrer Besorgnis. Oder aber der Blick richtet sich auf die Integrationsprobleme der Zuwanderer aus fremden, zumal islamischen Kulturen. Und schließlich sorgen sich viele um den moralischen Zustand unseres Gemeinwesens: Verliert unsere Rechtsordnung an moralischer Verbindlichkeit? Schwindet der Gemeinsinn unter dem Druck der Individualisierung? Gibt es eine Entsolidarisierung der Wohlhabenden, und insbesondere derjenigen, welche die Kapitalströme steuern? Driftet unsere Jugend in die Orientierungslosigkeit?

Neben derartigen Besorgnissen, die in der einen oder anderen Form mit einem Mangel an Zusammenhalt in unserer Gesellschaft in. Verbindung gebracht werden, vermute ich bei vielen von Ihnen ein aus dem christlichen Glauben motiviertes Engagement, wie es in eindrucksvoller Weise in der Hildesheimer Erklärung „Solidarität ist unteilbar“ vom vergangenen Jahr formuliert worden ist. Während sich die im Vorangehenden zitierten Besorgnisse vor allem auf die Gesellschaft der Bundesrepublik bezogen, richtet sich die Hildesheimer Erklärung auf eine Vision von Weltgesellschaft: „Solidarität ist universal; sie ist die Antwort auf die weltweit wachsende Interdependenz.“

Diese Differenz der Perspektiven scheint mir symptomatisch: Wenn wir heute fragen, was die Gesellschaft zusammenhält, so geht es nicht nur um die von dem Soziologen Emile Durkheim gestellte Frage nach dem „sozialen Band“, oder genauer: den unterschiedlichen Arten von Verknüpfungen, denen wir den gesellschaftlichen Zusammenhang verdanken, sondern vielleicht noch dringlicher um die Frage nach den Horizonten oder Grenzen von Gesellschaft

Ich will mit dieser letzten Frage beginnen und von ihr her die verschiedenen Dimensionen des gesellschaftlichen Zusammenhalts zu verdeutlichen suchen. In diesem Zusammenhang stellt sich dann auch die Frage, was Solidarität und Dialog zu leisten vermögen. Und schließlich werde ich versuchen, dies alles in eine Beziehung zu den christlichen Impulsen zu setzen, die uns hier zusammengeführt haben. In den mir zugestandenen 30 Minuten kann dies allerdings nur skizzenhaft und mit der Nüchternheit des soziologischen Blicks geschehen, dem die ‚soziale Wärme‘ ebenso fehlt wie den typisch modernen gesellschaftlichen Verhältnissen.

1. Was heißt ‚Gesellschaft‘?

Das Nachdenken über die Bedingungen eines guten menschlichen Zusammenlebens führen wir in der Regel bis auf Platon und Aristoteles zurück, doch finden wir im vorderasiatischen Raum noch weit ältere Dokumente dieses Nachdenkens - vom Codex Hammurabi bis zu den Gesetzbüchern und Chroniken des Alten Testaments. Es gehört zu den tief verwurzelten Vorstellungen unserer Kultur, daß das gute Zusammenleben der Menschen politisch verfaßt sei, daß es ein politisches Gemeinwesen voraussetzt, welches eine gerechte Rechtsordnung gewährleistet. In diesem Sinne beziehen wir heute den Gesellschaftsbegriff im alltäglichen Sprachgebrauch auf die Ebene des Nationalstaates und sprechen von der deutschen, französischen oder amerikanischen Gesellschaft.

Die Idee des Nationalstaates, welche erst im 19. Jahrhundert durch das aufstrebende Bürgertum in Europa zur Geltung gebracht wurde, geht von der Kongruenz zwischen sozio-kultureller (Volk) und politischer Einheit (Staat) aus. Bekanntlich fügt sich die Wirklichkeit dieser Idee nur bedingt, wie auch die Deutschen zwischen 1945 und 1989 erfahren mußten, aber die vielfältigen Abweichungen haben zu keiner konkurrierenden Idee menschlicher Vergemeinschaftung geführt. Im Gegenteil: Seit der Entkolonisierung nach dem Zweiten Weltkrieg wurde der Erdball in staatlich verfaßte Territorien aufgeteilt, deren innere Stabilität im wesentlichen davon abhängig erscheint, inwieweit sich deren Bevölkerung als ein Volk oder als eine Mehrzahl zumeist ethnisch oder religiös definierter Gemeinschaften versteht; so beispielsweise in Belgien, Nordirland oder Spanien.

Nationalstaaten bildeten sich auch in Europa vielfach erst nach gewaltsamen Konflikten und dank der Dominanz eines starken Zentrums, das der Peripherie seinen Stempel aufdrückte. Die nachhaltigesten Mittel einer Homogenisierung der Bevölkerung waren das Bildungswesen, die Armee und die Rechtsordnung; für die jüngste Zeit sind zudem die Medien, insbesondere das Fernsehen, zu nennen. Wo diese Homogenisierung nicht gelang, stellte sich das Problem der Behandlung religiöser, sprachlicher und regionaler Unterschiede. Die Anerkennung von Minderheitsrechten ging dabei häufig mit eher dezentralen, im Extrem föderalen politischen Strukturen einher.

Eine wichtige Prärogative staatliche Souveränität war und ist die Kontrolle der Grenzen. Die Entstehung der Nationalstaaten ging regelmäßig mit der Beseitigung innerer Grenzen und der Liberalisierung von Handel und Verkehr einher, während gleichzeitig die grenzüberschreitenden Kontakte mehr oder weniger strengen Kontrollen unterworfen wurden. Gerade dadurch entstand eine nationale Gesellschaft: Durch Verdichtung der inneren Zusammenhänge und die Abgrenzung nach außen. Nationen waren und sind nichts naturwüchsiges, an ihrem Aufbau sind Historiker und Dichter, Publizisten und Politiker gleichermaßen beteiligt.

Von Anfang an stand das Prinzip des Nationalstaates in Spannung zum universalistischen Denken der Aufklärung, als dessen unüberholte politische Vision Immanuel Kants philosophischer Entwurf „Zum ewigen Frieden" (1795) gelten kann. Der freihändlerische Liberalismus und die internationalistische Arbeiterbewegung standen ebenso wie der römische Katholizismus im 19. Jahrhundert dem Prinzip des Nationalstaats kritisch gegenüber. Aber erst nach dem Triumph des nationalstaatlichen Prinzips im Kontext der Vereinten Nationen haben Strömungen an Kraft gewonnen, welche gegenwärtig die Souveränität, d.h. die politische Allzuständigkeit und Unabhängigkeit des Nationalstaates auf breiter Front in Frage stellen. Wir sollten dabei drei Arten von Entwicklungen unterscheiden: Die Internationalisierung, die Globalisierung und die Transnationalisierung.

a) Mit Internationalisierung sollten wir diejenigen Prozesse bezeichnen, welche die trennende Bedeutung der Grenzen aushöhlen und die Bedeutung grenzüberschreitender Transaktionen für eine Nationalgesellschaft erhöhen. So internationalisiert sich die Wirtschaft nach Maßgabe des Anteils der Importe und Exporte; die Wissenschaft internationalisiert sich, wo das Gewicht ausländischer Experten für die nationale Reputation der Wissenschaftler zunimmt, die öffentliche Meinung internationalisiert sich, je mehr ausländische Radio- und Fernsehprogramme empfangen werden können, usw.

b) Globalisierung bedeutet im Kern die Entstehung und Intensivierung einer weltweiten Kommunikationsgemeinschaft. Dank technischer Fortschritte, internationaler Abkommen und politischer Liberalisierung führt die weltweite Vernetzung von Informations- und Verkehrsmitteln zu einem Schrumpfen der Übermittlungszeiten und zum Bedeutungsverlust räumlicher Distanzen, so daß immer mehr Ereignisse weltweit gleichzeitig wahrgenommen und mit immer kürzeren Verzögerungen an unterschiedlichen Orten der Welt wirksam werden können.

c) Von Transnationalisierung schließlich ist zu sprechen, wo Institutionengefüge und kollektive Akteure entstehen, die die nationalstaatlichen Rechtsordnungen übergreifen, hierzu gehören zum einen praktisch unkündbare völkerrechtliche Verträge, welche einem partiellen Souveränitätsverzicht gleichkommen, so beispielsweise die zur Gründung und Fortentwicklung der Europäischen Union führenden Verträge, aber auch die Einbindung in multilaterale Bündnisse wie die NATO. Transnational werden jedoch zunehmend auch international operierende Wirtschaftsunternehmen, welche sich eine von bestimmten nationalen Standorten weitgehend unabhängige Ordnung und Struktur gegeben haben und hinsichtlich der Verfolgung ihrer Interessen als ‚globale Spieler' für jede ihrer Aktivitäten nach dem jeweils günstigsten Wirt suchen: Beispielsweise Produktion in Thailand, Verkauf in Deutschland und Versteuerung in Luxemburg. Von größter politischer Bedeutung ist die Mutation von Großbanken und Versicherungsgesellschaften in transnationale Finanz-und Devisenmakler und damit verbunden die Entstehung weltweit operierender Finanzmärkte, auf denen täglich mehr umgesetzt wird, als die Devisenreserven aller großen Industrieländer zusammen ausmachen.

Offensichtlich haben sich somit diese drei Entwicklungen in jüngster Zeit stark beschleunigt und wechselseitig verstärkt. Dadurch sind die nationalen Währungs-, Finanz- und Wirtschaftspolitiken in hochgradige Abhängigkeit von internationalen Beurteilungen geraten, so daß es den Staaten immer schwerer fällt, binnenwirtschaftliche Probleme wie z.B. die steigende Arbeitslosigkeit mit politischen Mitteln zu lösen. Aber auch im ureigensten Bereich staatlicher Politik, der Rechtspolitik, nehmen die internationalen Abhängigkeiten zu, beispielsweise durch die Entscheidungen des Europäischen Gerichtshofs. Und da die sozialpolitischen Umverteilungsprozesse essentiell von der gesamtwirtschaftlichen Entwicklung abhängen, geraten auch sie in die Zwänge sich einengender staatlicher Handlungspielräume.

Die Konsequenz dieser Entwicklungen läßt sich mit Helmut Willke als „Entzauberung des Staates" kennzeichnen. Gerade Deutschland hat sich stets durch starke Staats- und Rechtsgläubigkeit ausgezeichnet, seitdem Hegel den Verfassungsstaat als die Verkörperung der sittlichen Vernunft apostrophiert hat. Weit stärker als im angelsächsischen Raum versteht sich die deutsche Gesellschaft als staatsbezogen: Das Grundgesetz hat zivilreligiöse Bedeutung, und man wird die Bundesverfassungsrichter als die Hohenpriester dieser Zivilreligion bezeichnen dürfen. Daher bedeutet der Souveränitätsverlust des Staates und der Autonomieverlust der Politik in den letzten Jahren eine nachhaltige Verunsicherung des deutschen Gemeinschaftsgefühls. Die Vereinigung der beiden deutschen Staaten dagegen darf trotz aller fortbestehenden Spannungen durchaus als kompensierende Stärkung dieses Gemeinschaftsgefühls gelten: Die im Zuge der europäischen Einigung sich abschwächende staatspolitische Bindung wird teilweise durch die erneuerte Selbstverständlichkeit nationaler Zusammengehörigkeit substituiert.

Aber können wir für die Zukunft noch von einer ‚deutschen Gesellschaft' sprechen, oder gehen wir einer ‚europäischen Gesellschaft' oder gar einer ‚Weltgesellschaft' entgegen? Dies hängt offensichtlich vom zugrunde liegenden Gesellschaftsbegriff ab, und so komme ich nicht umhin, Sie nunmehr mit im engeren Sinne soziologischen Überlegungen zu konfrontieren.

2. Soziologische Gesellschaftstheorien

Für die Soziologie ist ‚Gesellschaft' nichts eindeutiges, sondern ein Name für ihren Erfahrungsbereich. Seine spezifische Bedeutung erhielt das Wort parallel zur Entstehung der Soziologie als Wissenschaft im 19. Jahrhundert: ‚Gesellschaft' wurde insbesondere zur Kennzeichnung der nunmehr entstehenden großräumigen und freiheitlicheren Formen menschlichen Zusammenlebens benützt, so etwa ‚bürgerliche Gesellschaft' bei Hegel oder ‚Gesellschaft' im Unterschied zu ‚Gemeinschaft' bei Ferdinand Tönnies. Das sozialphilosophische wie auch das entstehende soziologische Denken hat sich unter dem Eindruck der in den Terror abgleitendenden, ursprünglich liberalen französischen Revolution auf die Frage nach den Bedingungen und Folgen eines freiheitlichen Zusammenlebens der Menschen konzentriert, und diese Fragestellung hat in jüngster Zeit - vor allem unter dem Einfluß des amerikanischen Kommunitarismus, aber auch der im vorangehenden skizzierten internationalen Veränderungen - erneut große Aktualität erlangt.

Die mir gestellte Frage „Was hält die Gesellschaft heute zusammen?" ist der präzise Ausdruck dieser Problemlage. Ohne in Details zu gehen, möchte ich Ihnen vier Teilantworten auf diese Frage skizzieren, welche von einzelnen Autoren oft als die ‚eigentliche Antwort' verabsolutiert werden, jedoch m.E. nur in ihrer wechselseitigen Komplementarität in etwa den komplexen Integrationsmodus moderner Gesellschaften erkennen lassen.

2.1 Normative Integration

Die der Sache nach älteste Antwort kleidet sich heute meist in die Formulierung: Gesellschaften werden durch gemeinsame Werte und Normen zusammengehalten. Dieser normative Modus gesellschaftlicher Integration entspricht schon den Lehren des Alten Testaments: Israel kann sich als unabhängiges Volk nur behaupten, solange es und insbesondere seine Führer den Geboten Jahwes folgen. Im Zuge der neuzeitlichen Säkularisierungsprozesse ist diese in traditionalen Gesellschaften fast allgegenwärtige religiöse Legitimation einer verpflichtenden Moral- und Sozialordnung zwar zurückgetreten, aber weiterhin wird auf transzendentale, d.h. aller gesellschaftlichen Verfügbarkeit entzogene Werte wie Menschenwürde, Freiheit und Gerechtigkeit und daraus abgeleitete Pflichten rekurriert, um die Normen sozialen Zusammenlebens zu begründen. Die Rechtsordnung erscheint aus dieser Sicht primär als moralische, d.h. den Menschen in seinen Motiven und Überzeugungen bindende Ordnung. Wechselseitig förderliche, letztlich im Interesse aller Beteiligten wünschenswerte Formen menschlichen Zusammenlebens beruhen hier im wesentlichen auf der Tugendhaftigkeit der Beteiligten und sind gleichzeitig geeignet, diese Tugendhaftigkeit zu stärken.

Diese auch der aristotelischen Eudaimonia-Lehre entsprechende Vorstellung hat die politische Theorie des Westens bis an die Schwelle der Neuzeit beherrscht. Wir dürfen sie als ihrem Wesen nach traditional bezeichnen, denn ihre Bezugspunkte sind von der Art der gegenwärtigen Probleme und Interessen unabhängig, sie gelten als ewig oder zum mindesten durch die Geschichte erprobt. Nicht von ungefähr werden Vertreter dieser Position oft als konservativ bezeichnet. Die entgegengesetzte moderne Denkrichtung setzt mit Macchiavelli und Hobbes ein: Sie bestimmt den Menschen nicht als transzendenzbezogenes, pflichtengeleitetes, sondern als auf sich selbst bezogenes, interessengeleitetes Wesen. Im Zuge der Aufklärung erscheinen dann zunehmend jene Formen menschlichen Zusammenlebens als die besten, welche den einzelnen die Verfolgung ihres je eigenen, nun nicht mehr kollektiv verstandenen Glücks ermöglichen.

2.2 Integration durch Interdependenz

Ein zentraler Denkstrang der Soziologie betrifft den Strukturwandel von Gesellschaft im Zuge der Modernisierung. Während die vorneuzeitlichen Hochkulturen sozial im wesentlichen auf dem hierarchischen Prinzip der Über- und Unterordnung sowie dem ökonomischen Prinzip des sich grundsätzlich selbst versorgenden Oikos beruhten, strukturieren sich moderne Gesellschaften primär nach Funktionsbereichen. Die klassischen sind Wirtschaft, Politik, Religion und Familie, doch verselbständigen sich im Zuge der weiteren Modernisierung zusätzliche Funktionsbereiche, wie Militär, Rechtspflege, Bildungswesen, Gesundheitswesen, Wissenschaft oder Massenkommunikation. All diese Funktionsbereiche materialisieren sich in eigenen Organisationen, Regelwerken und Leitideen, welche in ihren handlungsleitenden Prinzipien verschieden und nach dem Typus ihrer Problemlösung wenig kompatibel sind: Man kann nicht nach Art des Mediziners ein Unternehmen führen, und unternehmerisches Handeln ist in der Rechtspflege fehl am Platz. Moderne Gesellschaften institutionalisieren also mit der Arbeitsteilung eine Vielzahl normativer Handlungsorientierungen, welche jedoch nicht mehr allgemein, sondern nur noch kontextspezifisch und rollenabhängig verbindlich sind. Gleichzeitig werden die

Entscheidungssituationen immer komplexer, und Pflichtenkollisionen nehmen zu. Deshalb verlieren die althergebrachten religiösen und moralischen Normbegründungen an Plausibilität und werden durch komplexere Vorstellungen, etwa diejenige der Verantwortlichkeit und der Rechtmäßigkeit ersetzt.

Wie verhält sich nun dieser historische Trend der Funktionsdifferenzierung zum Problem des gesellschaftlichen Zusammenhalts? Zunächst ist plausibel, daß mit Bezug auf einen bestimmten Funktionsbereich die Ausdifferenzierung integrierend wirkt. Es ist in der Tat bewundernswert, zu welchen komplexen Leistungen wir heute beispielsweise in der Raumfahrt oder hinsichtlich des reibungslosen Funktionierens unserer Verkehrsnetze in der Lage sind. Die organisierte Arbeitsteilung hat eigenständige Formen der Handlungskoordination hervorgebracht, die im übrigen nur wenig auf nationale Vorgaben für ihr Funktionieren angewiesen sind. Daher sind Wirtschaft und Wissenschaft die Motoren der Internationalisierung und Globalisierung.

Wie aber verhält es sich mit dem Verhältnis der ausdifferenzierten Funktionssysteme untereinander? Warum driften sie angesichts ihrer Spezialisierung und Eigensinnigkeit nicht stärker auseinander? Die Antwort der soziologischen Gesellschaftstheorie bezieht sich seit Emile Durkheim auf das Prinzip der wechselseitigen Abhängigkeit. So bedarf der Staat zur Finanzierung seiner Aufgaben der Steuern einer prosperierenden Wirtschaft, welche ihrerseits auf Rechtsschutz und ein funktionierendes Geldwesen angewiesen ist. Oder: Alle Gesellschaftsbereiche bedürfen des Nachwuchses, der von den Familien aufgezogen wird, die ihrerseits auf die Leistungen fast aller Funktionsbereiche angewiesen sind. Aus der Sicht gesellschaftlicher Arbeitsteilung leistet also die funktionale Interdependenz den zentralen Beitrag zum gesellschaftlichen Zusammenhalt.

2.3 Integration durch positives Recht

Eine dritte theoretische Position, die sich wohl am unmittelbarsten auf die geistigen Impulse der Aufklärung bezieht, betont die zentrale Bedeutung des auf demokratischen Wege zustande gekommenen positiven Rechts für die Integration moderner Gesellschaften. Positives Recht, das ist das in bestimmten Verfahren - insbesondere der Gesetzgebung und der Rechtsprechung - zustande gekommene System von Rechtsregeln, welche nach den gleichen Verfahren auch als grundsätzlich änderbar gelten. Diese Verfahren müssen ihrerseits dem Anspruch allgemeiner Zustimmungsfähigkeit genügen, wie sie vor allem für Verfassungsnormen in der Regel unterstellt werden kann. Zwar unterscheiden sich die theoretischen Rechtsbegründungen im einzelnen, aber ungeachtet dessen kann die praktische Integrationsleistung des Rechts - zunehmend auch in der Form internationaler Verträge und multilateraler Abkommen - kaum überschätzt werden. Nichts anderes trägt mehr dazu bei, unsere wechselseitigen Erwartungen zu stabilisieren und damit unseren sozialen Verhältnissen Festigkeit und Flexibilität zugleich zu vermitteln. Denn das Recht wird nicht mehr als ewige Verpflichtung, sondern als mit den Umständen wandelbare Ordnung gedacht.

Als entscheidend für eine gerechte Rechtsordnung gilt neuzeitlich die Gleichheit der Rechte aller Individuen, welche sich als bürgerliche, politische und soziale Teilhaberechte historisch entwickelt haben. Das zentrale Gerechtigkeitserfordernis ist nach dieser für das sozialstaatliche Selbstverständnis maßgeblich gewordenen Denkrichtung die Inklusion aller in die ausdifferenzierten Leistungsbereiche moderner Gesellschaften. Während traditionale Gesellschaften den einzelnen in einem bestimmten Segment - seinem Oikos oder seiner Korporation - verankerten, fehlt es dem modernen Individuum an einem derart kollektiv definierten sozialen Ort. Eben darin besteht auch seine Freiheit, sich als einzelner selbst seinen sozialen Ort in Wirtschaft, Politik, Familie usw. zu suchen. Aufgabe der Rechtsordnung ist es dabei, allen den Zugang zu den existentiell wichtigen Leistungsbereichen moderner Gesellschaften offen zu halten oder zu sichern - genau in diesem Punkt unterscheiden sich liberale und sozialdemokratische Positionen.

2.4 Gesellschaft als Funktionszusammenhang und als moralischer Anerkennungszusammenhang

Eine einflußreiche, in Deutschland vor allem mit dem Namen von Niklas Luhmann verbundene soziologische Denkrichtung geht davon aus, daß moderne Gesellschaft durch die Verknüpfung von organisierter Funktionsdifferenzierung und positiver Rechtsordnung konstituiert und damit zusammengehalten werde. Gesellschaft konstituiert sich dieser Auffassung zufolge durch Kommunikation: Wo Kommunikation sich vollzieht - in Handel, Verkehr, Massenmedien, politischen Verhandlungen usw. - besteht Gesellschaft. Und in diesem Sinne wachsen die Kommunikationsnetze weltweit immer stärker zusammen, gehen wir alle auf eine Weltgesellschaft zu. Das ist die desillusionierend einfache Antwort der Soziologie auf die gestellte Frage: Jede Kommunikation hält Gesellschaft zusammen, ja Gesellschaft Ist Kommunikation, unabhängig von deren inhaltlichen Qualitäten. Je dichter das Netz der Kommunikationen, desto größer der gesellschaftliche Zusammenhalt. Und in der Tat finden heute gewaltsame Konflikte größeren Ausmaßes nur noch in solchen Teilen der Erde statt, wo größere Menschengruppen noch nicht in ein dichtes vieldimensionales Netz der Austauschbeziehungen, also in eine intensive wechselseitige Abhängigkeit mit anderen Menschengruppen geraten sind.

Gegen diese völlig anonymisierte Auffassung von Gesellschaft werden auch von soziologischer Seite Einwände vorgebracht, welche auf den fundamental moralischen Charakter sozialer Beziehungen insistieren. Ich kann diese vielschichtige Diskussion hier nicht präsentieren, sondern nur auf die Unterschiedlichkeit der Perspektiven verweisen: Während die funktionalistische Betrachtungsweise von Gesellschaft die reale Entwicklung einer wachsenden Anonymisierung der Sozialbeziehungen und damit einhergehenden Austauschbarkeit von Personen als Akteure in den komplexen Kommunikationsgeflechten reflektiert, reflektiert die moralische Betrachtungsweise die Bedingungen menschlicher Reproduktion und interpersonellen Zusammenlebens. Wer darauf insistiert, daß Menschen nicht bloße bio-psychische Elemente eines letztlich blinden Evolutionsprozesses sind, sondern ihre Personhaftigkeit, d.h. ihren Anspruch und ihre Fähigkeit zur Selbstbestimmung behauptet, nimmt bereits einen moralischen - oder wenn dies besser gefällt - einen kulturalistischen Standpunkt ein. Die Paradoxie einer bloßen funktionalistischen Weltauffassung wird deutlich, wenn wir bedenken, daß es gerade die personalistische, auf die Vorstellung unveräußerliche Menschenrechte gegründete okzidentale Kultur gewesen ist, welche die heute in die Globalisierung mutierende neuzeitliche Entwicklung entbunden hat. Die große offene Frage lautet: Vermögen die anonymen Dynamiken funktionaler Zusammenhänge sich auf Dauer ohne das Gegengewicht moralischer Ansprüche in einer für die Menschheit gedeihlichen Form zu stabilisieren? Aber auch wer auf diese schon eher an Glauben denn an Wissen appellierende Frage mit einem überzeugten ‚nein' antwortet, wird sich die Folgefrage gefallen lassen müssen, welcher Art diese moralischen Ansprüche in einer normativ heterogen gewordenen Kultur sein können und wie man sich ihre Wirkungsweise vorzustellen hat.

Der tiefere Grund für das Auseinanderdriften der vielfach beschworenen ‚zwei Kulturen', der naturwissenschaftlich-evolutionistischen und der geisteswissenschaftlich-kulturalistischen, liegt m.E. in der Auseinanderentwicklung der Reproduktionsbedingungen für gesellschaftliche und interpersonelle Zusammenhänge. Während Aristoteles und mit ihm das ganze von Luhmann als ‚alteuropäisch' apostrophierte Denken von einem unmittelbaren Zusammenhang zwischen individuellem und kollektivem Wohlergehen ausging, müssen wir heute davon ausgehen, daß das, was die Gesellschaft funktional zusammenhält, nicht mehr ausreicht, um den Menschen Lebenssinn zu vermitteln. Die Zukunft von ‚Gesellschaft' und die Lebenperspektiven der Individuen haben sich in einem Maße entkoppelt, daß sie sich in plausibler Weise kaum mehr unmittelbar zueinander in Beziehung setzen lassen. Umgekehrt bleibt jedoch auch die sich anonymisierende und ins Weltformat ausdehnende Gesellschaft auf die Reproduktion moralischer Individuen, also von Personen angewiesen, die verantwortungsfähig sind; die sich trotz der Unüberschaubarkeit der Verhältnisse und der Pluralität von Optionen entscheiden können; welche bereit sind sich an gesetzte Regeln und an getroffene Vereinbarungen zu halten; und welche die Fähigkeit zu menschlicher Bindung und Zuwendung kultivieren, ohne die der Mensch als moralische Person nicht werden kann.

Der nicht grundsätzlich zu beseitigende Kern unseres derzeitigen Unbehagens, unseres „Unbehagens in der Modernität“ (P.L. Berger u.a.), liegt m.E. in diesem Auseinandertreten der Erhaltungsbedingungen von gesellschaftlichen Funktionssystemen und der Erhaltungsbedingungen moralischer Personen. Diese Spannung läßt sich nicht beseitigen, sondern nur in mehr oder weniger gedeihlicher Form austragen. Der Ruf nach neuen intermediären Strukturen, nach Wiederherstellung von Gemeinschaftlichkeit und nach einer Vermittlung von lokaler und globaler Solidarität sind ein Ausdruck der Suche nach solchen gedeihlichen Austragungsformen.

So, wie sich mir die Zusammenhänge darstellen, halte ich es für unwahrscheinlich, daß sich theoretisch und erst recht nicht geschichtlich eine bestimmte. optimale Form moralischen Zusammenlebens unter Menschen herausstellen wird. Entscheidend ist, daß und ob Menschen als Menschen zusammenleben wollen, ob sie also weiterhin die moralische Anstrengung auf sich nehmen, über den Tellerrand ihres persönlichen kurzfristigen Nutzens hinauszudenken, und ob sie dies in gemeinschaftlichen Formen tun, aus denen eine gewisse Breitenwirkung entstehen kann.

Immerhin läßt sich hierfür aus unseren noch kurzen Erfahrungen mit modernen Lebensformen m.E. eine Minimalbedingung angeben, welche auch in der neueren Sozialphilosophie und in der jüngsten Soziologie an Beachtung gewinnt: Jedes menschliche Zusammenleben, das nicht auf Zwang gegründet ist, setzt die Anerkennung des Mitmenschen als meinesgleichen voraus. Diese Norm ist zwar bereits in der goldenen Regel und im christlichen Gebot der Nächstenliebe impliziert, hat jedoch im Zuge der neuzeitlichen Diskussionen um Menschenwürde und Menschenrechte einen weiterreichenden, auch institutionellen Charakter gewonnen: Institutionen können nur insoweit dem menschlichen Zusammenleben förderlich sein, als sie auf der Anerkennung des Selbstbestimmungsrechts aller Betroffenen aufbauen und deren Grundrechte respektieren, und darüber hinaus ein Verhältnis der Reziprozität - und eben dies bedeutet die Anerkennung als meines gleichen - unter den Beteiligten fördern.

In dieser Perspektive erscheint die Rechtsordnung nicht als bloßer Regelungszusammenhang, sondern als moralisch verbürgter, personenbezogener Anerkennungszusammenhang, von dem her sich auch der Sinn des Rechts im Konfliktfalle erst erschließt. Ich freue mich, zur Illustration Papst Johannes Paul II. zitieren zu können: „Sämtliche ‚Menschenrechte' sind letzten Endes hinfällig und wirkungslos, wenn ihrer Grundlage der Imperativ ‚ehre!' fehlt; mit anderen Worten, wenn die Anerkennung des Menschen durch die einfache Tatsache, daß er Mensch, ‚dieser' Mensch ist, fehlt. Rechte allein genügen nicht." (Brief Papst Johannes Paul II. an die Familien vom 2. Februar 1992. Verlautbarungen des Apostolischen Stuhls Nr. 112, S. 39.)

2.5 Dialog und Solidarität

Lassen Sie mich von hieraus abschließend auf die beiden Leitbegriffe unserer Studientagung „Dialog und Solidarität" zu sprechen kommen. In beiden Begriffen ist diese moralische Anerkennung des Mitmenschen als meinesgleichen vorausgesetzt, aber mit unterschiedlichen Akzenten. Im Begriff des Dialogs wird das Verschiedene, im Begriff der Solidarität das Gemeinsame im Verhältnis zwischen den Menschen thematisiert.

Solidarität setzt die Gemeinsamkeit oder zum mindesten Ähnlichkeit von Werten und Orientierungen voraus. Ich bleibe deshalb auch etwas skeptisch gegenüber der bereits zitierten Hildesheimer Erklärung, welche mit den Worten beginnt: „Solidarität ist unteilbar." Leider ist das Gegenteil der Fall: Im Regelfall eint Solidarität nur die Ähnlichen, wobei die Ähnlichkeit bald durch gemeinsame Überzeugungen, bald durch gemeinsame Interessen, bald durch ein gemeinsames Schicksal und erst Recht durch die Kombination dieser Faktoren erzeugt werden kann. Wer weltweite Solidarität fordert und zu geben bereit ist, beruft sich auf die fundamentalen Gemeinsamkeiten de Menschen als Kinder Gottes und Träger gleicher Menschenrechte; er ist bereit jeden als meinesgleichen anzuerkennen. Dies ist die großartige Vision des Christentums, welche Papst Johannes Paul II. auch mit seiner Forderung einer „Zivilisation der Liebe" anvisiert. Diese Forderung ist als moralische Entsprechung zur wachsenden Weltvergesellschaftung durchaus berechtigt; aber Solidarität bleibt auch dann teilbar, ja sie muß geteilt werden, da wir nicht „aller Welt treu sein können“. Wir wollen stets in bestimmten, für uns überschaubaren Verhältnissen leben, und unsere leibliche

Existenz bleibt stets an bestimmte Räume und soziale Kontexte gebunden, mit denen uns mehr verbindet als mit der Menschheit als Ganzer. Realistisch gesprochen besteht die neue moralische Herausforderung gerade darin, unsere Solidarität zu teilen! Wir sollten die Fähigkeit entwickeln, mit Bezug auf verschiedene Lebensbereiche Solidarität mit unterschiedlicher Reichweite zu üben.

Wenn Solidarität teilbar ist, so bedeutet das auch, daß es nicht nur individuelle, sondern auch legitime kollektive Verschiedenheiten gibt. Wir erleben die Andersartigkeit unserer Mitmenschen täglich, und wir erfahren soziale Verschiedenheit nicht selten in der Form von im Grenzfall gewaltsamen Konflikten. Hier ist die Forderung nach Dialog und Dialogbereitschaft der angemessene Ausdruck einer Anerkennung unserer Mitmenschen als unseresgleichen: Trotz anderer Überzeugungen, trotz anderer Interessen und trotz anderen Schicksals.

In der vom Zentralkomitee der deutschen Katholiken 1993 angenommenen Vorlage „Dialog statt Dialogverweigerung „ wird zwischen interpersonalem und Systemgrenzen überschreitenden Dialog unterschieden (vgl. Annette Schavan (Hrsg.), Dialog statt Dialogverweigerung. Impulse für eine zukunftsfähige Kirche. Kevelaer 1994, S. 40ff.). In beiden Fällen handelt es sich darum, daß sich die Dialogpartner sich der Andersartigkeit von Einstellungen und Sinnkontexten ihres Gegenübers stellen und diesen in eben dieser Fremdheit dennoch als ihresgleichen ernst nehmen, denn sie selbst sind für ihn genau so fremd. Dies kann allerdings nur gelingen, wo neben aller Fremdheit auch Gemeinsamkeit unterstellt wird, wo also eine basale Solidarität geübt wird. In eben diesem Sinne appelliert die Anerkennung jedes Menschen in seiner Würde an dessen Fähigkeit, auch andere in ihrer Würde anzuerkennen. Das christliche Gebot der Anerkennung der Menschenwürde besteht nun dann, diesen Appell auch dort aufrecht zu erhalten, wo seine Erfüllung verweigert wird. Hier zeigt sich die Radikalität des christlichen Liebesgebots, das über das Vernunftgebot der Reziprozität hinausgeht: Gewalt nicht mit Gewalt zu vergelten, da sie nicht nur meiner Würde, sondern auch derjenigen des Gewalttäters widerspricht.

3. Zusammenfassung

Ich fasse zusammen: Unsere bisherigen Vorstellungen von ‚Gesellschaft' gehen von deren festen Grenzen aus, wie dies dem Leitbild des Nationalstaates entspricht. Der Nationalstaat war die historisch wohl letzte und umfangreichste Form eines die Menschen in all ihren Lebensbezügen umfassenden Gemeinwesens, in dem entsprechend der aristotelischen ‚koinonia politike' das individuelle und das kollektive Wohl plausibel in einen gemeinsamen umfassenden Sinnzusammenhang vermittelt werden konnte. Im Zuge von Internationalisierung, Globalisierung und Transnationalisierung werden diese Grenzen unscharf, und eben deshalb wird der gesellschaftliche Zusammenhalt fragwürdig. Ich habe sodann vier Arten des sozialen Zusammenhalts unterschieden: (1) Durch gemeinsame Werte und Normen, also durch ein inhaltlich definiertes Ethos; (2) durch wechselseitige Abhängigkeit arbeitsteilig spezialisierter Leistungsbereiche und funktional differenzierter Teilsysteme; (3) durch die Ordnung des positiven Rechts und (4) durch Gemeinschaftsbildung auf der Basis wechselseitiger moralischer Anerkennung, auch angesichts der Verschiedenheit unserer Mitmenschen. Eine Überwindung der daraus folgenden Fremdheit setzt Solidaritäts- und Dialogbereitschaft voraus. Mag dies auch natürlicher Vernunfteinsicht zugänglich sein, so vermag doch nur ein unbedingter Glaube an die Würde auch desjenigen, der mir die Anerkennung meiner Würde verweigert, das Entarten unserer Fremdheitserfahrungen und Unverständnisse in gewaltsame Auseinandersetzungen zu verhindern. Solch unbedingter Glaube hat bisher nur ein religiöses Fundament im unbedingten Liebesgebot des Christentums.

Prof. Dr. Thomas Ruster

Wie kann die Kirche in der pluralistischen Gesellschaft dialogisch, solidarisch und missionarisch sein?

Wir Christen leben in einer pluralistischen Gesellschaft, und wenn man die Frage stellt, ob sie mit dieser Gesellschaft solidarisch sein können, dann muß man zunächst antworten - um es mit den Worten meines Namenspatrons und uneinholbaren theologischen Vorbilds Thomas von Aquin zu sagen : „videtur quod non" - es scheint, daß es nicht so ist. Denn solche Solidarität würde doch zum mindesten eine gewisse Übereinstimmung mit dem Grundprinzip dieser Gesellschaft voraussetzen, eben dem Pluralismus. Unter dem Pluralismus aber ist ganz formal, nach der Brockhaus-Enzyklopädie, „die Annahme mehrerer voneinander unterschiedener und selbstständig bestehender Prinzipien der Wirklichkeit, die nicht voneinander oder einem einzigen Prinzip ableitbar sind", zu verstehen; daraus folgt dann „die gleichberechtigte Geltung mehrerer voneinander unterschiedener Standpunkte oder Normensysteme im Rahmen menschlicher Gemeinschaft".

Für Menschen, die an den einen Gott als Grund und Ziel der Welt glauben, scheint es unmöglich zu sein, eine solche Definition als gültige Beschreibung der Wirklichkeit hinzunehmen. Das dem Pluralismus entsprechende theologische Konzept kann eigentlich nur ein Polytheismus sein, jeder Monotheismus muß sich feindlich zu ihm stellen. So wird die Sache häufig aufgefaßt, und die lange Tradition des kirchlich-katholischen Kampfes gegen die Verabschiedung Gottes als des einzigen und letzten Bezugspunktes aller Wirklichkeit scheint dieser Sichtweise recht zu geben. Wie sollte auch eine Kirche, die das „extra ecclesiam nulla salus" - außerhalb der Kirche kein Heil - als verpflichtendes Dogma im Erbe führt, sich zur „gleichberechtigten Geltung mehrerer unterschiedlicher Standpunkte oder Normensysteme" bekennen können? Ist nicht unsere heutige christliche Toleranz in diesen

Dingen mit einem hohen Preis bezahlt, mit einem Relativismus, der die Wahrheit des Glaubens an den einen Gott längst preisgegeben hat?

Ich habe mich länger mit der katholischen Theologie in der Weimarer Republik beschäftigt und könnte Ihnen ohne Ende aus der damaligen Polemik gegen den Subjektivismus, die Atomisierung, die Zersetzung zitieren, in welchen Begriffen man damals die heftig einsetzende gesellschaftliche Pluralisierung erfaßte. Ein Beispiel soll genügen: Der Freiburger Dogmatiker Engelbert Krebs predigte 1924 gegen den „Subjektivismus, die Ichsucht des einzelnen und der Nationen, diese verkehrte Haltung des Geistes, die, einmal in den Organismus der europäischen Völkergemeinschaft eingedrungen, den Keim der Auflösung, die Giftsaat der zersetzenden Mächte in alle Gebiete des öffentlichen Lebens hineingetragen und uns alle in ein letztes Stadium des Zersetzungsprozesses hineingeführt hat". Krebs verglich seine Zeit mit dem abgestürzten Luftschiff des Grafen Zeppelin: „da lagen am Boden oder wirbelten in der Luft noch alle Teile, aus denen dieses Werk der Kühnheit zusammengesetzt war. Aber durch die Explosion wurden die einzelnen Teile zu Splittern und Atomen aufgelöst ... Alle Teile blieben vorhanden; aber das Ganze war nicht mehr, weil die Einheit fehlte, die es zusammenhielt." Das eingängige Bild läßt schon erkennen, welche Aufgabe Krebs der Kirche nach dieser Katastrophe der Pluralisierung zumißt: „Die Kirche ist der große Gegenpart des Subjektivismus"; sie besitzt den Bauplan für das Ganze, aus ihrem einheitlichen Geist können die Teile wieder zur Einheit zusammengefügt werden.

So würden wir heute nicht mehr sprechen, auch ist uns der Krebs'sche Optimismus in Bezug auf die Rolle der Kirche unheimlich geworden - aber sind wir in der Sache weitergekommen? Können wir den christlichen Glauben an den einen Gott pluralistisch buchstabieren? Muß es nicht bei dem „videtur quod non" bleiben?

Ich hätte nicht mit dem heiligen Thomas angefangen, wenn ich nun nicht auch in seiner Diktion ein kräftiges „sed contra" - aber andererseits - gegen diesen anscheinend so plausiblen Einwand setzen würde. „Ich bin der Herr dein Gott, der dich aus dem Sklavenhaus Ägypten geführt hat: du sollst keine anderen Götter neben mir haben" (Ex 20, 2f), so lautet das Erste Gebot. Es schärft den Glauben an den einen und einzigen Gott ein, von dem Juden, Christen und auch Muslime niemals lassen dürfen, aber es kennt auch die anderen Götter. Die Israeliten, denen das Gesetz gegeben wurde, hatten vorher in Ägypten nur von einem Gott gewußt, wenn er auch in verschiedenen Gestalten auftrat: es war der Gott der Pharaonen gewesen, der sie in der Sklaverei gehalten hatte. Gegenüber dem religiös-politischen Totalitarismus, der in Ägypten herrschte - der Pharao begriff sich als Gottessohn -, bedeutete die Offenbarung am Sinai Freiheit und Pluralität. Es gibt nicht nur die Götter der Mächtigen, die absolute Unterwerfung vollstrecken, es gibt einen anderen Gott, der aus ihrer Macht befreit. Dieser sollte für Israel der einzige sein. Aber wie schwer hatte er es stets, sich gegen die Selbstverständlichkeit der Götter der Sieger durchzusetzen. Tatsächlich berichtet die ganze biblische Geschichte von dem unaufhörlichen Konflikt zwischen Gott und den Göttern, zwischen Gottesdienst und Götzendienst, das beginnt mit der Schlange im Paradiesgarten und reicht bis zur Hure Babylon in der Offenbarung des Johannes. Das bleibende Gegenüber von Israel und den Völkern bezeugt die Existenz eines religiösen Pluralismus in der Bibel, in den das Gottesvolk immer schon verwickelt ist und innerhalb dessen das Erste Gebot stets gegen den Anschein der Wahrscheinlichkeit, gegen die unmittelbare Evidenz der Religion befolgt sein will. Paulus zieht später gut jüdisch die Linien weiter bis zum Gekreuzigten: Das Wort vom Kreuz ist den Heiden eine Torheit, denn es offenbart Gott in der Schwachheit (1 Kor 1,18ff). In der Differenz zwischen dem schwachen Gott Israels und Jesu Christi und den starken Göttern der Heiden liegt alle Pluralität begründet, ist jedes totalitäre System der Unwahrheit überführt. Der biblische Pluralismus reicht bis ins Herz jedes Gläubigen hinein, und er erfaßt alle, die mit dem Evangelium in Berührung kommen.

In dem ausführlichen „respondeo dicendem“ - ich antworte, indem ich sage -, das nun mit Thomas folgen müßte, könnte gezeigt werden, daß und wie sich der Pluralismus erst auf dem Boden der von der Bibel geprägten Kultur entwickelt hat. Stichworte müssen für heute genügen: Die Bibel ist selbst ein zutiefst pluralistisches Buch, die sich allen Versuchen gegenüber, aus ihr eine einheitliche und eindeutige Botschaft herauszulesen, resistent erwiesen hatte. Als die Bibel beider Testamente enthält sie in sich die Differenz von Juden und Christen, die bereits Paulus im Römerbrief nicht hat auflösen können. Die Apologeten der vorkonstantinischen Ära wurden nicht müde, die Eigenart des Gottes der Christen gegen den Götterhimmel der Heiden abzusetzen. Augustinus entfaltete im 5. Jahrhundert den Gegensatz von Gottesbürgerschaft und irdischer Bürgerschaft, der dem Anspruch der römisch-heidnischen Staatsreligion - eine gute Religion hatte die Bürger zu einen und dem Staat zu dienen - diametral entgegenstand. Hier hat eigentlich die Neuzeit begonnen. Auf Augustins Spuren ist das ganze Mittelalter von der „protopluralistischen" Spannung zwischen geistlicher und weltlicher Gewalt geprägt, wenn es auch nicht an Versuchen gefehlt hat, sie nach einer Seite hin aufzulösen. Wo aber die Kirche selbst der Versuchung verfiel, ein „Heiliges Reich" wie in den alten Religionen zu errichten, da traten ihr zuletzt die Armutsbewegungen und Ketzer mit der Bibel in der Hand entgegen. In der Reformation ist die innere Pluralität des Christentums in Gestalt neuer Kirchen und Konfessionen explodiert, und wer wollte heute den Reichtum missen, der dadurch für das geistliche und kulturelle Leben entstand. „Gemeinschaft in versöhnter Verschiedenheit", dieses Leitbild der heutigen ökumenischen Bewegung, ist das Grundgesetz nicht nur der christlichen Kirchen, sondern auch des Pluralismus überhaupt. Der europäisch-amerikanische Pluralismus ist eine „Erfindung", eine direkte Folge der biblischen Religionen, und die Christen haben keinerlei Anlaß, sich durch ihn bedroht zu fühlen.

Ich möchte hier innehalten und auf ein aktuelles Thema zu sprechen kommen, das eng mit dem Thema unserer Tagung, aber auch mit meiner Tätigkeit als theologischer Lehrer angehender Religionslehrerinnen und -lehrer zu tun hat. Der konfessionelle Religionsunterricht ist heute heftiger Kritik ausgesetzt. Wenn, wie zumal in den neuen Bundesländern, sich nur noch ein Bruchteil der Schülerinnen und Schüler zum christlichen Glauben bekennt und eine Bindung an eine der Konfessionen aufweist, dann ist die Kritik nachvollziehbar, und es ist nicht ausreichend, sich ihr gegenüber einfach nur auf das Grundgesetz zu berufen. In dieser angefochtenen Lage ziehen sich nicht wenige Religionspädagogen auf eine Linie jenseits der konfessionellen Differenzen zurück. Aufgabe des christlichen Religionsunterrichts sei es demnach, die allen Konfessionen gemeinsamen Überzeugungen zu vermitteln; die früher hochgespielten Unterschiede in Lehre und Praxis hätten ohnehin keine Bedeutung mehr. Weitergedacht, nähert man sich hier der Position der sog. Pluralistischen Religionstheologie, die in allen Religionen nur unterschiedliche Wege zum gleichen Ziel erblickt. Für diese heute sehr populäre theologische Richtung sind das Wort Gott und seine Äquivalente in anderen Kulturen nur Chiffren für eine „letzte, unbedingte Realität“, die in allen Religionen unter verschiedenen Namen erfaßt und verehrt wird. Religionsunterricht, wie er heute gehalten wird, teilt und vermittelt sehr oft diese Überzeugung. Er versucht, religiöse Grundbedürfnisse namhaft zu machen und auf sie mit einer Symbolkunde der religiösen Grunderfahrungen zu antworten, die sich im Christentum ebensogut wie in anderen Religionen finden lassen. Mit diesem Konzept glaubt man der pluralistischen Situation, wie sie heute gegeben ist, gerecht zu werden. Ich möchte hier in aller Entschiedenheit sagen, daß dem nicht so ist. Denn wenn Pluralismus tatsächlich in der Annahme mehrerer und unterschiedlicher Prinzipien der Wirklichkeit besteht, die nicht aus einem einzigen Prinzip ableitbar sind, dann ist mit einem solchen Konzept der Pluralismus gerade aufgegeben. Im Gegenteil, wer die unterschiedlichen christlichen Konfessionen oder gar alle Religionen auf eine letzte Gemeinsamkeit zurückführt, der gibt eine Instanz jenseits des Pluralismus und seiner Prinzipien an. Ein Religionsunterricht, der das zum Inhalt hat, schafft in der Schule einen pluralismusfreien Raum, so tolerant und undogmatisch er sich auch geben mag. Und die Chance, am Gehalt und der Geschichte des Christentums Pluralismus erst zu lernen, wird so vertan. Dabei liegt gerade hier eine zentrale Begründung für den konfessionellen Religionsunterricht in unserem nachkonfessionellen Zeitalter. Am Christentum in seiner konfessionellen Vielfalt ist zu lernen, daß das Ganze des Glaubens nie anders als in divergierenden und konkurrierenden Traditionen und Überzeugungen zu haben ist. Es gibt nicht „das Christentum“, es gibt nur orthodoxes, katholisches, evangelisches Christentum, deren konfessionelle Prägung jeweils den gesamten Bestand des Glaubens in seinen kulturellen Manifestationen, also auch die Rede von Gott, von Christus, vom Heil, auch die Art der Bibellektüre, der Liturgie, der Moral umfaßt. Ein allgemeines Christentum ist ein geschichtsfernes Konstrukt, fern auch der inkarnatorischen Grundstruktur des christlichen Glaubens.

Gelernt werden kann also im Religionsunterricht die unübersteigbare Vielfalt im Bereich der christlichen Religion und damit der illusionäre Charakter von Ganzheitsvorstellungen und Wahrheitsansprüchen, die, wie man weiß, zum Fundamentalismus führen. Gelernt werden kann aber auch, daß inmitten der Unterschiedenheit Dialog möglich ist. Wo die Geschichte des Christentums mit ihren gegenseitigen Verwerfungen und Glaubenskriegen dem Geist des Dialogs widerspricht, da muß sie historischer Lernstoff für das Scheitern absoluter und ausschließender Wahrheitsbehauptungen sein. Daraus können wir lernen; nicht umsonst steht am Ende der Geschichte der Kirchenspaltungen und Glaubenskriege die ökumenische Bewegung. Und schließlich, vielleicht am wichtigsten, kann am Christentum gelernt werden, daß Pluralismus nicht gleich Beliebigkeit ist. Unbedingtes Engagement für die eigene Wahrheit und die Bereitschaft, den anderen das gleiche Recht dazu zuzugestehen, Sensibilität für Differenzen ohne lähmenden Relativismus, Freude am Reichtum der eigenen Tradition und Offenheit für die Bereicherung durch die anderen, Positionsgebundenheit und Dialogfähigkeit, missionarischer Impetus und Solidarität der Suchenden, in einem Wort: Pluralismusfähigkeit, das kann am Christentum gelernt werden. Und das sollte der Inhalt des konfessionellen Religionsunterrichts sein. Dabei ist evident: Konfessionalität, also Bekenntnis, kann ihrem Wesen nach nicht bloß referiert werden. Darum brauchen wir weiter Religionslehrerinnen und -lehrer, die mit einer bestimmten konfessionellen Tradition vertraut sind und diese selbst vertreten - im Geist ökumenischer versöhnter Verschiedenheit.

Wir wissen, daß das Christentum nicht nur ein Paradebeispiel für Pluralismus ist, sondern dessen sachlicher und historischer Grund. „Pluralismusfähigkeit“, so wichtig für unsere Gesellschaft, ist eine Lektion, die der Religionsunterricht von seinem ureigenen Gegenstand her erteilen kann, und ich stehe nicht an zu behaupten, daß ein ordentliches Unterrichtsfach „Evangelische bzw. Katholische Religionslehre“ auch dann noch eine bildungstheoretische Berechtigung in der pluralistischen Gesellschaft hat, wenn es keine konfessionell gebundenen

Schüler mehr gibt. Nun möchte ich es aber nicht dabei bewenden lassen, die innere Übereinstimmung zwischen Christentum und pluralistischer Gesellschaft aufzuweisen. Wie zahlreiche andere Erbstücke der christlichen Tradition hat sich auch dieses Element weitgehend säkularisiert, wenn ich auch der Überzeugung bin, daß es einer Belebung aus seiner Quelle weiterhin bedürftig bleibt. Die „kritische Zeitgenossenschaft" der Christen muß aber weiter reichen als bis zur Bestärkung der Gesellschaft in dem, was sie ist oder trotz aller Gefährdungen sein will.

Der Ursprung des biblischen Pluralismus liegt, so habe ich angedeutet, in dem Widerstand der durch die Offenbarung Belehrten gegen den menschenverachtenden Totalitarismus der Götter und ihrer politischen Systeme. Der Kampf zwischen Gottesdienst und Götzendienst ist zentral für die biblische Botschaft. Wo findet er heute statt? Die Suche nach einer Antwort geht sicherlich in die Irre, wenn sie nur auf moderne „Ersatzreligionen" achtet, auf Jugendsekten, Esoterik usw. Das sind Randphänomene. Der Götzendienst, dessen Phantombild in der Bibel gezeichnet ist, braucht sich gar nicht ausdrücklich als Religion auszugeben. Er ist aber auf jeden Fall ein System, das die Menschen in seinem Bann hält, das fraglos akzeptiert wird, das die Macht in der Welt verteilt und legitimiert. Damit ist klar, wo wir ihn heute finden können: beim Markt und seinen Gesetzen, beim Geld als dem höchsten Wert, bei der Dominanz, den heute die Ökonomie über alle anderen Bereiche gewonnen hat. Im Zeitalter der Globalisierung bedarf es keines Beweises mehr, wo die höchste, absolute und allgegenwärtige Macht in der Welt liegt. Die Politik kuscht vor ihr und ist zur Standort- oder Exportförderungspolitik verkommen, die sozialen Errungenschaften werden ihr geopfert, sie bestimmt das kulturelle und geistige Leben nicht weniger als das Zusammenleben. Diese Macht herrscht weltweit, wie es noch keine Weltreligion geschafft hat. Ihre Symbole, Werte und Regeln haben sich tief in die Herzen aller Menschen eingesenkt; man bringt ihr eine Frömmigkeit entgegen, auf die die angestammten Religionen nur neidisch sein können. Welche Anstrengungen werden nicht unternommen, um an ihren Heilsverheißungen Anteil zu haben! Glück und Unglück, Wohlergehen und Armut, Leben und Tod von Millionen bestimmen sich nach den Regeln des Marktes. Und so kommt es nicht von ungefähr, daß er sich zunehmend mit typisch religiösen Formen umgibt. Schon finden wir Kultmarken und Konsumtempel und eine sakrale Architektur rund um die Zentren des Geldes, man spricht von den „neuen Göttern des Marktes“ (so ein Buchtitel von Norbert Bolz und David Bosshart), wir erleben den ekstatischen, rauschhaften Tanz wie bei der love-parade in Berlin, wir vollziehen getreulich die Riten des Hochfestes dieser Konsumreligion, des Weihnachtsfestes, wir finden aber auch, was in keiner Religion fehlen darf, nämlich die Bereitschaft, Opfer zu bringen Verkehrsopfer, Tieropfer, Pflanzenopfer, Luftopfer, ja ganze Landstriche, Flüsse und Meere werden der Macht des Marktes hingeopfert. Und da dies mit der größten Überzeugung, der größten Selbstverständlichkeit geschieht, haben wir es offenbar mit einer Religion zu tun. Sie ist sich wohl ihrer selbst noch nicht ganz bewußt und verfügt über keine Dogmatik und keinen Katechismus, ja sie kennt nicht einmal ihre Götter genau - aber all das braucht es nicht, um eine Religion zu sein; die meisten archaischen Religionen hatten es auch nicht.

Die Religion des Marktes ist weltweit verbreitet, sie betrachtet alle als ihre Anhänger, nur die Verelendeten nicht, die für Produktion und Konsum nicht mehr in Frage kommen. Auch wir hängen ihr an, bis vielleicht auf wenige Ausnahmen. Es scheint unmöglich zu sein, das nicht zu tun. Dann wären wir also Anhänger zweier Religionen - der einen zugehörig durch Taufschein, gelegentliche Gottesdienste und gewisse Überzeugungen, der anderen durch alltägliche religiöse Praxis, durch die Werte, die wir teilen, durch die Ziele, die unser Handeln lenken. Das klingt erstaunlich und unerhört, aber es ist, biblisch gesehen, der Normalfall. Womöglich kommt die Christenheit heute erst wieder in die Lage zu begreifen, wovon die meisten Seiten der Bibel handeln! Im Buch Exodus und Levitikus: da muß Mose mit den schärfsten Maßnahmen gegen die Vereinigung mit den anderen Völkern vorgehen; im Buch Richter: da ist das Volk unaufhörlich hin- und hergerissen zwischen den Göttern Kanaans und JHWH; in den Samuel- und Königsbüchern: da ist der Baalsdienst und der Kult der fremden Götter längst tief im Volk eingewurzelt und macht auch vor einem Salomo nicht halt, der den Göttern seiner zahlreichen Frauen Tempel auf den Höhen bauen ließ. Als Elia die Opferprobe auf dem Karmel vollzog, da standen ihm 400 Baalspriester und noch einmal 400 Priester der Aschera gegenüber, die auf Staatskosten vom Tisch der Isebel aßen (1 Kön 18). Elia allein stand noch für JHWH. Die großen Propheten waren sich einig darin, daß die Zerstörung Jerusalems und die Deportation als Strafe für den Götzendienst Israels erfolgten. Aber als Jeremias sich an die Verbannten in Ägypten wandte und ihnen Vorhaltungen wegen des Kultes der Himmelskönigin machte, den sie ausübten, da antworteten sie ihm in aller Unschuld: „In der Angelegenheit, in der du zu uns im Namen des Herrn geredet hast, können wir dir nicht gehorchen. Vielmehr werden wir unbedingt all das tun, was wir gelobt haben, nämlich der Himmelkönigin Rauch- und Trankopfer darbringen, wie wir, unsere Väter, unsere Könige und Fürsten in den Ortschaften Judas und auf den Gassen Jerusalems es getan haben.“ (Jer 44,16 f).

Die Selbstverständlichkeit götzendienerischer Praktiken, der der Prophet hier begegnet und die ihn hilflos macht, ist uns auch heute vertraut. Warum sollte es den Christen anders gehen als dem Gottesvolk Israel? Werden nicht auch sie sagen: Unbedingt werden wir alles tun, was wir gelobt haben - was die Orientierung an Wirtschaftswachstum und ökonomischem Erfolg erfordert? Wo bleibt angesichts der alles beherrschenden Macht des Marktes, der auch die Christen fraglos huldigen, ihre „kritische Zeitgenossenschaft“ und ihr“ solidarisches Zeugnis der Hoffnung“? Dabei wissen wir zugleich, daß ein solches Zeugnis der Hoffnung bitter not tut. Wie lange wollen wir noch zusehen, wie die rigorosen Praktiken des globalen und freien Marktes immer mehr Menschen ins Elend treiben, hier in Europa und noch mehr in den Ländern des Südens? Sind wir nur solidarisch mit der Hoffnungs- und Perspektivlosigkeit, die heute die meisten Menschen erfaßt hat?

Die grundlegende Aufgabe der Kirche ist die Verkündigung des Glaubens an Gott. Nun ist aber heute auf unerhörte Weise fraglich geworden, wer oder was Gott ist. Etwas anderes als der Gott der Bibel hat sich an die Stelle Gottes geschoben, das Geld und der Markt. Darum ist ein Streit um das Gottesverständnis angesagt, und in diesen Streit müssen Christen eingreifen. Was heute, in den Zeiten, in denen das

Christentum nicht mehr die herrschende Religion ist, neu geleistet werden muß, ist die Unterscheidung im Gottesverständnis. Es ist klar, daß sie nicht auf dem Boden der traditionellen Gottesprädikate durchgeführt werden kann - Allmacht, Allgegenwart, Allwirksamkeit usw. denn diese Prädikate kommen auch dem Gott zu, der das Geld ist. Erst im Proprium des christlichen Gottesbegriffs werden wir auf das Unterscheidungsmerkmal stoßen, und da finden wir- gut paulinisch - die Vergebung der Sünden. Gott hat uns im Tod Jesu Christi die Sünden vergeben. Das ist nicht nur die Hauptaussage des Römerbriefs, das ist die Grundaussage der christlichen Heilslehre. Und gleich zeigt sich: Mit dieser Grundlehre des Glaubens können wir heute gar nicht mehr viel anfangen. Wohl kein Lehrstück ist den Kirchen und der Theologie heute fremder geworden als das vom Sühneopfer am Kreuz, von der Vergebung der Sünden, von der Gnade, die nach dem Sieg über die Sünde herrschen soll. Der ersatzlose Niedergang der Beichte bezeugt das auf seine Weise. Auf der anderen Seite ist aber auch zu sehen: der Markt vergibt keine Sünde. Er ist gnadenlos gegenüber denjenigen, die seine Gesetze nicht beachten. Sollte da kein Zusammenhang bestehen zwischen dem Verlöschen der christlichen Vergebungsbotschaft und Gnadenlosigkeit des Marktes, an dem wir teilhaben? Und ist nicht, um den Gedanken weiterzutreiben, der Konsumrausch, in den wir uns flüchten sollen, der Musik- und Bilderrausch, in den die Welt getaucht ist, nichts anderes als das Übertönen der Schuld, um die wir sehr wohl wissen?

Was bedeutet es, aus der Botschaft der Vergebung zu leben? Es bedeutet, an die Fülle der Gnade zu glauben, mit der Gott unserer Schwachheit aufhilft. Die Poesie der Bibel ist voll von Bildern dieser göttlichen Fülle, seiner Schönheit, seinem Glanz (kabod, doxa): er rächt die Schuld bis ins dritte und vierte Geschlecht, aber erweist seine Gnade bis ins tausendste, er schmückt die Lilien herrlicher als Salomo, er erbaut das neue Jerusalem aus Gold und Edelsteinen. Gott sorgt dafür, daß alle genug zum Leben haben; dafür hat er Israel das Gesetz gegeben. Das Gegenteil von Fülle ist der Mangel, die Knappheit. Sünde, Mord und Totschlag entstehen, wo sich welche um knappe Güter streiten - wie Kain und Abel um den angeblich knappen göttlichen Segen ihrer Arbeit. Wo Mangel oder das Bewußtsein des Mangels herrschen, da will der eine dem anderen was wegnehmen und auf seine Kosten leben. Sünde entsteht aus der Verkennung der göttlichen Herrlichkeit - die wir nach Paulus alle verloren haben (Röm 3,23) - und aus der dann einsetzenden Konkurrenz um knappe Güter.

Das Grunddogma der Religion des Marktes ist die Behauptung der Knappheit. Der Markt ist nichts anderes als der Kampf um die Verteilung knapper Güter. Und wo sie nicht wirklich knapp sind, da werden sie künstlich verknappt, damit der Markt funktionieren kann. Heute geht dieser Kampf nicht mehr nur um Rohstoffe und Lebensmittel, er geht um Absatzmärkte, um die letzten Reste intakter Natur, und auch um innere Güter wie Anerkennung, Glück und Liebe. Immerfort will der Markt neue Bedürfnisse schaffen, um das, worauf sich die Bedürfnisse richten, zu einem knappen Gut erklären und damit handeln zu können.

Im Gott der Bibel und in den Göttern des Marktes stehen sich Fülle und Mangel gegenüber. Beide fordern Glauben. Glauben wir weiter an das Dogma der Knappheit, werden wir den gnadenlosen Markt gewähren lassen müssen. Glauben wir an die Fülle, daran, daß alle genug haben können - an Lebensmitteln, an Lebensraum, an Bestätigung, an Liebe - dann werden wir frei von der Gewalt der Mächte und können anders handeln. Und nur im Glauben an die Fülle und den Reichtum ist echte Pluralität möglich; der Kampf um die knappen Güter hat längst unter der bunten Oberfläche der Konsumgesellschaft eine erschreckende Eintönigkeit im Denken und Fühlen produziert.

Immer meint man: Glauben ist leicht, aber das entsprechende Handeln ist schwer. Aber es ist umgekehrt: der Abschied von den Götzen und der Glaube an den gnädigen Gott ist schwer, aber das Handeln wird dann leicht sein. Frei von den Zwängen des Marktes, auf die wir alle noch starren wie das Kaninchen auf die Schlange, werden Christen am Aufbau einer neuen, gerechten Wirtschafts- und Lebensordnung arbeiten können. Durch den Glauben werden wir gerettet. Dieses Zeugnis der Hoffnung erwarten die Menschen heute von uns Christen.

Arbeitskreise

Arbeitskreis 1

Solidarität und Dialog der Christen in Staat und Politik

Freiheit hat Voraussetzungen. Die freiheitliche Demokratie im Spannungsfeld zwischen Individualität, Sozialität und Institutionen

Christa Nickels

Statement

„Ich schweige im Staatsbürgerkundeunterricht, weil ich nicht in den Knast gehen möchte.“ „Ich schweige, weil ich meine Gedanken nicht frei äußern kann.“Diese zwei Sätze stammen von einer Jugendkreuzwegstation in der Berliner St. Hedwigs-Kathedrale vom 2.4.1982. Zitiert sind sie aus dem Beobachtungsprotokoll der Hauptabteilung XX des Ministeriums für Staatssicherheit (M/s - HA XX/4, Nr. 2496, 000010f) Wir wissen, daß es diese Ängste nicht mehr geben muß. Die sozialen Sicherheiten, die die DDR bieten konnte, wurden gegen die Erfahrung der politischen Freiheit ausgetauscht. Das Grundgesetz kam im Rahmen der Vereinigung der beiden deutschen Staaten neu in den Blick: Nach Artikel 79 des GG verliert das Grundgesetz seine Gültigkeit an dem Tag, an dem eine Verfassung in Kraft tritt, die von dem deutschen Volke in freier Entscheidung beschlossen worden ist. Im Dezember 1991 wünschten sich 58% der Menschen im Osten und 26% der Menschen im Westen ein neues Grundgesetz (Köcher, 1991).

Ich war damals der Meinung, daß das wiedervereinigte Deutschland durch eine Verfassungsgebung die historische Situation ernstnehmen würde, denn „erst der Prozeß der gemeinsamen Verfassungsgebung erzeugt, was die Verfassung voraussetzt, nämlich sich wechselseitig als Gleiche anerkennende Bürger und die daraus resultierenden Solidarpflichten“ (Preuss, 1991, S.13). Sie wissen, daß sich die Meinung durchgesetzt hat, daß der Beitritt der DDR zum Grundgesetz als die logische Konsequenz aus der Präambel und dem Artikel 23 zu verstehen sei und damit das Grundgesetz die voll legitimierte gesamtdeutsche Verfassung sei. Rainer Barzel sah in der gewünschten Verfassungsdiskussion eine Gefahr der föderativen Basis des freiheitlichen und sozialen Rechtsstaates (Barzel, 1991). Im Kontext der stattfindenden grundlegenden gesellschaftlichen Umwälzungen, der ökonomischen, ökologischen und lebensweltlichen Strukturverschiebungen sowie der sich wandelnden Lebensbedingungen ist die Diskussion um die Solidarpflichten wieder in aller Munde. Ich meine, daß wir an diesem Punkt heute weiter wären, wenn sich das wiedervereinigte Deutschland eine Verfassung gegeben hätte, die auch gemeinsam erarbeitet worden wäre.

Solidarität durch Individualität

Bundespräsident Herzog möchte eine Gesellschaft der Selbständigkeit anstreben, „in der der Einzelne mehr Verantwortung für sich und andere trägt und in der er das nicht als Last, sondern als Chance begreift. ... Eine Gesellschaft, in der Freiheit der zentrale Wert ist und in der Freiheit sich nicht nur durch die Chance auf materielle Zuwächse begründet" (Herzog 1997). Ehrenwerte und schöne Worte, doch angesichts der Koppelung von kapitalistischer Ökonomie und bürgerlicher Demokratie und der Abhängigkeit der Selbstverwirklichung von vorhandener und bezahlter Arbeit, ist es schon richtig, daß Bundespräsident Herzog diese Wunschvorstellung im beschwörenden Konjunktiv verfaßt hat. Oder mit der Vereinigung deutscher Wissenschaftler zurückgefragt: „Ist es nicht das derzeit dominierende wirtschaftliche Paradigma, nach dem jeder aufgefordert ist, vor allem seinen eigenen Vorteil zu maximieren, das zu einer alarmierenden Abwertung von Gemeinsinn und Solidarität zugunsten isolierter Eigenleistung und Eigennutz führt?" (VDW 1997). Unsere Gesellschaft beruht auf einem konkurrierenden System sich steigernder Machtsysteme und die in ihr existierenden Institutionen werden nicht selten als Orte erlebt, in denen der Systemerhalt vor dem Menschen steht.

Die Gesellschaft erwartet vom einzelnen, daß er oder sie nach einem erfüllten Dasein strebt. Dieses Leitbild entspricht dem Wunsch der einzelnen nach der personalen Selbstentfaltung. Die hierfür notwendigen gesellschaftlichen Vorgaben sind aber nicht für alle erreichbar, die Ausgangspositionen oft grundverschieden und viele Menschen haben das Gefühl, nicht zuletzt durch Institutionen ihrer Begrenztheit gegenübergestellt zu werden. Die bisher gültigen Definitionen von Leistung und Erfolg führen zudem dazu, daß Mißerfolge anderer leicht zum eigenen Erfolg umgedeutet und als solche angestrebt werden. Die sich hieraus ergebende Konkurrenz, die durch die Verlängerung der Bildungsphase, die hohe Arbeitslosenzahl und die Abwertung der Schulabschlüsse zugenommen hat, bewirkt einen gegenseitige Abschottung und Vereinsamung der Individuen, verhindert eine mögliche Austauschbarkeit und hebt die Individualität hervor.

Unsere Gesellschaft verlangt von den einzelnen einen eigenverantwortlichen Beitrag zum Gelingen der individuellen Biographie und fördert gleichzeitig den Ausfall von Eigentätigkeiten. Die Deformation menschlicher Bedürfnisse, eine Denaturierung ist das Ergebnis dieser Entwicklung. Identitätsbildung als Grundbedingung für Handlungsfähigkeit und Sozialität wird immer schwieriger.

Andererseits ermöglichen die erweiterten Freiheiten des Individuums, daß Solidarität und Moral nicht mehr durch familiäre Gepflogenheiten oder Gewohnheiten „entstehen", sondern freiwillig und selbstbestimmt. Diese Tendenz wird nachgerade zum Zwang durch die rasant fortschreitende Auflösung des sogenannten „Normalarbeitsverhältnisses" und durch die neue beruflich bedingte Notwendigkeit zu lebenslanger geistiger (Fort-, Weiterbildung und Umschulung) und faktischer (Pendeln und Umziehen) Mobilität. So kann und muß die Individualität des modernen Menschen zur Quelle einer nachhaltigen Solidarität werden. Aufgabe der Institutionen ist, in diesem Prozeß Lernort für die Menschen zu sein und ihnen dazu faire Mitbestimmungs- und Gestaltungsmöglichkeiten zu eröffnen. Damit scheinen die etablierten Institutionen - Parteien, Gewerkschaften, Arbeitgeberverbände, Kirchen - noch stark überfordert. Folgerichtig sind sie in eine tiefe Akzeptanz- und Selbstverständniskrise geraten.

Keine Freiheit ohne Bindung

In dieser Situation verlieren die Kirchen seit Jahren an dogmatisch-normativer Kraft. Es findet eine De-Institutionalisierung und Enttraditionalisierung durch die der Gemeinschaftsgedanke von Religion und der längerfristige Orientierungsrahmen in Form von Tradition verloren geht. Die Abkehr vom institutionell verfaßten Modell der Religion geht mit einem Verlust des Definitionsmonopols des Religiösen für die Kirchen einher. Vor allem im Osten Deutschlands verweisen die Konfessionszugehörigkeitszahlen auf eine zunehmende Distanzierung zu den Kirchen: In Westdeutschland gehörten zwischen 1991 und 1994 rund 11% keiner Religionsgemeinschaft an, in Ostdeutschland 1991 65%, 1992 66% und 1994 68% (Jagodzinski/Dobbelaere, 1995). Karl Rahner hat schon 1967 darauf aufmerksam gemacht, daß die Kirche, wenn sie „die berechtigte Säkularisation der Welt" nicht als „ganz neue Aufgabe" annehme, „dann würde die Kirche eine 'Sekte', zur Befriedigung bloß individualistischer religiöser Bedürfnisse" (Rahner 1967, S.647).

Meiner Meinung nach haben sich die Kirchen in Deutschland mit ihrem Konsultationsprozeß zur wirtschaftlichen und sozialen Lage in Deutschland dieser Aufgabe endlich auf eine adäquate Weise angenommen. Der Weg des Konsultationsprozesses ist ein Beitrag gegen totale Enttraditionalisierung, und ich stimme Robert Leicht zu, der in „der Zeit" die Situation so beschrieben hat: „Eine stark individualisierte und materialisierte Gesellschaft steht offenbar ratlos dem Phänomen gegenüber, daß viele Menschen das unausrottbare, vielleicht nur natürliche Bedürfnis empfinden, ihre Freiheit in der Bindung zu suchen, gar zu verlieren. ... Der Säkularisierungsprozeß hat es offenbar nur vermocht, traditionelle Bindungen aufzulösen. Das Bindungsbedürfnis aber ist geblieben." (Leicht 1996). In der modernen Gesellschaft wird der Mensch jedoch in keine Bindung hineingesetzt, sondern muß aus seiner Freiheit heraus einen aktiven Beitrag für Bindung, für Identität leisten. Jede und jeder ist gezwungen, sich zu mühen und anzustrengen, um den erwünschten Status zu erhalten, zu verteidigen oder zu erobern. Gegen die Konkurrenz um die knappen Ressourcen muß sich täglich neu durchgesetzt werden; eine Lebenswirklichkeit an und in der viele scheitern. In dieser Situation ist der Mensch in der Gefahr, seine Freiheit durch Anpassung und Hedonismus in neuen Formen der Einbindung schnell zu verlieren und dort Schutz zu suchen.

Freiheitsfähigkeit ist Bindungs- und Verantwortungsfähigkeit

Vor dem Hintergrund, daß wir uns in diesem Arbeitskreis um die Freiheitsfähigkeit unserer Gesellschaft Gedanken machen, möchte ich an den originären Sinn des Bildungsbegriffes erinnern, nämlich nicht nur Tradiertes zu übernehmen, sondern neues Bewußtsein und neue Weisen des Verhaltens zu sich und zur Wirklichkeit überhaupt zu entwikkeln und immer wieder neu entwickeln zu können. Von den Erfahrungen der Ambivalenzen und Widersprüchlichkeiten unserer Gesellschaft ausgehend, sollte das Lernen in der Gesellschaft darauf angelegt sein, „neues Bewußtsein zu bilden und sich in einem Akt von Freiheit zu dem bisher Gelernten und Gelebten in ein Verhältnis zu setzen. [Dies] ist in der abendländischen Tradition seit Sokrates das Kennzeichen eines substantiellen, die eigenen Strukturen verändernden Lernens" (Peukert 1992, S.113).

Wenn also zu Recht davon gesprochen wird, daß Solidarität und Dialog in Staat und Politik Freiheitsfähigkeit voraussetzen, dann möchte ich den eben skizzierten Lern- und Bildungsbegriff in einem Atemzug nennen. Freiheitsfähigkeit bedeutet nicht die völlige Unbeschränktheit des Ichs, das keiner gesellschaftlichen Begrenzung unterliegt. Freiheitsfähigkeit ist Bindungs- und Verantwortungsfähigkeit. Ethische, soziale und rechtliche Bindungen sind erst auf der Grundlage von Freiheit möglich und dürfen nicht als Freiheitsbeschränkung abqualifiziert werden. Verantwortung ist sozusagen der Grundzug der Freiheit: In ihr entfalten sich Selbstbestimmung, Unabhängigkeit, Sittlichkeit, Partizipation, Wahl- und Entscheidungsfreiheit zur spannungsreichen Einheit.

Unsere freiheitliche Demokratie bewährt sich, wenn sie über Chancen und Risiken der gesellschaftlichen Entwicklungen aufklärt und Beteiligungsmöglichkeiten für eine Zukunft in Solidarität und Gerechtigkeit ermöglicht. Solidarität und Dialog werden ein fester Bestandteil unserer Kultur sein, wenn es Institutionen gelingt, die letztlich selbstdestruktiven Mechanismen moderner Gesellschaften einzudämmen und umzukehren. Zur Sicherung der freiheitlichen Demokratie ist eine politische Praxis gefordert, „die systemisch verfestigte psychische und gesellschaftliche Mechanismen aufbrechen, transformieren und den Raum für intersubjektiv reflektierte Selbstbestimmung eröffnen kann" (Peukert 1983, S.213). Der Akt der Selbstbestimmung ist somit auch ein Akt der Innovation und der Kreativität in einer gesellschaftlichen Situation und in seiner Begründbarkeit an die freie Selbstbestimmung der anderen gebunden. Durch diese Form der Selbstbestimmung ist eine gesellschaftliche Konsensfindung zwischen allen Generationen auf hohem Niveau möglich, „die sowohl das Selbst des Handelnden transformiert wie gesellschaftliche Veränderungen" (Peukert 1981, S.65) einleitet. In diesem Miteinander gewinnen die Handelnden neue Erfahrungen, die zur Selbstfindung zwingen und neue Handlungskompetenzen erwerben lassen. Die Akzeptanz, Zukunftsfähigkeit und damit überhaupt Begründung der großen Institutionen ist von der Annahme dieser Herausforderung abhängig.

Die durch die katholische Kirche im II. Vatikanum bezeugte Annahme dieser Herausforderung ist bekanntermaßen in die Krise gekommen. Bischof Lehmann hat in der letzten Woche in einem bemerkenswerten Eröffnungsvortrag der Herbstvollversammlung der Deutschen Bischofskonferenz an das „aggiornamento" anknüpfend von einem „Neuversuch" und „Neuanfang" gesprochen und selbigen in acht Punkten skizziert (Lehmann 1997) und die Evangelische Kirche Deutschlands wird im nächsten Monat eine Stellungnahme zum Thema „Christentum und politische Kultur" veröffentlichen, die sich mit ähnlichen Fragen beschäftigt. Bischof Lehmann spricht den Kirchen zu Recht eine vermittelnde Funktion zwischen Staat und Gesellschaft zu und benennt als Aufgabe der Institutionen, „nicht freiheitsmindernd und repressiv zu sein, sondern wahre Freiheit, die freilich nicht im Gegensatz zu selbsteingegangenen Bindungen steht, zu fördern."

Gemeinwohl und Gemeinsinn lassen sich nicht von großen Institutionen und allgemeinen Erklärungen bilden (vgl. z.B. den Versuch ehemaliger Regierungschefs aus dem September 1997, die allgemeine Erklärung der Menschenrechte durch eine „Allgemeine Erklärung der Menschenpflichten" zu ergänzen: Inter Action Council 1997), sondern nur über „die Pionier- und Partisanentätigkeit von Gruppen, Verbänden und Vereinen" (Lehmann 1997). Im Vertrauen auf die große Wirkung der kleinen Gruppen, im Vertrauen auf den Menschen glaube ich, daß unsere Gesellschaft in ein Gleichgewicht von Freiheit und Verantwortung gelangt, welche eine Freiheit des Engagements ermöglicht. Die Zeit dafür ist reif - oder mit dem kirchlichen Sprachschatz: Der Frühling kommt!

Literatur

- Barzel, Rainer: Volksbegehren ins Grundgesetz?, in: Bonner Generalanzeiger, 29.7.1991.
- Herzog, Roman: Aufbruch ins 21. Jahrhundert. „Berliner Rede“ des Bundespräsidenten, 26.4.1997.
- Inter Action Council: „Es ist an der Zeit, über Menschenpflichten zu sprechen“. Führende Staatsmänner aus aller Welt schlagen eine universelle Erklärung der Menschenpflichten vor, Bonn 1997
- Jagodzinski, Wolfgang / Dobbelaere, Karel: Der Wandel kirchlicher Religiosität in Westeuropa, in: Kölner Zeitschrift für Soziologie und Sozialpsychologie, Sonderheft: Religion und Kultur, Jg.45, 1995, S.68-91.
- Köcher, Renate: Viel Zündstoff in der Verfassungsdebatte, in: FAZ, Frankfurt am Main, 4.1.1991, S.5.
- Lehmann, Bischof Dr.Dr. Karl: „Wächter, wie lange noch dauert die Nacht?“ Zum Auftrag der Kirche angesichts verletzlicher Ordnungen in Gesellschaft und Staat, Fulda, 26.09.1997.
- Leicht, Robert: Der Streit um Scientology: Was geht den Staat die Religion an?, in: Die Zeit, Hamburg, 23.8.1996, S.1.
- Peukert, Helmut: Pädagogik-Ethik-Politik. Normative Implikationen pädagogischer Interaktion, aus: Zeitschrift für Pädagogik, 17. Beiheft, Weinheim und Basel 1981, S.61-70.
- Peukert, Helmut: Kritische Theorie und Pädagogik, aus: Zeitschrift für Pädagogik, Nr.29, Weinheim und Basel 1983, S.195-215.

- Peukert, Helmut: Die Erziehungswissenschaft der Moderne und die Herausforderungen der Gegenwart, aus: Zeitschrift für Pädagogik, Nr.38, 29. Beiheft, Weinheim und Basel, 1992, S.113-127.

- Preuss, Ulrich K.: Die Chance der Verfassungsgebung, in: Aus Politik und Zeitgeschichte. Beilage zur Wochenzeitung Das Parlament B 49/91, 29.11.1991, S.13.

- Rahner, Karl: Theologische Reflexionen zum Problem der Säkularisation, in: ders: Schriften zur Theologie VIII, Einsiedeln 1967, S.637-666, S.647.

- Vereinigung Deutscher Wissenschaftler e.V.: Offener Brief als Antwort auf die „Berliner Rede" vom 27.4.1997 im Hotel Adlon, Berlin, 16.6.1997.

Arbeitskreis 2
Solidarität und Dialog der Christen in Fragen von Wirtschaft, Gesellschaft und Sozialordnung

Solidarität und Dialog in der Arbeitsgesellschaft unter den Bedingungen der globalisierten Welt-Wirtschaft

Dr. Wolfgang Uellenberg-van Dawen

Statement

10 Thesen zur Diskussion:

1. Das gemeinsame Wort der Kirchen zur sozialen Lage hat in eindrucksvoller und eindrücklicher Weise auf die Risse und Brüche in unserer Gesellschaft, auf die Gefährdungen des sozialen Zusammenhalts aufmerksam gemacht und zur Solidarität und zum Dialog der gesellschaftlichen Gruppen und Verbände aufgefordert. Auf dem Kölner Sozialgipfel im Mai 1996 haben Sozial- und Wohlfahrtsverbände gemeinsam mit dem DGB und der DAG und unter prominenter Beteiligung der Kirchen auf die bewahrenswerten und veränderungsbedürftigen Grundlagen unseres Sozialstaates hingewiesen. Der Dialog ist seitdem nicht abgerissen. Er hat die Unterschiede in Aufgabe und Herangehensweise an die soziale Frage, aber auch die Gemeinsamkeit in den Grundüberzeugungen der Gewerkschaften und Kirchen über den sozialen Gehalt und damit die Solidarität in unserer Gesellschaft deutlich gemacht. Der DGB und die Gewerkschaften wollen diesen Dialog fortsetzen.

2. Solidarität wird in dieser Gesellschaft in vielfältiger Form gefährdet: In der globalisierten Weltwirtschaft hat die Konkurrenz multinationaler Konzerne, nationaler und regionaler Wirtschaftsräume, von Unternehmen, Betrieben, von Unternehmern wie Arbeitnehmern eine neue Dimension erreicht. Wettbewerbsfähigkeit durch Kostenreduktion wird immer mehr zur Maxime des Handelns nicht nur der Akteure in der Sphäre der Ökonomie, sondern in einem immer größeren Maße der Akteure anderer Sphären. Was kostet und was nützt es - mit dieser Fragestellung müssen sich heute Kirchen, Gewerkschaften, soziale Einrichtungen, Kultur, Bildung und selbst die Politik auseinanderset-

zen. Betriebswirtschaftliches Denken und Handeln hat sein Recht, aber es darf nicht zur Ökonomisierung aller Lebensbereiche führen. Es muß durch Solidarität, solidarische Institutionen wie solidarisches Handeln eingegrenzt und korrigiert werden.

3. Solidarität meint die gegenseitige Hilfe, aber auch den solidarischen und gerechten Interessensausgleich und immer mehr die Solidarität der gegenwärtigen mit den künftigen Generationen. Nach diesen Maximen müssen Gestaltungselemente den ökonomischen Wettbewerb orientieren, ihm Grenzen setzen, Entwicklungen fördern oder Entwicklungen korrigieren.

Wir wollen einen Wettbewerb durch Innovation und Qualität. Ob im Unternehmen, in der Region, dem Bundesstaat, in einem geeinten Europa oder in einer Weltwirtschaftsordnung muß soziales und ökologisches Denken und Handeln den ökonomischen Prinzipien eingewoben werden.

4. In der Arbeitsgesellschaft bedeutet Solidarität mehr und mehr, allen Menschen die Chance auf Teilhabe an der Erwerbsarbeit wie an der Nichterwerbsarbeit zu gewährleisten.. Vollbeschäftigung, wenn es sie denn je für alle gab, wird es angesichts der hohen Produktivität im industriellen Bereich und auch wachsender Produktivität öffentlicher wie privater Dienstleistungen nicht mehr geben. Gegenwärtige und mehr noch künftige Erwerbsbiographien werden eine wechselnde Abfolge von Bildung, Erwerbsarbeit, Familienarbeit und wieder Erwerbsarbeit sein. Auch die Mobilität und die Flexibilität werden zunehmen, zugleich jedoch die Ansprüche an Sinnhaftigkeit und Beteiligung wachsen.

5. In die Arbeitswelt von morgen, wenn sie solidarisch sein soll, führen drei Wege:

5.1. das gerechte Teilen der Arbeit - zwischen Männern und Frauen, zwischen Älteren und Jüngeren, zwischen Beschäftigten und Arbeitlosen. Instrumente gibt es genug. Dazu gehören auch Teilzeit und Altersteilzeit, dazu gehören auch Jahres und Lebensarbeitszeitkonten, dazu gehört Arbeitszeitverkürzung, Flexibilisierung und Zeitsouveränität. Arbeit gerecht teilen wird unser Prinzip bleiben. Es wird sich jedoch nur verwirklichen lassen, wenn auch die Früchte der Arbeit gerechter verteilt werden, als dies gegenwärtig der Fall ist.

5.2. die umfassende Qualifizierung. Qualifizierung baut auf schulischer und beruflicher Bildung auf, und sie muß allen Jugendlichen angeboten werden. Aber die Qualifikation für die Wissensgesellschaft von morgen bedeutet die beständige Bildung und Weiterbildung - und dies meint Spezialisierung ebenso wie allgemeine Bildung, die ohne Werte und Leitbilder nicht möglich sein wird.

5.3. Beteiligung, Mitbestimmung und Dialog als Gestaltungsprinzipien. Die Arbeitswelt und die Interessen, die darin zum Tragen kommen sind auf Konflikt und Konfrontation ebenso angelegt wie auf Dialog und Verständigung. Wenn Qualifikation und Innovation wesentliche Elemente in internationaler Wettbewerbsfähigkeit sein sollen, dann kommt es auf motivierte und engagierte Arbeitnehmerinnen und Arbeitnehmer ebenso an, wie auf den Kapitaleinsatz.

Insofern heißt Beteiligung, die Menschen zu Trägern der Innovation und damit des ökonomischen wie des sozialen Fortschritts zu machen.

6. Solidarität in der Arbeitsgesellschaft bedeutet auch die solidarische Gestaltung der sozialen Sicherheit weiterentwickeln. In unserem System fällt den Gewerkschaften eine doppelte Rolle zu: Sie vertreten zum einen die Interessen derjenigen, die durch ihre Beitragsleistungen die sozialen Sicherungssysteme finanzieren. Insoweit haben nicht nur die Arbeitgeber, sondern auch die Gewerkschaften ein elementares Interesse an effizienten und funktionierenden sozialen Sicherungssystemen. Auch aus diesem Grund treten wir für eine Senkung der gesetzlichen Lohnnebenkosten ein.

Andererseits vertreten die Gewerkschaften auch die gegenwärtigen und künftigen Leistungsempfänger der sozialen Sicherung. Unsere soziale Sicherung ist ein Stück gewachsener Solidarität - entstanden auch aus genossenschaftlicher Selbsthilfe. Wir wollen uns nicht aus der Solidarität von Beitragszahlern und Leistungsempfängern verabschieden, sondern eine soziale Sicherung, deren Leistungen jedem, der sie bei Arbeitslosigkeit, Krankheit, im Alter und in der Pflege, grundsätzlich zukommen sollen.

7. Angesichts der hohen Arbeitslosigkeit, der Brüche im Gefolge der deutschen Einheit, der demographischen Entwicklung und der Kostenentwicklung im Gesundheitswesen droht eine Erosion der sozialen Sicherung: Durch die Sparpolitik in den Sicherungssystemen ist das Verhältnis von Beitragsleistung und Leistungsempfang in eine Schieflage geraten. Den eingezahlten Beiträgen stehen immer geringere Leistungen gegenüber. Wachsende Unzufriedenheit auf der einen zunehmende Ausgrenzung und Armut auf der anderen Seite sind die Folge. Darum findet das Plädoyer, sich aus der traditionellen Form sozialer Sicherung zu verabschieden und der privaten Eigenvorsorge den Vorrang einzuräumen und dies mit einer sozialen Mindestsicherung zu flankieren, immer mehr Gehör.

Wenn jedoch die soziale Sicherheit nur noch aus dem reinen Versicherungsprinzip abgeleitet wird, werden viele, die der sozialen Sicherung bedürfen kaum noch Chancen auf ein menschenwürdiges Leben haben. Eine steuerfinanzierte Mindestsicherung unterliegt den Unwägbarkeiten der Politik, wie die Beispiele aus Großbritannien (Bindung der Rente an die Preissteigerung, damit Abkoppelung von der Einkommensentwicklung) und USA (Clintons „Sozialhilfereform „) zeigen.

Angesichts der Arbeitslosigkeit, eines neuen Verhältnisses von Erwerbs- und Nichterwerbsarbeit müssen unterbrochene Erwerbsbiographien und der geringere soziale Schutz von Arbeitsverhältnissen jenseits des Normalarbeitsverhältnisses stärker berücksichtigt werden.

Dazu muß über die Aufnahme mindestsichernder Elemente in die Sozialversicherung nachgedacht werden. Der Lohn - und Beitragsbezug muß ergänzt werden, um ein existenzsicherndes Niveau sozialer Leistungen. Wir wollen diese Mindestsicherung in den sozialen Sicherungssystemen vor allem der Arbeitslosen und Rentenversicherung und keine Ausdehnung der Sozialhilfe.

8. Da die gesamtwirtschaftliche Produktivität weiter steigt, die Erneuerung des Kapitalstocks der westdeutschen Wirtschaft fortschreitet und der ostdeutschen Wirtschaft immerhin ein beachtliches Niveau erreicht hat, sind von der wirtschaftlichen Leistungskraft her die Mittel vorhanden, um die sozialen Sicherung zu bezahlen. Der Rückgang derjenigen, die sich in einem sozialversicherungspflichtigen Beschäftigungsverhältnis befinden, verlangt jedoch eine stärkere Steuerfinanzierung - also eine stärkere Belastung der Allgemeinheit. Auch können denjenigen, die es sich leisten können. eine stärkere Rolle der Eigenvorsorge und der freiwilligen kollektiven Alterssicherung z. B. über die betriebliche Altersvorsorge zugemutet werden. Am System sozialer Sicherheit als solches wollen wir jedoch festhalten.

9. Solidarität heißt auch gegenseitiges Geben und Nehmen - bedeutet Rechte und Pflichten. Der Sozialstaat und als eines seiner Elemente die sozialen Sicherungssysteme sind keine Wundertüte, aus der sich jeder bedienen kann und für die immer weniger immer mehr leisten. Wer Leistungen erhält, muß auch durch eigene Leistungen, wo ihm dies möglich ist, selbst wieder zur Solidarität beitragen. Darum müssen Wege gefunden werden, um mehr Menschen wieder aus der Sozialhilfe bzw. aus dem Bezug von Lohnersatzleistungen in den Arbeitsmarkt zu integrieren. Neben den bewährten arbeitsmarktpolitischen Instrumenten (ABM, Fortbildung und Umschulung) gehören dazu Lohnkostenzuschüsse und als möglicher neuer Weg die Übernahme der Sozialversicherungsbeiträge für einfache und gering bezahlte Arbeitsverhältnisse durch den Staat. Ein sog. Kombilohn kann dann ein gangbarer Weg sein, wenn damit nicht die Einführung eines Niedriglohnsektors verbunden wird und das Ziel, neue Beschäftigungsmöglichkeiten im Dienstleistungssektor zu erschließen auch tatsächlich erreicht wird.

Solidarität heißt aber auch, daß sich besonders Leistungsfähige ihrer Leistung, d.h. Beitrags- und Steuerleistungspflicht, nicht mehr entziehen. So wie ein Arbeitsloser zumutbare Arbeitsangebote annehmen muß, muß ein Spitzenverdiener die Steuern zahlen, die er nach seiner Finanzkraft auch erbringen kann.

10. Globalisierung ist der Marktwirtschaft inhärent, Kapitalbildung ohne das Erschließen weltwirtschaftlicher Räume undenkbar. Dieser Prozeß vollzieht sich seit über 200 Jahren. Er wurde unterbrochen durch Kriege, nationale Abschottung und zuletzt die Systemkonkurrenz. Nach deren Wegfall hat sich der Prozeß der Globalisierung beschleunigt und ist uns durch die globale Kommunikation wesentlich bewußter geworden. Dramatische Szenarien sind die Folge. In Wirklichkeit vollziehen sich die Prozesse mit unterschiedlicher Geschwindigkeit, lassen Raum und, wenn auch begrenzte Zeit, zur Gestaltung. Allerdings hat im Prozeß der Globalisierung die Gestaltungsfähigkeit der Nationalstaaten abgenommen, die der supranationalen und regionalen Akteure und Handlungsebenen zugenommen. Auch das Verhältnis von Kapital und Arbeit hat sich zu Gunsten des ersten verschoben. Globalisierung und Ungleichheit scheinen Hand in Hand zu gehen. Der Wert menschlicher Arbeit und der Stellenwert der Gewerkschaften sind gefährdet.

Die Gewerkschaften haben, bezogen auf die Interessen der von ihnen vertretenen Arbeitnehmerinnen und Arbeitnehmer, eine schwierige Gratwanderung zwischen ihrer Schutz - und ihrer Gestaltungsaufgabe zu vollziehen.

Zwischen der Verteidigung der unmittelbaren Interessen der Arbeitnehmerinnen und Arbeitnehmer, und sei es auch im harten Konflikt und der Offenheit und Dialogbereitschaft in Verantwortung für die Entwicklung der Gesellschaft in einer globalisierten Weltwirtschaft, muß immer wieder neu ein Weg gefunden werden.

Unsere Grundwerte sind hochaktuell und zukunftsfähig. Freiheit ist ohne Solidarität nur für wenige zu verwirklichen. Solidarität hat ohne soziale Gerechtigkeit kein festes Fundament. Aber über den angemessenen Weg oder die richtigen Wege ist auch in den Gewerkschaften eine neue Diskussion eröffnet.

Stefanie Wahl

Statement

Der Befund ist eindeutig. Der Arbeitsmarkt und mit ihm das gesamte System der Erwerbsarbeit in frühindustrialisierten Ländern, namentlich auch in Deutschland, befinden sich in einer Krise. Einerseits nimmt die Bedeutung der Erwerbsarbeit im Wertschöpfungsprozeß ab, die Nachfrage nach Arbeitskräften sinkt. Zugleich steigt die Zahl derer, die arbeiten wollen. Die Folgen sind wachsende Arbeitslosigkeit und ein zahlenmäßiger Rückgang dauerhafter, arbeits- und sozialrechtlich abgesicherter Vollzeitarbeitsverhältnisse. Derzeit ist in Deutschland jede neunte Erwerbsperson arbeitslos. Von den abhängig Beschäftigten waren 1995 nur noch etwa zwei Drittel in einem dauerhaften Vollzeitarbeitsverhältnis. Das verbleibende Drittel ging teils freiwillig, teils unfreiwillig einer Teilzeitarbeit, befristeten oder geringfügigen Beschäftigung, Heim- oder Leiharbeit nach oder war in Arbeitsbeschaffungsmaßnahmen oder anderen Formen beschäftigt. Solche Nicht-Normarbeitsverhältnisse treten nicht mehr zu Normarbeitsverhältnissen hinzu, sondern zunehmend an deren Stelle. 1970 war erst jeder fünfte Beschäftigte nicht dauerhaft beschäftigt, 1980 schon jeder vierte, heute ist es bereits jeder dritte.

Die wachsende Arbeitslosigkeit und insbesondere die Zunahme von Nicht-Normarbeitsverhältnissen haben weitreichende Auswirkungen auf die Verteilung von Erwerbseinkommen und Ansprüchen an die sozialen Sicherungssysteme. Während die Einkommen der dauerhaft Vollzeitbeschäftigten im großen und ganzen am Wachstum der Wertschöpfung teilnehmen, erzielt der überwiegende Teil der Beschäftigten in Nicht-Normarbeitsverhältnissen wesentlich geringere Erwerbs- und Transfereinkommen. Dadurch stagnieren die realen Nettoarbeitsentgelte aller abhängig Beschäftigten praktisch seit 1980. Zugleich wird es immer schwieriger, in Nicht-Normarbeitsverhältnissen existenzsichernde Alterssicherungsansprüche zu erzielen und mit den geringen Beiträgen, die in Nicht-Normarbeitsverhältnissen aufgebracht werden, die Rentenansprüche vormals Vollzeitbeschäftigter zu finanzieren. Das Wachstum der Wertschöpfung kommt statt dessen seit Anfang der achtziger Jahre vorrangig Transfers und Vermögenseinkommen zugute - Ausdruck für die zunehmende Bedeutung von Kapital und Wissen im Wertschöpfungsprozeß.

Während noch bis vor fünfzig Jahren Erwerbsarbeit, unterstützt durch Kapital und Wissen, im Mittelpunkt dieses Prozesses stand, wird dieser heute zunehmend durch die hochproduktive Verbindung von Kapital und Wissen bestimmt. Erwerbsarbeit wird insbesondere in den Bereichen standardisierbarer Tätigkeiten zunehmend durch wissensgeladenes Kapital ersetzt. Die Möglichkeiten der modernen Technik, Maschinen i.w.S. für den Lebensunterhalt sorgen zu lassen, haben in den zurückliegenden Jahrzehnten explosionsartig zugenommen. Die Wirtschaft produziert somit ihre Güter und Dienste immer kapitalintensiver und immer arbeitskräftesparender. Damit geht zwar ein jahrtausendealter Menschheitstraum in Erfüllung. Doch der Traum wird zunehmend zum Alptraum. Denn Erwerbsarbeit ist in den Gesellschaften frühindustrialisierter Länder, insbesondere auch in Deutschland, nicht nur Quelle der Wertschöpfung und wichtigster Zugang zum Volkseinkommen, sondern auch Instrument der Selbstverwirklichung, Sinnerfüllung und Identitätsfindung. Wir haben uns nicht nur daran gewöhnt, den größten Teil des Volkseinkommens über Erwerbsarbeit zu verteilen und die soziale Sicherung an sie zu koppeln. Wir haben uns auch daran gewöhnt, den Wert des Menschen ganz wesentlich über Erwerbsarbeit zu definieren. Vor diesem Hintergrund ist es nicht verwunderlich, daß die Menschen auf den Arbeitsmarkt drängen.

Die Beschäftigungs- und Verteilungsprobleme, die mit der Verdrängung von Erwerbsarbeit durch Kapital und Wissen einhergehen, werden durch die Globalisierung noch verschärft. Kapital und Wissen sind weltweit mobil geworden. Damit wird immer mehr Ländern der Zugang zu diesen Faktoren eröffnet. Da sich zugleich die Qualität des Humankapitals in vielen aufstrebenden Industrieländern verbessert hat, ist die Zahl attraktiver Produktionsstandorte gestiegen. In den nächsten zehn Jahren wird weltweit zusätzlich eine Milliarde qualifizierter, motivierter Menschen ihre Arbeitskraft auf dem Arbeitsmarkt anbieten. Für die frühindustrialisierten Länder hat dies dramatische Konsequenzen. Einer Untersuchung des MIT zufolge sind bis zum Jahr 2010 etwa 80 v. H. aller Arbeitsplätze in den G7-Staaten auslagerungsfähig. Das bedeutet umgekehrt, daß die Globalisierung vielen früh-, aber auch insbesondere spätindustrialisierten Ländern neue Chancen materieller Wohlstandsmehrung eröffnet.

Da sich für Kapital und Wissen zunehmend ein Weltmarktpreis herausgebildet hat, sind Preisunterschiede bei handelbaren Gütern und Diensten immer häufiger das Ergebnis unterschiedlicher Arbeitskosten. Damit wird materielle Bescheidenheit zu einer wichtigen Voraussetzung für internationale Wettbewerbsfähigkeit. Dies wiederum verstärkt in frühindustrialisierten Ländern, namentlich wiederum Deutschland, den Trend, mit Hilfe des technischen Fortschritts menschliche Arbeitskraft durch Kapital und Wissen zu ersetzen.

Durch diese Ersetzung von Erwerbsarbeit und durch die Globalisierung stehen die Erwerbsbevölkerungen der frühindustrialisierten Länder - auch Deutschlands - unter einem doppelten Anpassungsdruck, der auch bestehende institutionelle Ausprägungen und Formen von Solidarität und Dialog im Bereich von Arbeitsmarkt und Wirtschaft in Frage stellt. Dies gilt beispielsweise für den Umgang der frühindustrialisierten Länder mit den aufstrebenden Industrieländern. Früher konnte die Erste Welt aufgrund ihrer Monopolstellung auf dem Weltmarkt für ihre Produkte und Dienste von der übrigen Welt fast jeden Preis verlangen. Die Kommunikation - von Dialog und Solidarität konnte nicht die Rede sein - zwischen den Teilen der Welt beschränkte sich somit auf ein Güter- und Preisdiktat der Ersten an die Zweite und Dritte Welt. Jetzt drängen die neuen Instrumente des wirtschaftlichen Dialogs - Kapital und Wissen - in die renditeträchtigen aufstrebenden Industrieländer, wo sie zunehmend größere Stücke vom Wertschöpfungskuchen bekommen als in den frühindustrialisierten Ländern Europas. Statt wie früher Bastmatten aus der Dritten gegen Bibelsprüche aus der Ersten Welt werden heute Blaupunktradios gegen Patentschriften getauscht. Will die Erste Welt angesichts der weit offenen Kapital- und Wissensmärkte ihre starke Weltmarktstellung behaupten, muß sich insbesondere ihr immobiler Faktor Arbeit den veränderten Spielregeln des Weltmarktes anpassen.

Damit werden die traditionellen Solidarsysteme in den frühindustrialisierten Ländern selbst in Frage gestellt. Nicht zuletzt aufgrund ihrer Monopolstellung auf dem Weltmarkt konnte die Erste Welt lange Zeit breiten Schichten ihrer Bevölkerung Vollbeschäftigung sowie Einkommens- und Lebensstandardniveaus ermöglichen, die nur bedingt auf deren eigenen Leistungen fußten (z.B. Busfahrer, Pförtner, Verkäuferinnen). Obwohl seit langem feststeht, daß die Produktivität in frühindustrialisierten Ländern - wie auch in Deutschland - in erster Linie durch die Intensität von Kapital und Wissen und erst in zweiter Linie durch die Qualität der Erwerbspersonen bestimmt wird, wird der Produktivitätsfortschritt mehr oder weniger bis heute solidarisch, das heißt zu möglichst gleichen Teilen, an alle Erwerbstätigen weitergereicht. Ein Schönheitsfehler war, daß dabei immer mehr Beschäftigte - insbesondere gering qualifizierte - in Arbeitslosigkeit, Stille Reserve, Vorruhestand und Nicht-Normarbeitsverhältnisse gedrängt wurden. In einer kapital- und wissensintensiven Nationalwirtschaft inmitten einer globalen Weltwirtschaft werden die Verteilungsspielräume für den Faktor Arbeit zwangsläufig kleiner. Die im internationalen Vergleich relativ homogenen deutschen Löhne senken die Beschäftigungschancen gering qualifizierter Arbeitskräfte. Und die in Deutschland im internationalen Vergleich relativ hohen Arbeitskosten dämpfen die inländische Rendite von Kapital und Wissen. Solidarischem Handeln im herkömmlichen Sinn sind damit immer engere Grenzen gesetzt.

Zunehmend kontraproduktiv wirkt auch die in der gesetzlichen Rentenversicherung institutionalisierte Solidarität zwischen aktiven und nicht mehr aktiven Beschäftigten. Abgesehen davon, daß große Teile der Bevölkerung trotz hohen Einsatzes für die Gemeinschaft in Form von Kindererziehung, Verwandtenpflege und ehrenamtlichen Tätigkeiten von diesem sogenannten solidarischen Alterssicherungssystem ausgeschlossen sind, sind auch die Rentner vom Bedeutungsverfall der Erwerbsarbeit im Wertschöpfungsprozeß betroffen, ohne daß sie die Möglichkeit haben, rechtzeitig auf renditeträchtigere und damit zukunftssicherere Alterssicherungssysteme auszuweichen.

Solidarität und Dialog müssen aufgrund der veränderten Rahmenbedingungen in einer Reihe von Bereichen neu definiert werden. Welche Optionen haben wir? Ich will einige herausgreifen.

Solidarität und Dialog im Bereich von Arbeitsmarkt und Wirtschaft heißt zuallererst, die absehbaren Konsequenzen aus den veränderten wirtschaftlichen und technischen Rahmenbedingungen offen zu legen und darüber mit der Bevölkerung in einen fairen Dialog einzutreten, der diesen Namen verdient. Hierzu gehört z.B., daß Illusionen über eine Wiederherstellung der Vollbeschäftigung in dauerhaften Vollzeitarbeitsverhältnissen zerstört werden. Darüber hinaus muß der Bevölkerung klar gemacht werden, daß die Globalisierung langfristig zu einem Umverteilungsprozeß von den frühindustrialisierten Ländern zu den aufstrebenden Industrieländern führen wird. Zwar kann dieser Umverteilungsprozeß von den frühindustrialisierten Ländern dank ihres in der Vergangenheit angesammelten Wohlstands ein wenig gestreckt und abgefedert werden, vermeiden läßt er sich jedoch nicht. Wie in einem System kommunizierender Röhren steigt der Wohlstand der einen und sinkt der Wohlstand der anderen. Allerdings ist dies kein Nullsummenspiel.

Damit letzteres gewährleistet wird, müssen neue Formen des Dialogs und der Solidarität mit den aufstrebenden Industrieländern außerhalb Europas gefunden werden. Die Option „Festung Europa" kann den Umverteilungsprozeß zwar kurzfristig aufhalten, auf mittlere Sicht bezahlen die frühindustrialisierten Länder jedoch mit Wettbewerbs- und damit Wohlstandsverlusten. Zu den neuen Formen von Dialog und Solidarität mit den aufstrebenden Industrieländern können durchaus auch supranationale Vereinbarungen zählen. Doch dürften positive Wirkungen erst sehr langfristig spürbar werden. Kurzfristig geht es darum, die neuen Konkurrenten ernst zu nehmen, ihre unterschiedlichen Wirtschafts- und Arbeitskulturen zu respektieren und sie so zu behandeln, daß sie zu verläßlichen Wirtschaftspartnern und damit zu Nachfragern nach westdeutschen Produkten und Diensten werden.

Dies darf jedoch nicht darüber hinweg täuschen, daß sich in den frühindustrialisierten Ländern, namentlich auch in Deutschland, das vertraute System der Erwerbsarbeit und damit der Arbeitnehmergesellschaft, mehr und mehr auflöst. Zwar wird auch in Zukunft die Mehrheit der Bevölkerung ihre Einkommen vornehmlich aus Erwerbsarbeit beziehen. Dies ändert jedoch nichts an deren abnehmenden Bedeutung im Wertschöpfungsprozeß. Solidarität im 21. Jahrhundert heißt deshalb, möglichst großen Teilen der Bevölkerung Zugang zu dem gegenüber Erwerbsarbeit deutlich rentableren Faktor Kapital zu verschaffen. Das bedeutet, die Bevölkerung muß zu breiterer Vermögensbildung als bisher angehalten werden. Hierfür muß eine Reihe institutioneller Rahmenbedingungen verändert werden. Die große Mehrheit der Erwerbstätigen hat kaum über die Erwerbsarbeit hinausgehende Anbindungen an den Wertschöpfungsprozeß. Mit ursächlich hierfür ist die Organisation der sozialen Sicherungssysteme, insbesondere der gesetzlichen Alterssicherung. Letztere fußt fast ausschließlich auf der abhängigen Erwerbsarbeit in der irrigen Annahme, diese sei die einzige Quelle wirtschaftlichen Wohlstands. Nicht nur werden der Erwerbsbevölkerung riesige Summen entzogen, von denen sie einen Teil rentabler in Form von Kapital angelegt hätte. Hinzu kommt, daß der Faktor Arbeit durch diese Art der Finanzierung zu einer Belastung für die internationale Wettbewerbsfähigkeit Deutschlands wird. Um die Vermögensbildung der Bevölkerung zu verstärken, müssen deshalb vorrangig der umlagefinanzierte Teil der Alterssicherung begrenzt, neue Formen der Gewinn- und Unternehmensbeteiligung entwickelt und die steuerliche Behandlung von Vermögensanlagen vereinheitlicht werden.

Solidarität im 21. Jahrhundert in Deutschland heißt weiter, daß das System der Daseinsvorsorge soweit wie möglich von der abhängigen Erwerbsarbeit entkoppelt wird. Dazu gehört, daß die Menschen beispielsweise im Alter eine existenzsichernde gesetzliche Versorgung erhalten, unabhängig davon, ob sie während ihrer Erwerbsfähigkeit abhängig beschäftigt - z.B. in Vollzeit, Teilzeit oder geringfügiger Beschäftigung - oder selbständig waren, Kinder großgezogen, einen Haushalt geführt, Verwandte gepflegt oder sich sonst für das gemeine Wohl eingesetzt haben. Durch die Entkopplung von Erwerbsarbeit und sozialer Sicherung wird auch vermieden, daß sich Einkommensrückgänge oder -ausfälle durch Arbeitslosigkeit oder Beschäftigung in

Nicht-Normarbeitsverhältnissen negativ auf das gesetzliche Alterssicherungsniveau auswirken.

Alle diese Maßnahmen werden jedoch nicht verhindern, daß die Zahl der Menschen steigen wird, die durch Erwerbsarbeit kein existenzsicherndes Einkommen erzielen können, und folglich die soziale Ungleichheit in der Gesellschaft deutlich zunimmt. Nimmt man - wie in den USA - die zahlenmäßige Zunahme dieser Gruppe bewußt in Kauf, dürften sich die sozialen Konflikte so verschärfen, daß deren Lösung immer mehr Geld und Energie absorbieren wird. Stockt man die Erwerbseinkommen unterhalb des Existenzminimums durch staatliche Transfers auf, können hohe Steuer- und Abgabenbelastungen sowie Mitnahmeeffekte die dynamischen Kräfte der Wirtschaft untergraben und zu Wohlstandseinbußen insgesamt führen. Befriedigende Antworten hierauf sind bisher noch nicht gefunden worden. Dies ist jedoch dringend erforderlich, denn daran wird künftig unsere Fähigkeit zu Solidarität mit den Schwachen der Gesellschaft gemessen werden.

Renate Müller

Bericht über den Arbeitskreis

Die Fragestellung des Arbeitskreises wurde bereits in der Vollversammlung vom 2. Oktober 1997 aufgegriffen. Auch das Gemeinsame Wort der Kirchen zur wirtschaftlichen und sozialen Lage hat die Spaltungen in der Arbeitsgesellschaft deutlich gemacht und zum Dialog der gesellschaftlichen Gruppen und Verbände aufgefordert. Gerade die gesellschaftliche Realität von Ausgrenzung immer größerer Teile der Bevölkerung macht die Frage drängend:

Wie können wir den Dialog über Gräben, über Grenzen hinweg organisieren? Im Arbeitskreis bestand Konsens in der Analyse, daß es Vollbeschäftigung im alten Sinne auf absehbare Zeit nicht geben wird. Wenn das so ist, dann müssen die unterschiedlichsten Lösungsansätze durchbuchstabiert werden. Durchbuchstabiert werden muß, was Solidarität dann meint. Solidarität, die in vielfältiger Form gefährdet ist: Die Ökonomisierung aller Lebensbereiche muß durch Solidarität, solidarische Institutionen wie solidarisches Handeln eingegrenzt und korrigiert werden. Solidarität meint die gegenseitige Hilfe, den gerechten Interessenausgleich und immer mehr die Solidarität mit den künftigen Generationen.

Solidarität und Dialog im Bereich von Arbeitsmarkt und Wirtschaft heißt zu allererst, die absehbaren Konsequenzen aus den veränderten wirtschaftlichen Rahmenbedingungen schonungslos offen zu legen und mit der Bevölkerung in einen Dialog zu treten. Das Ziel heißt: Allen Menschen die Chance auf Teilhabe an der Erwerbsarbeit wie an der nicht marktvermittelten Arbeit zu gewährleisten.

An zwei drängenden Punkten hat der Arbeitskreis diskutiert:

1. Zukunft der sozialen Sicherung im Alter

Schon sehr junge Leute fragen sich heute, ob sie im Alter noch die Chance haben, eine existenz- und lebensstandardsichernde Rente zu erhalten. Zwei Lösungsansätze wurden debattiert: Entkoppelung von Erwerbsarbeit und sozialer Sicherung. Für das Alter bedeutet das zum Beispiel eine existenzsichernde gesetzliche Versorgung unabhängig von Erwerbsarbeit oder Aufnahme mindestsichernder Elemente in die bestehende Sozialversicherung.

Einigkeit bestand, daß Beteiligungsformen am Produktivvermögen unerläßlich sind - eine unabdingbare Forderung, wenn immer mehr Menschen ihre Existenz nicht mehr über Erwerbsarbeit sichern können.

2. Öffentlich geförderter Beschäftigungssektor

Im Jahr 1996 wurden 138,5 Milliarden Mark aufgewendet zur Finanzierung der Arbeitslosigkeit - ohne überzeugenden Erfolg in der Frage der zukünftigen Organisation von Arbeit. Einigkeit bestand in den Zielen: der Reintegration in den ersten Arbeitsmarkt, und im Sektor öffentlich geförderter Beschäftigung muß wertschöpfende Arbeit organisiert werden.

Die aufgezeigten Probleme: Ist ein öffentlicher Beschäftigungssektor nur möglich, wenn er zu einem Niedriglohnsektor wird? Die dort arbeitenden Menschen erhalten eine existenzsichernde Aufstockung - wie wir es heute schon über die Sozialhilfe kennen. Ist dann die zwangsläufige Folge: Absenkung des Existenzminimums? Konsequenz aus der Finanzierung: Der Staat sitzt als dritter Tarifpartner am Tisch.

Was bedeuten die Erfahrungen - insbesondere in den neuen Bundesländern, in denen Niedriglohnsektoren gang und gäbe sind? Modelle, Wege müssen gesucht, überlegt und ausprobiert werden, die Beschäftigung schaffen und sichern, Arbeitnehmern und Arbeitnehmerinnen sowie Unternehmern Vorteile verschaffen, die Menschen mit hinein nehmen, die oft die Hoffnung schon aufgegeben haben.

Nicht diskutiert haben wir: Wenn wir als Christinnen und Christen aus unserem Glauben heraus aufgerufen sind, uns und unsere grundlegenden Werte in die Gestaltung der Welt einzubringen, und solidarisch zu sein mit den Menschen unserer Zeit, wie es in der Einladung zu dieser Studientagung heißt, dann sind meines Erachtens die Spaltungen in der Arbeitsgesellschaft eine der zentralen Herausforderungen.

Arbeit ist aus christlicher Sicht an den Schöpfungsauftrag Gottes gebunden. Der Mensch ist Teil der Schöpfung und durch seine Tätigkeit wirkt er am Schöpfungsauftrag mit. Schöpfung ist das Tätigkeitsfeld der Menschen. Schon in Laborem exercens (3.2) wird festgehalten, daß Arbeit der „Dreh- und Angelpunkt" aller sozialer Fragen ist.

Die derzeitige Arbeitsgesellschaft ist eine gespaltene Gesellschaft. Spaltung heißt Ausgrenzung von Menschen und ganzen Gruppen, das „An-den-Rand-der-Gesellschaft-drängen", Auflösung des gesellschaftlichen Solidargedankens. Zu diesem Solidaritätsverlust trägt auch die „Vergötzung des Marktes" bei, die heute zunehmend Realität wird. Die Totalität des Marktes degradiert alles, sogar die menschliche Arbeit, zur bloßen Ware. Dies widerspricht den Grundsätzen der kirchlichen Sozialverkündigung, nach denen Wirtschaft den Menschen und der Befriedigung seiner Bedürfnisse zu dienen hat.

Als ZdK, als Laien in der Kirche werden wir uns intensiver damit auseinander setzen müssen und den Dialog mit Menschen allen guten Willens suchen. Es reicht nicht aus, nur den analytischen Befund klar zu haben und die ethische Bewertung. Als Christen sind wir zum Handeln herausgefordert, auch die Kirche als ganze, auch die Kirche als Arbeitgeberin. Die Öffentlichkeit wartet auf konkrete solidarische Schritte, Projekte, die zeigen, daß Alternativen möglich sind.

Arbeitskreis 3
Solidarität und Dialog der Christen in Kultur, Bildung und Wissenschaft

Bildungs- und Erziehungsziele in einer pluralistischen Gesellschaft. Was befähigt zum Dialog und zum solidarischen Handeln?

Prof. Dr. Michael Meyer-Blanck

Statement

Die Themenfrage ist leicht zu beantworten: Zu Dialog und solidarischem Handeln befähigen das selbstverständliche Erleben von Dialog und solidarischem Handeln. Und noch einfacher ist die Gegenfrage zu beantworten: Was befähigt nicht dazu, was ist kontraproduktiv? Antwort: Das moralische Einfordern von Dialog und Solidarität.

„Statt Moral zu lehren, sollte im Schulunterricht besser vor Moral gewarnt werden" - so hat es eine Lehrerin kürzlich zugespitzt formuliert[1]. Anders als etwa die Familie, eine Therapiegruppe oder auch eine Religionsgemeinschaft ist die Schule nicht moralisch integriert, sondern qualifikationsbezogen. Die Gesellschaft ist immer mehr in Funktionssysteme aufgegliedert. Dies zu ignorieren und dem Bildungssystem Dialog, Solidarität und moralische Integration der Gesellschaft abzuverlangen kann nur zu den Wechselbädern von Selbstüberschätzung und Resignation bei den Lehrenden führen und schließlich zum „burn out". Auf Seiten der Jugendlichen ist es nicht besser: Das Moralisiertwerden mit den Forderungen nach Dialog und Solidarität weckt Aggressionen. Gegen den Dialog Stellung zu beziehen ist nur um den Preis moralischer Ausgrenzung möglich. De facto aber verschafft in dieser Gesellschaft nicht der Dialog, sondern die individuelle Qualifikation erweiterte Chancen.

Die Forderung nach Dialog darf demnach nicht zu einem subtilen oder unbewußten Instrument der Stärkeren gegen die Schwächeren werden. Dies ist es ja

---

1 Gabi Strobel-Eisele, Plädoyer für eine Entmoralisierung der Schule angesichts ihrer Überforderung durch die Ethik, in: Alfred K. Treml (Hg.), Ethik macht Schule! Moralische Kommunikation in Schule und Unterricht (= edition ethik kontrovers 2), Frankfurt/M. 1994, S. 72-78, Zitat S. 72. Die Autorin bezieht sich wahrscheinlich auf die Rede „Paradigm lost: Über die ethische Reflexion der Moral" von Niklas Luhmann anläßlich der Verleihung des Hegel-Preises 1989, Frankfurt/M. 1990, S. 41, wo es heißt, es sei „die vielleicht vordringlichste Aufgabe der Ethik, vor Moral zu warnen."

im übrigen auch, was uns von Angehörigen anderer Religionen vorgeworfen wird: „Dialog“ sei ein typisches westliches Herrschaftsinstrument.

Ich muß noch einen zweiten negativen Punkt hinzufügen. Eine weitere Begleiterscheinung der funktionalen Differenzierung ist das Schwinden von Identität. Und an dieser Stelle scheint mir der Hauptgrund dafür zu liegen, daß die Menschen zum Dialog zunehmend unfähiger werden, obwohl (bzw. weil) sie ständig zum Dialog ermahnt werden. Wer nicht weiß, wer er ist, hat Angst, sich zu verlieren. Claude Levi-Strauss hat beschrieben, was wohl zunehmend mehr Menschen unserer westlichen Gegenwart empfinden: „Ich habe nie ein Gefühl meiner persönlichen Identität gehabt, habe es auch jetzt nicht. Ich komme mir vor wie ein Ort, an dem etwas geschieht, an dem aber kein Ich vorhanden ist. Jeder von uns ist eine Art Straßenkreuzung, auf der sich Verschiedenes ereignet. Die Straßenkreuzung selbst ist völlig passiv; etwas ereignet sich darauf.“[2]

In der Tat: Straßenkreuzungen haben keine Identität - wie sollten sie sich miteinander verständigen?[3] Die Identität zerfällt heute in immer mehr Teilidentitäten.[4] An dieser Stelle liegt die größte Herausforderung für den christlichen Glauben und die Kirchen. Denn die biblische Sicht des Menschen behauptet ja nicht weniger als dieses: Die Teilidentitäten des Menschen müssen von diesem selbst nicht eigens integriert werden, weil der Mensch in allen diesen Identitäten bereits Person ist, Gegenüber Gottes. Der Mensch ist beim Namen gerufen[5] -

---

2 Claude Levi-Strauss, Mythos und Bedeutung, Frankfurt/M. 1980, S. 15.

3 Formuliert in Anspielung auf: Identität und Verständigung. Standort und Perspektiven des Religionsunterrichts in der Pluralität. Eine Denkschaft der Evangelischen Kirche in Deutschland, Gütersloh 1994. Didaktisch bedeutsam ist vor allem die Reihenfolge. Identität gehört sachlogisch vor Verständigung, wenngleich eine Chance des Dialogs auch darin besteht, die eigene Identität dadurch neu zu verstehen bzw. zu vertiefen.

4 Am einfachsten wird dies greifbar in der Aufspaltung in eine Arbeits- und Wochenendidentität bei vielen Jugendlichen und jungen Erwachsenen: Das präzise Funktionieren im Berufsalltag wird abgelöst von einer widersprechenden Existenz am Wochenende - von der auf 36 Stunden begrenzten Techno-Dauer-Ekstase, verbunden mit Reisen durch die Republik.

5 Jes 43,1 - ein Text. der zwar von Deuterojesaja auf das Volk Israel, aber in christlicher Tradition auf die Taufe des Einzelnen bezogen wird. Für diese indi-

und die Straßenkreuzung wird umgestaltet zum Lebens- und Entfaltungsort. Dies erfahrbar zu machen ist die Aufgabe christlicher Bildung. Es kann hingegen nicht darum gehen, die „Straßenkreuzung" kulturpessimistisch zu bekämpfen durch einen Rückzug in eine romantische religiöse Sonderwelt.[6]

Aber es kann auch nicht darum gehen, die eigene Identität in den Dialog zu verflüchtigen. Durch solche „vorauseilende Selbstverundeutlichung"[7] wird gerade der Dialogpartner verwirrt.[8] Dies führt mich zu der These - die ich vor meinem Erfahrungshintergrund der deutschen evangelischen Theologie und Kirche formuliere: Christen werden in der Tat zunehmend unfähig zum Dialog - weil sie ihre eigene Identität in Christus nicht ernst nehmen. Der Dialog braucht eine Position und ist selbst noch keine Position. Dialog als Prinzip verwechselt Form und Inhalt - eine Hauptgefahr für die gegenwärtige evangelische Kirche.

Ich erwähne dazu nur kurz zwei Beispiele. Das erste: Eine Gruppe von Pfarrern in der Berlin-Brandenburgischen Synode vertrat kürzlich beim Thema der Mission ernsthaft die Meinung, der Christengott sei eben nur für die Christen

---

viduelle Ausdeutung gibt es gute neutestamentliche Gründe, vgl. etwa Lk 10,20; Röm 14,12; im Alten Testament schon das große Kapitel Ez 18.

6 Gerade die Profilierung des christlichen Glaubens gegen die funktionale Differenzierung könnte diesen weiter an den Rand drängen: „jedenfalls würde unter der Strukturbedingung funktionaler Differenzierung jeder Versuch, Säkularisierung mit religionspezifischen Mitteln aufzuhalten, genau die Bedingung verschärfen, die der Auslöser ist: funktionale Differenzierung" (Niklas Luhmann, Funktion der Religion, Frankfurt/M. 1982 (1977), S. 247). - Weder ein trotziges Aufhalten noch ein ideologisches Verdoppeln gesellschaftlicher Prozesse kann die Aufgabe von Christen sein, sondern nur die biblische Neuinterpretation zerfallender Identität als integriert in der Anrede Gottes, die nicht außerhalb der unterschiedlichen Identitäten (in der religiösen Sonderidentität) ergeht, sondern gerade innerhalb der verschiedenen Anreden die Anrede des einen Gottes ist.

7 So hat dies Fulbert Steffensky bei einer Loccumer Tagung 1995 formuliert.

8 Gut formulierte hingegen der Beschluß „Aspekte des Verkündigungsdienstes in der Gemeinde" der Pastoralsynode der katholischen Kirche in der DDR: „Die Verkündigung muß sich also an den konkreten Menschen richten und auf ihn zugehen, so wie sich Gott uns in Liebe zugewandt hat. Auf diese Weise führt sie den Dialog weiter, den Gott mit uns begonnen hat" (zitiert nach: Thematische Skizze für die Studientagung des ZdK vom 2.-5.10.1997 in Erfurt vom 5. März 1997, S. 10).

zuständig und nicht für alle Menschen. Wer die funktionale Differenzierung bzw. Pluralisierung dermaßen in den Himmel projiziert, der depotenziert die Transzendenz in seiner eigenen Position und macht sich so als Dialogpartner lächerlich. Das zweite Beispiel: Es war die Unternehmensberatung McKinsey, die der evangelischen Kirche das sagte, was sie eigentlich selbst hätte wissen müssen: Die Neuausrichtung der evangelischen Kirche in der Stadt München erfordere drei Dinge: 1. Ein Ja zum Glaubensthema, 2. ein Ja zur evangelischen Kirche als Institution, 3. ein Ja zur Anwendung von Management-Methoden aus dem Non-Profit-Bereich.[9] Bezeichnenderweise wird vor allem der dritte Punkt breit rezipiert, die ersten beiden scheinen eher ratlos zu machen.

Einen Lösungsansatz zum Ausweg formuliere ich von meiner Tätigkeit her gleich religionspädagogisch: Damit Christen etwas in den Dialog einzubringen haben, müssen sie künftig vor allem eine Dialogfähigkeit mit sich selbst einüben. Was ist damit gemeint? Selbstverständlich darf der eigene Standpunkt nicht verabsolutiert werden (diese Gefahr erscheint mir allerdings gegenwärtig eher gering zu sein). Ebenso darf der eigene Standpunkt nicht verundeutlicht werden. Mit „Dialogfähigkeit mit sich selbst" meine ich: Der eigene Standpunkt muß zugleich mit Engagement eingenommen wie selbstreflexiv verlassen und von außen betrachtet werden können. Religiöse Bildung heißt: eine Standpunktfähigkeit einüben und eine Metatheorie über Standpunkte zugleich einüben. Nur so entgehen wir der relativistischen wie der fundamentalistischen Engführung.[10] Mathematisch gesprochen: Es geht um eine „religiöse Existenz in erster Ableitung", in der ich meine eigene religiöse Existenz zugleich bejahe und doch zugleich theoretisch-abstrakt, selbstreflexiv von außen betrachte. Mein Herz brennt im Glauben, mir geht der Mund davon über und ich bin auskunftsfähig darüber, welche Hoffnung in mir ist[11] - aber gleichzeitig bin ich

---

[9] Vgl. dazu: Herbert Lindner, Spiritualität und Modernität. Das Evangelische München-Programm, in: Pastoraltheologie 86/1997, S. 244-264.

[10] Dabei ist zu bedenken: Es „ ... kann die ‚fundamentalistische Versuchung' dann auch im Gewande des scheinbaren Gegenteils auftreten: Zum Beispiel im Verzicht auf Wahrheitsansprüche, weil diese ja nur als obsolete Absolutheitsansprüche faktischen Wissens zu erheben wären." (Bernhard Dressler, Fundamentalismus - eine religionspädagogische Versuchung, in: Der Evangelische Erzieher 47/1995, S. 371-385, Zitat S. 379, Hervorhebung dort).

[11] Vgl. 1 Petr 3,15.

dazu in der Lage, mich selbst als religiöses Phänomen von außen zu betrachten und meine eigene Religiosität zu befragen. Meine These: Ein solcher „interreligiöser Dialog mit mir selbst" befähigt zum Dialog mit anderen und dann hoffentlich auch zum solidarischen Handeln. Für die religionspädagogische Tätigkeit ist dies ein hoher Anspruch, der vor allem die Konzentration auf das Glaubensthema verlangt

Ich schließe mit zwei konkreten Hinweisen zum schulischen Religionsunterricht. Zum einen bin ich der Ansicht, daß der Dialog zwischen den Konfessionen und vor allem mit den nicht christlich glaubenden Schülerinnen und Schülern organisiert werden muß und nicht nur eingefordert werden darf. Darum habe ich vorgeschlagen, Religions- und Ethikunterricht sehr eng miteinander zu verbinden - enger als dies gegenwärtig geschieht.[12] Zum zweiten meine ich inhaltlich, daß die Vollzüge christlicher Religion - sprich die Liturgien - viel stärker in den Unterricht gehören. Nicht ein Lernen über Religion, sondern ein Lernen aus[13] der Religion scheint mir der richtige Weg zu sein. Auch dies meine ich in der Haltung des selbstreflexiven Experiments[14] mehr als in der Einübung in die religiöse Tiefendimension[15] oder in die menschliche „Symbo-

[12] Dazu s. meinen Aufsatz: Religion-Philosophie-Ethik („RPE"). Ein Vorschlag zur gemeinsamen Bildungsverantwortung von Kirche und Staat nach dem Streit um LER, in: Ev.Theologie 56/1996, S. 561-572.

[13] In der englischen Religionspädagogik rekurriert man zur Zeit auf die Differenzierung von „to learn about religion" und „to learn from religion", s. dazu Christian Grethlein/Jan Hermelink, Religionsunterricht im Kontext „multi-faith". Religionsdidaktische Anregungen aus Birmingham, in: Einheit und Kontext. Praktisch-theologische Theoriebildung und Lehre im gesellschaftlichen Umfeld (FS Peter C.Bloth), hrsg. von Jürgen Henkys und Birgit Weyel, Würzburg 1996, S. 111-133, dort S. 124.

[14] Näher habe ich das beschrieben in meinem Aufsatz: Liturgik und Didaktik der Religion in Form. Zur Frage liturgischer Elemente im schulischen Religionsunterricht, in: Religionsunterricht jenseits der Kirche? Wie lehren wir die christliche Religion?, hrsg. von Wilhelm Gräb, Neukirchen-Vluyn 1996, S. 83-93.

[15] Dies ... gegen den „symboldidaktischen" Ansatz von Hubertus Halbfas. Vgl. dazu meine Schrift: Vom Symbol zum Zeichen, Symboldidaktik und Semiotik, Hannover 1995.

lähigkeit".[16] Aber das Religiöse der christlichen Religion muß spürbar werden, damit wirklich an einem eigenen Standpunkt gearbeitet werden kann. Denn es käme wohl auch niemand auf die Idee, Kochunterricht nur mit Kochbüchern und Schwimmunterricht ohne Wasser[17] zu erteilen, um niemanden unzulässig zu beeinflussen.

Nur der eigene Standpunkt und der Dialog mit sich selbst befähigen zum Dialog, und es ist das wichtigste Ziel christlich-religiöser Bildung, dazu zu verhelfen.

---

[16] So Romano Guardini, Liturgische Bildung. Versuche (1923), in: ders. Liturgie und liturgische Bildung, Mainz/Paderborn 2 1992 (= Würzburg 1966), S. 15-110, dort S. 43: „... wir müssen wieder symbolfähig werden".

[17] Vgl. dazu Christof Gestrich/Michael Meyer-Blanck/Richard Schröder: Schwimmunterricht ohne Wasser. Wie sich der Religions- und Ethikunterricht erneuern läßt, in: Frankfurter Allgemeine Zeitung Nr. 246 vom 22.10.1996, S. 44.

Hermann Ströbel

Statement

I. Situationsanalyse

Die Bildungs- und Erziehungsziele, wie sie in den Schulgesetzen der 16 Bundesländer formuliert sind, zeigen ein hohes Maß an Übereinstimmung. An einem Konsens hinsichtlich dieser Ziele mangelt es also nicht. Es mangelt vielmehr an Möglichkeiten, sie umzusetzen bzw. an familiärer, schulischer und gesellschaftlicher Durchsetzungskraft. So wertvoll die unterschiedlichen Bildungs- und Erziehungsziele in sich sind, so fehlen ihnen offenbar doch Leuchtkraft und Unterstützung. Sicherlich haben diese Ziele nicht nur Appellcharakter, sondern sie wollen auch erreicht werden. Die Ziele per se würden ohne Zweifel zum Dialog und zum solidarischen Handeln befähigen. Was ihre Verwirklichung behindert oder gar verhindert, sind Konsumhörigkeit und Egoismus. Egoistisches Vorteilsdenken steckt hinter vielen gesellschaftlichen Problemen. Ohne die Bedeutung des Ich schmälern zu wollen - Individualität und Willensfreiheit sind essentielle Bestandteile des Personseins -, ist in unserem Zusammenhang darauf zu verweisen, daß es Solidarität als Tugend schwer hat, wenn das „Selbst" allerorts als *ultima ratio* gefeiert wird. Zu oft wird übersehen, daß der Mensch als Person auf das Selbst **und** auf die Gemeinschaft verwiesen ist. Selbstverwirklichung, Selbstbehauptung, Selbstbewußtsein, Selbständigkeit und Selbstbefreiung sind Erziehungsleitbilder unserer Tage; die Sozialnatur des Menschen tritt oft - zu oft - in den Hintergrund. Der Soziologe Schmidtchen hat in einer beachtenswerten Studie festgestellt, daß die soziale Dimension mehr und mehr verlorengeht. Die „ethische Austrocknung" habe schon weit um sich gegriffen. Gleichzeitig ist Schmidtchen beeindruckt von der „Moralsehnsucht" junger Menschen. Für unsere Gesellschaft und ihren Moralkodex offenbart die

Studie kein erfreuliches Bild. Die Jugendlichen können demnach aus dem Verhalten der Gesellschaft nicht schließen, daß sich moralisch einwandfreies Verhalten auszahlt. Was nützen also hehre Bildungs- und Erziehungsziele, deren Verwirklichung tatsächlich viel Positives erreichen könnte, wenn diese Ziele im „wirklichen" Leben unserer Gesellschaft nicht oder nur wenig gelten.

Die Frage unseres Themas ist vordergründig wohl nicht das eigentliche Problem. Ich denke, wir alle wissen, was zum Dialog und zum solidarischen Handeln befähigt. Was wir nicht wissen und wo wir oft ratlos sind, ist die Frage, wie man Menschen zum Dialog und zum solidarischen Handeln bringen, sie so befähigen kann, daß dabei nicht der „engagierte Egoist" herauskommt, sondern der „engagierte Altruist". Mit Appellen und guten Worten allein erreichen wir nicht, daß der Solidargedanke zu einem tragenden Handlungsmotiv wird. Das Wort des Franz von Sales zeigt uns die Richtung: „Ein Gramm Beispiel wiegt mehr als ein Zentner gute Worte." Es gibt gute Beispiele, und die machen Mut; sie erzeugen aber nur wohlklingende Töne, sie machen (noch) nicht die Musik.

Auf dem Weg zu den guten Beispielen, die wir selbst geben und zu denen wir anregen wollen, ist es sicher hilfreich, sich auch darüber zu verständigen, welche Voraussetzungen für Dialogfähigkeit und Solidarität gegeben sein müssen. Dies ist mein zweiter Gliederungspunkt.

II. Voraussetzungen für Dialogfähigkeit und Solidarität

Ich will - ohne Anspruch auf Vollständigkeit - die folgenden nennen:

1. die Erfahrung, daß Individualität und Solidarität keine Gegensätze sind,
2. den rechten Gebrauch der Freiheit,
3. eine intakte Familie und
4. Demut und Bescheidenheit.

Zu 1: Die Indienstnahme für andere führt nicht zwangsläufig zur Selbstverleugnung oder stört den Prozeß der Selbstverwirklichung. Die Menschen müssen erfahren, daß Individualität und Solidarität keine Gegensätze sind, sondern sich gegenseitig bedingen. Diese These läßt sich am Doppelgebot der Liebe erläutern. „Liebe deinen Nächsten wie dich selbst." Ich kann meinen Nächsten nur lieben, wenn ich mich selbst angenommen habe. Das Doppelgebot wird erst sinnhaft, wenn es als Einheit begriffen wird. Je stärker der Mensch aus sich herausgeht, dialogisch handelt und auf den anderen zugeht, desto mehr verwirklicht er sich selbst. Wer nur Nabelschau betreibt, entdeckt weder den Sinn seines Lebens noch seine individuelle Eigenart. Die Tugend der Solidarität bindet den Menschen an den anderen und erlöst ihn aus den Zwängen des Ich. Daß dabei Freude und Glück auch aus Verzicht und Entsagung kommen, ist das Geheimnis christlicher Nächstenliebe und christlichen Personseins.

Zu 2: Eine weitere Voraussetzung dafür, dialogisch und solidarisch handeln zu können, ist der rechte Gebrauch der Freiheit. Der Begriff „Freiheit" hängt mit dem Verbum „freien" zusammen, und das heißt, aus sich herausgehen, aufeinander zugehen, in Beziehung treten, antworten und letztlich Verantwortung übernehmen. „Freien" schafft so erst die Grunddisposition für den Dialogcharakter menschlicher Existenz einerseits und die Solidarität andererseits. Paulus drückt diesen Gedanken theologisch wie folgt aus: „Ihr seid zur Freiheit berufen, Brüder. Nur nehmt die Freiheit nicht zum Vorwand für das Fleisch (sprich Eigensucht), sondern dient einander in Liebe" (Gal 5,13). Aus Selbstbewußtsein und Willensfreiheit entsteht Verantwortung vor dem Ich und vor dem Du. Solidarität ist immer freiwillige Begrenzung der individuellen Freiheit.

Zu 3: Wenn das Sprichwort stimmt, daß die Hand, die die Wiege schaukelt, die Welt formt, und wenn die Eltern die ersten Lehrer ihrer Kinder sind, dann ist eine intakte Familie eine weitere Voraussetzung für dialogisches und solidarisches Handeln. Ob in der Familie oder in der Schule, ein großer Teil der heutigen Probleme rührt wohl auch daher, daß viele Erwachsene mit ihrer Rolle als Eltern nur unzureichend zurechtkommen, ihre Dialogfähigkeit verkümmert ist und man sich allzu schnell entsolidarisiert (vgl. Scheidungsrate, Anzahl der Alleinerziehenden). Die Familie als Solidargemeinschaft schlechthin ist vielen Gefährdungen ausgesetzt und in ihrem Fortbestehen gefährdet. Wie schwer hat es also Solidarität, wenn sie bereits in der klassischen Solidargemeinschaft ein Fremdwort ist?! Räumen wir dem Familienleben eine entscheidende Bedeutung für die Entwicklung der Dialogfähigkeit und des Solidargedankens ein, dann erahnen wir, welche Folgen die Tatsache hat, daß viele Kinder ohne die Nestwärme einer intakten Familie aufwachsen. Von daher gesehen sind die Forderungen, Schüler auch sozialpädagogisch zu betreuen, gar nicht so abwegig, wenngleich die fehlende Erziehung in der Familie sicher nie ganz ersetzt werden kann.

Zu 4: Aus der Solidarität kommt eine Kultur des Helfens, die den Helfer nicht in den Vordergrund stellt oder gar den Medienrummel sucht. Solidarität geht einher mit Demut und Bescheidenheit, andere Voraussetzungen für die Solidarität. Sie läßt den Notleidenden nicht Macht oder Überlegenheit des Helfers spüren. Echte Solidarität wird nicht geübt, um sich selbst zu erhöhen oder um andere für sich einzunehmen, sondern weil man die wie auch immer geartete Not des anderen existentiell nachvollzieht, sich in seine Rolle versetzt und den Wunsch in sich verspürt, allen Menschen Gerechtigkeit widerfahren zu lassen, so daß jeder in Würde leben kann.

III. Verantwortung des Staates

Damit kommen wir zur Rolle des Staates, der nicht um eines wohlfeilen Moralismus willen Solidarität einfordert. Der Auftrag des Staates, die Menschenwürde zu garantieren und zu schützen, verpflichtet ihn, bestimmte Werte im Bewußtsein des Volkes zu verankern und aktiv für die Menschenwürde einzutreten (vgl. Bildungs-und Erziehungsauftrag der Schule). Dieser Einsatz darf sich nicht in Appellen erschöpfen. Allzuoft verhallen Appelle und bleiben folgenlos. Die staatlichen Institutionen und ihre Vertreter haben selbst Vorbild zu sein.

Böckenfördes oft zitiertes Wort, der Staat lebe von Voraussetzungen, die er sich selbst nicht geben noch garantieren kann, impliziert, daß der Staat gerade im Hinblick auf die fundamentalen Verfassungswerte vom Dialog seiner Bürger und von ihrer Solidarität zehrt und er einen Vorrat an Gemeinsinn braucht, dies jedoch in seiner „säkularen Beschränktheit" seinen Bürgern nicht vermitteln kann. Dem Staat muß besonders daran gelegen sein, daß der Mensch sich in seiner Individualnatur und in seiner Sozialnatur annimmt, weil nur so das Gemeinwohl auf Dauer gesichert werden kann. Welche Rolle dabei der Religion zufällt, mag der Satz von Tocqueville zeigen: „Der Despotismus kommt ohne Glauben aus, die Freiheit nicht." Der Glauben ist zweifelsohne ein Beweggrund für dialogisches und solidarisches Handeln. Glauben selbst hat ja dialogischen Charakter. In unserer säkularisierten Zeit ist freilich der Glauben nur noch einer von mehreren Beweggründen. Ob die anderen Motive ohne religiöse Verankerung auf Dauer tragfähig sind, wird sich zeigen. Die Frage, ob die Entchristlichung in unserer Gesellschaft gleichbedeutend ist mit der Entsolidarisierung, wäre eine Untersuchung wert.

IV. Der Weg zum dialogischen und solidarischen Handeln

Ich habe schon angedeutet, daß dialogisches und solidarisches Handeln den tragenden Werten unserer Verfassung immanent ist. Der Staat versucht, über die Schule Einfluß auf die Vermittlung dieser Werte zu nehmen. Und damit sind wir wieder bei der eingangs aufgeworfenen Frage: Wie befähigt man Menschen zum entsprechenden Handeln? oder: Wie macht man Menschen wertsichtig? Wie entfaltet sich das Selbst in Verantwortung? Wie kann man den Einzelmenschen gemeinschaftsbezogen erziehen?

Bei der Antwort auf diese Fragen gehe ich von folgender Grundthese aus: Als Konsequenz menschlicher Würde ist jeder Mensch frei in seinem Handeln. Deshalb kann man Dialogbereitschaft, Wertebewußtsein und Solidarität nicht erzwingen, sondern nur anregen und fördern.

Wenn die Grundvoraussetzungen gegeben sind, wie ich sie oben aufgeführt habe, wird es der Schule nicht allzu schwer fallen, über den durch die Eltern begonnenen und in der Schule fortgesetzten Prozeß der moralischen Erziehung sowie über die politische Bildung, die Schülerinnen und Schüler für dialogisches und solidarisches Handeln zu gewinnen. Fehlen die Grunddispositionen, hat schulische Arbeit es sehr schwer.

V. Was kann also Schule konkret tun?

Das wichtigste: Schule muß selbst Solidarität üben und Vorbild im dialogischen und solidarischen Handeln sein.

Schule kann nur dann zum sittlichen Handeln befähigen, wenn sie Autorität hat und sie gleichzeitig auf autoritäres Gehabe verzichtet. Schüler werden Schule ernst nehmen und ihre Autorität anerkennen, wenn sich Schule nicht auf die Vermittlung von Kenntnissen beschränkt, sie bei der Wissensvermittlung emotionale und motivationale Kriterien beachtet und sie das außerschulische Umfeld der Schüler im Schulalltag hinreichend berücksichtigt. Schüler - das war wohl immer so -sehnen sich zwar nach Moral, reagieren aber oft unwirsch, wenn sie selbst Ziel moralischer Erziehung sind. Schule wird auch im Prozeß der sittlichen Bildung ihre Autorität behalten, wenn moralische Erziehung nicht in Kontrolle und Bevormundung mündet.

Wichtiges Instrument der moralischen Erziehung und der politischen Bildung ist daher die Einbindung der Schülerinnen und Schüler in die Mitbestimmungs- und Mitwirkungsgremien. Die Heranwachsenden müssen die Möglichkeit erhalten, Verantwortung für sich und für andere zu übernehmen. Indem man junge Menschen in Entscheidungsvorgänge einbindet, wird deren Wertsichtigkeit gefördert und Verantwortungsbewußtsein geschaffen. Humanität entfaltet sich erst im Miteinander.

Da Kinder heute vielfach die eigentlichen Verlierer unserer permissiven Gesellschaft sind, muß Schule - so schwer dies auch ist - entwurzelten und seelisch verarmten Kindern Heimat und Orientierung schenken sowie soziale Kompetenz vermitteln. Schule muß Begegnungssituationen herbeiführen, in denen solidarisches Handeln eingeübt und die Erfahrung gemacht werden kann, daß sich solidarisches und dialogisches Handeln tatsächlich lohnt. Es bieten sich Partnerschaften mit sozialen Einrichtungen an. Neben der Sozialkunde, die theoretisch ausgerichtet ist, sollte es die Sozialpraxis geben, in der das vorbildhafte Tun in allen Lebensbereichen auf dem Lehrplan steht. So wird das dialogische und solidarische Handeln zum Träger der Wertevermittlung und der Werteerfahrung. Werteerziehung ist dann nichts Nebulöses, sondern etwas konkret Erleb- und Erfahrbares. Noch mehr als bisher sollte die Sozialpraxis in der und durch die Schule gewürdigt werden.

Im Laufe ihrer Schulzeit müssen die Schüler nicht nur theoretisch erkennen, sondern auch praktisch erfahren, daß Dialogfähigkeit und Solidarität Voraussetzung sind für die Entwicklung der Einzelpersönlichkeit. Der Schule stehen hierfür ganz unterschiedliche - rationale wie emotionale - Mittel zur Verfügung (von der Belehrung über Lob und Tadel bis hin zum guten Beispiel und Vorbild), entscheidend ist jedoch, daß sie immer wieder Raum schafft für eigene Erfahrungen der ihr anvertrauten jungen Menschen.

Dr. Doris Sennekamp

Bericht über den Arbeitskreis

Im Arbeitskreis gab es zwei Statements. Im ersten Statement stellt Staatssekretär Ströbel fest, daß die Bildungs - und Erziehungsziele in den Schulgesetzen der Bundesländer formuliert sind. Sie weisen ein hohes Maß an Übereinstimmung auf. Dialog und Solidarität gehören zu diesen Zielen. Es gibt also einen Konsens über die Ziele, aber es mangelt an ihrer Umsetzung.

Um die Ziele umsetzen zu können, sind Voraussetzungen nötig. Vier Voraussetzungen nannte der Referent:

1. Die Erfahrung, daß Individualität und Solidarität keine Gegensätze sind. 2. Der rechte Gebrauch der Freiheit, unter Akzeptanz der mit ihr verbundenen Verantwortung 3. Eine intakte Familie 4. Demut und Bescheidenheit

Der Referent ging dann ein auf die Verantwortung des Staates, das Bewußtsein und die Verwirklichung von Werten in der Bevölkerung wachzuhalten. Er kann dies tun über die Schule, über die Bildung und Erziehung, indem er gute Voraussetzungen dafür schafft.

Im zweiten Statement vertrat Prof. Meyer-Blanck die These, daß Dialog und solidarisches Handeln erlernt werden:

1. durch eigene Erfahrungen, über das eigene Erleben und nicht durch ein moralisches Einfordern

2. über das Finden der eigenen Identität, durch die kritische Auseinandersetzung mit sich selbst

Daher ist seine Forderung: Das Ziel christlich-religiöser Erziehung ist die Bildung eines eigenen Standpunktes und die Befähigung zum Dialog mit sich selbst. Gelingt dies, gelingen auch Dialog und Bereitschaft zum solidarischen Handeln.

Die anschließende Diskussion verlief dann in zwei großen Themenbereichen.

Der erste Bereich befaßte sich mit der Frage der Erziehung in der Schule. Einerseits wurde die Sorge der Lehrer vor Überforderung ausgesprochen, wenn sie die Defizite von Familie und Gesellschaft in der Schule auffangen sollen. Andererseits gab es auch viele Beispiele, die zeigten, daß es möglich ist, Werte und Haltungen zu vermitteln, auch im Schulalltag und auch mit den vorhandenen Ressourcen.

Diese Beispiele ließen sich in vier Bedingungen zusammenfassen:

1. Ein guter Unterricht. Dieser ist charakterisiert durch
   - Zuhören Können
   - Verläßlichkeit auf die Begrenzung eines Problems
   - Berechenbarkeit des Verhaltens des Lehrers
   - Das Prinzip einer ungeteilten Wertschätzung des Schülers, unabhängig von seinen Leistungen
2. Das Ernstnehmen des Schülers in den Mitwirkungsorganen
3. Die Gestaltung des gesamten Schullebens
4. Die Praxis des eigenen Tuns. Die Vermittlung von Dialogfähigkeit und Solidarität geschieht durch das Vorbild. Wie wir miteinander umgehen, welches Beispiel wir geben ist in der Frage der Vermittlung von Werten entscheidend.

Im zweiten Teil der Diskussion wurde über die Möglichkeiten der Wertevermittlung in den anderen Bereichen der Bildung gesprochen, in der Familie, den Jugendgruppen, dem berufsbildenden Bereich, in der Erwachsenenbildung und in den Medien.

Wir stellten uns dann die Frage: Sind die Begriffe Dialog und Solidarität geeignet, um als Zieldefinition zu gelten?

Das Ergebnis dieser Diskussion war: Dialogfähigkeit und Solidarität sind nicht als Ziele zu verstehen, sonder als Wege. Sie sind Haltungen auf dem Weg zu einem anderen Ziel. Dies Ziel wurde von einer Teilnehmerin so formuliert: „ Mein Leben und auch das Leben des anderen soll gelingen."

Bei der Erörterung, wie dies gelingen kann, wurde festgestellt:

1. Wo Lernfelder dialogisch erschlossen werden, ist der Lernerfolg am größten.
2. Neben dem festen eigenen Standpunkt und der eigenen Identität braucht die Verwirklichung dieses Zieles Interesse, Geduld, Ausdauer und Sensibilität für den anderen.
3. Die Wahrnehmung des anderen muß realistisch und bewußt sein; es sollte keine unausgesprochenen, halb ausgesprochenen oder zurückgehaltenen Meinungen geben.

Diese Haltungen gelten nicht nur für die schulischen Bereiche, sondern auch für das Zusammenleben in den Familien. Dabei haben wir die Familie erweitert durch den Bereich der „primären Sozialisationsinstanz". Diese muß man fördern und stärken. Sie gelten aber auch, wie eine Teilnehmerin es formulierte, für den Dialog zwischen Ost und West.

Zum Schluß wurde festgestellt, daß Dialog nicht folgenlos bleiben darf, wenn er Sinn haben soll. Er verwirklicht sich in der Praxis von gelebten Überzeugungen. Dialog und Solidarität sind lebendige Wege. Ziel des Weges ist das Glück des Menschen oder - wie Dr. Thomas Sternberg im Schlußwort aus der Rede des Bundespräsidenten in der Paulskirche in Frankfurt anläßlich der Gedenkfeier für Petrus Canisius zitierte -, das Heil des Menschen. Ihm dient alles, was ein Erzieher zu tun hat.

Als abschließenden Kommentar zu diesem Arbeitskreis möchte ich sagen, daß m.E. der Arbeitskreis eine gute Verbindung gefunden hat zwischen den Leitreferaten des Vormittags und dem Thema des Arbeitskreises. Die Bedeutung von Reflexion über den eigenen Standpunkt, die Identifikation mit ihm und die Bereitschaft, auch selbst Haltungen zu praktizieren, die man als Werte vermittelnd erkannt hat, ist in dem Arbeitskreis deutlich geworden. Wenn dies von uns allen- unter Berücksichtigung unserer Schwächen- im täglichen Leben praktiziert wird, dann können Dialogfähigkeit und Solidarität schon selbst Zeugnis der Hoffnung des Menschen und für den Menschen sein.

Arbeitskreis 4

Solidarität und Dialog der Christen in der öffentlichen Meinung und in den Medien

Wie verändert die Entwicklung der Medien die Kommunikation in unserer Gesellschaft?

Dr. Barbara Pfetsch

Statement

1. Einleitung

Seit Mitte der 80er Jahre können wir einen grundlegenden Wandel der Strukturbedingungen der öffentlichen und politischen Kommunikation in der Bundesrepublik (u.a. europäischen Ländern) beobachten. Dieser Wandel hin zur sog. Kommunikationsgesellschaft ist durch technische und ökonomische Veränderungen bedingt, wurde aber durch die Deregulierung der Rundfunksysteme und die Ratifizierung von neuen Rundfunkstaatsverträgen politisch legitimiert.

Meine These ist, daß aufgrund dieser Strukturveränderungen der öffentliche Diskurs sowie die Integrationsfähigkeit der Medien für die Gesellschaft und ihre Fähigkeit, eine gemeinsame Erfahrungsbasis der gesellschaftlichen und politischen Kommunikation herzustellen, d.h. einen gesellschaftlichen Konsens herzustellen, insgesamt abgenommen hat. Dies hat nicht nur Konsequenzen für die Qualität der öffentlichen und politischen Kommunikation insgesamt. Vielmehr zwingt diese Entwicklung auch intermediäre Institutionen wie die katholische Kirche, ihre Rolle und Funktion in der öffentlichen Kommunikation, ihre Kommunikationsmittel, die Kommunikation ihrer Botschaften und schließlich die Botschaften selbst neu zu überdenken.

Kennzeichen der gesamtgesellschaftlichen strukturellen Entwicklung hin zur sog. Kommunikationsgesellschaft sind (München 1993):

(1) das enorme Wachstum des Kommunikationssektors als Branche, (2) die Explosion von Medien und Botschaften, (3) die Beschleunigung des Kommunikationstempos, (4) die Kommerzialisierung der öffentli-

chen Kommunikationen, (5) die Internationalisierung der Kommunikation.

Diese Phänomene sind nicht mehr in einfachen Ursache- und Wirkungszusammenhängen zu analysieren, sie durchdringen und bedingen sich gegenseitig.

Für das System der Massenkommunikation im engeren Sinne ergeben sich aus der Entwicklung zur Kommunikationsgesellschaft tiefgreifende Veränderungen (Jahren/Alt 1997): Differenzierungsprozesse im Hinblick auf den Umfang und die Art des Medienangebotes; Destabilisierung des Ordnungsrahmens der Medien infolge von Privatisierung, Deregulierung und Internationalisierung; Kommerzialisierung im Sinne einer immer stärker werdenden ökonomischen Orientierung.

Ich will im folgenden die Konsequenzen dieser Entwicklung, insbesondere der Expansion und Ausdifferenzierung sowie der Kommerzialisierung der elektronischen Medien, unter vier Stichworten diskutieren:

Es geht mir um die Folgen der Medienexpansion und Kommerzialisierung

- für die Qualität der Medieninhalte, für die Mediennutzung und das Publikum;
- für die Medienethik und Journalismus;
- für die Kommunikation intermediärer Organisationen.

In meinen Schlußfolgerungen möchte ich auf die Frage eingehen, welche Konsequenzen der Medienentwicklung sich für Institutionen wie die katholische Kirche ergeben könnten.

2. Zu den Folgen der Strukturveränderungen für die öffentliche Kommunikation

2.1 Zur Qualität der Medieninhalte: Rhyolith TV schafft seine eigene Realität

In bezug auf die nationale Medienpolitik kam es mit der Entwicklung der Kommunikationsgesellschaft zu einem folgenreichen Paradigmenwechsel in der Medienpolitik. Bis Mitte der 80er Jahre wurden die Medien, insbesondere die elektronischen Massenmedien als Kulturgüter und unter der Prämisse der Gemeinwohlorientierung angesehen. Seit der Einführung neuer Techniken, der Deregulierung des Rundfunksystems und der Europäisierung der Medienangebote werden Medien als wirtschaftliche Dienstleistungen betrachtet und nach Marktprinzipien und industrie- und standortpolitischen Kriterien beurteilt.

Die Dominanz von Marktprinzipien bedeutet, daß Medienveranstalter ihr Publikum an Werbetreibende verkaufen. Damit sind Einschaltquoten und Auflagenhöhen das entscheidende Datum der elektronischen Medienanbieter. Jenseits aller Nischen, die das Bundesverfassungsgericht den öffentlich-rechtlichen Medien eingeräumt hat, hat sich inzwischen ein harter Konkurrenzkampf unter den drei privaten Fernsehanbietern sowie zwischen den privaten und öffentlich-rechtlichen Kanälen entwickelt.

Inhaltlich hat dies dazu geführt, daß die privaten Rundfunkanbieter in ihren Vollprogrammen fast ausschließlich auf Unterhaltungsangebote setzen. Damit hat die Deregulierung - nicht wie Mitte der 80er Jahre politisch versprochen - zu mehr inhaltlicher Vielfalt, sondern zu mehr inhaltlicher Einfalt geführt.

(a) In den kommerziellen Kanälen sind Politik- und Informationsformate mehr als randständig, Angebote für Minderheiten und Randgruppen sowie künstlerisch anspruchsvollere Formate finden gar nicht erst statt. Die öffentlich-rechtlichen Kanäle haben ihre Informationsanteile und das Spektrum ihrer Informations- und Dokumentationsformate zwar nicht reduziert, haben sich aber in der Präsentation von Politik und Information in den Nachrichten den kommerziellen Sendern angepaßt (Pfetsch 1996). Schließlich paßt ins Bild, daß seit der Deregulierung auch die Einschaltquoten bei Sendungen mit religiös-kirchlichen Themen gesunken sind.

(b) Neben diesen Trends bei den Vollprogrammen kam es zu einer Explosion von Spartenprogrammen und Spezialkanälen sowie auf spezifische Geschmacksrichtungen und Vorlieben ausgerichtete Zielgruppenmedien. Allerdings ist festzuhalten ist, daß - mit Ausnahme der werbefreien und von öffentlich-rechtlichen Anstalten getragenen Kultur-, Bildungs- und Kinderkanäle - die wenigsten Spartenprogramme auf solche Minderheiten zugeschnitten sind, die als Randgruppen in den herkömmlichen Programmen nicht in Erscheinung treten. Vielmehr sind auch die Spartenprogramme auf den Konsum und Absatz ausgerichtet, und anstatt von integrativen Angeboten für soziale Minderheiten finden wir Musikkanäle, Spielfilm-Pay-TV und neuerdings sogar einen Jägerkanal.

(c) Entscheidend an der Medienentwicklung erscheint mir, daß alte Medienformate wie z.B. die klassische informationsbezogene Nachrichtensendung, ihr Profil verlieren und dem Trend zum Infotainment nachgeben. Gleichzeitig wird die Medienindustrie nicht müde, neue virtuelle und hybride Medienformate zu erfinden oder nach US-amerikanischem Vorbild nachzuahmen. Inzwischen stehen auch die öffentlich-rechtlichen Kanäle im endlosen Marathon der Soap-Operas und Talkshows ihren kommerziellen Konkurrenten nicht nach.

Diese Entwicklungen sind prekär, wenn man davon ausgeht, daß die Medien mit ihrer Berichterstattung eine Realität sui generis schaffen, die für die meisten Menschen als politische und gesellschaftliche Realität schlechthin erfahren wird. Die Veränderung der Medienformate, die Aushöhlung der traditionellen Informationsangebote und solche Hybride wie z.B. Reality-TV zeichnen Bilder einer Wirklichkeit, die hochgradig virtuell und kontingent ist. Realität und Fiktion verschmelzen und die wenigsten Formate sind an Nachprüfbarkeit und Wahrheit gebunden. Und umgekehrt gilt auch: Das Reality TV schafft sich seine eigene Rhyolith, und zwar in dem Sinne, daß die Formate letztlich auch die Wirklichkeit prägen - sei es, daß die Sportberichterstattung den Charakter einer Sportart verändert, oder daß angesichts einer Medienwirklichkeit, die von Sex und Crime dominiert ist, letztlich auch die subjektive Wahrnehmung und Furcht vor Kriminalität in der eigenen Nachbarschaft ansteigen läßt (Gerben et al. 1982) oder daß mit zunehmender Talkshow-Präsenz der Politiker auch der Zuschnitt politischer Botschaften einfacher und populistischer wird.

2.2 Zur Fragmentierung des Publikums: Kollektiver Erfahrungshorizont wird zunehmend geringer und einseitiger

Die Folgen der Medienentwicklung für das Publikum sind auf zwei Ebenen zu betrachten. Zum einen stärken die Zunahme des Medienangebotes sowie neue individualisierte Formen der Mediennutzung die Autonomie des einzelnen. Medien können losgelöst von starren zeitlichen und räumlichen Restriktionen genutzt werden. Darüber hinaus erlaubt die Entwicklung der audiovisuellen Medien eine Differenzierung und Individualisierung der Angebote, so daß immer spezieller Geschmacksrichtungen und Zielgruppen bedient werden können. Diese Individualisierung der Mediennutzung beinhaltet Chancen für diejenigen, die mit hoher Medienkompetenz ausgestattet sind und über viel frei verfügbare Zeit verfügen und auch für diejenigen, die neue Medienangebote gestalterisch oder künstlerisch nutzen können. Gleichwohl zeigt die Forschung, daß die Medienexpansion vor allem der Differenzierung der Unterhaltungsangebote zugute kommt. Kein Wunder also, daß die Vermehrung des Programmangebotes zu einem Anstieg des durchschnittlichen Fernsehkonsums insbesondere in der Sparte der Unterhaltungsprogramme geführt hat. Solche Ergebnisse sprechen dann eher dafür, daß die Chancen der Angebotsvielfalt von der Mehrheit des Publikums nicht sinnvoll genutzt werden können

Gewinner und Verlierer der Medienexpansion sind, wenn man die Forschung heranzieht, leicht auszumachen. So postulierte z.B. die sog. Wissenskluft-Hypothese (Bonfadelli 1994), daß der Anstieg der Medieninformationen die schichtspezifische Differenzierung der modernen Gesellschaften noch verstärkt. D.h. Ungleichheiten, die aus Bildung und sozialer Position resultieren, werden durch die Medien nicht etwa ausgeglichen, sondern verstärken sich in Abhängigkeit von der Nutzung und der Qualität der Medieninformation: So wächst die Wissenskluft zwischen den Mediennutzern, die sich hauptsächlich aufgrund der Presse orientieren, und denen, die sich hauptsächlich auf das Fernsehen stützen (Bonfadelli 1994:387). Weit folgenreicher für die öffentliche Kommunikation ist die Kluft in der Qualität des politischen Wissens. Studien zeigen, daß vor allem groß herausgestellte spektakuläre Ereignisse und groß angelegte Informations- und Mobilisierungskampagnen in alle Bevölkerungsschichten diffundieren (Schulz 1987). Auch die weniger Interessierten und sozial benachteiligten Gruppen nehmen die Trauerfeier der Prinzessin von Wales zur Kenntnis. Das Problem ist nur, daß sich die Medienrealität dieser Gruppen weitgehend aus solchen Ereignissen konstituiert. Dies bedeutet, daß gerade die wenig Interessierten und weniger Gebildeten, die in ihrem politischen Wissen überdurchschnittlich vom Fernsehen profitieren, ein Bild von Realität rezipieren, das durch dessen spezifische Formate geprägt ist: Diese Realität besteht aus schnellen und oberflächlichen Bildern, irrelevanten Einzelheiten sowie dramatischen, krisen- und konflikthaften Ereignissen und wenigen prominenten Protagonisten oder Politiker.

Über die Konsequenzen solch differentieller Muster der Mediennutzung gibt es eine Reihe weitgehend spekulativer Hypothesen. Angesichts der Expansion der elektronischen Medien machen konservative wie fortschrittliche Autoren, insbesondere in den USA, das Fernsehen für problematische und sozial wie politisch unerwünschte Entwicklungen, wie die wachsende Distanz der Bürger zur Politik, sinkende Wahlbeteiligung, politische Entfremdung und sinkende Rationalität politischen Verhaltens, verantwortlich. Solche Zusammenhänge sind in ihrer Pauschalität auf der Basis von Mikrostudien empirisch schwer nachweisbar, weil sowohl die sozialen und politischen Bindungen, die

Art der Mediennutzung als auch die Qualität der Medieninformation die politischen Wirkungen modifizieren. In makrogesellschaftlicher Sicht ist dagegen nicht von der Hand zu weisen, daß die Medienexpansion sowie die Veränderung der Informationsqualität zu einschneidenden Veränderungen der öffentlichen Kommunikation geführt haben. Angesichts der zunehmenden Individualisierung der Mediennutzung scheint sich die Kategorie des Fernsehpublikums als einheitliche Größe aufzulösen zugunsten von ausdifferenzierten Teilpublika, die sich insbesondere durch die Wahl des Unterhaltungskanales charakterisieren lassen. Die bereits unterschiedlich verteilten sozialen und kognitiven Voraussetzungen der gesellschaftlichen und politischen Teilnahme, d.h. die Wissens-und Bewußtseinsklüfte in der Bevölkerung, scheinen sich infolge der Medienentwicklung eher zu verschärfen als zu verkleinern.

Eine weitere Folge der Ausdifferenzierung in unterschiedliche, vor allem nach Unterhaltungspräferenzen unterscheidbare Teilpublika sowie der Angebotsstrategien der Medienbranche liegt darin, daß der gemeinsame medial vermittelte politische, kulturelle und soziale Erfahrungshorizont der Bürger zunehmend geringer und einseitiger wird. Und Innovationen im technischen Bereich erweisen sich hier als Motoren und Katalysatoren dieser Desintegrationstendenzen. So laufen in den USA derzeit Testversuche mit sog. „personalisierten" elektronischen Nachrichtendiensten und Audiosystemen, bei denen der Rezipient nur noch Nachrichten aus den Bereichen oder Themengebieten erhält, die er von vorneherein festgelegt hat (Manheim 1997). D.h. man braucht sich nicht einmal mehr die Mühe machen, Informationen, die einen nicht interessieren, die aber ein Journalist für berichtenswert hält, zu überblättern oder abzuschalten.

2.3 Medienethik und Journalismus. Der zwiespältige Ruf nach Kontrolle

Unter den Bedingungen harter ökonomischer Konkurrenz der Medien kommt es, wie Neidhardt (1994) postuliert, zu einer hohen „Fehleranfälligkeit“ der öffentlichen Kommunikation in bezug auf die Verbindlichkeit, die gesellschaftliche Relevanz und die Rückbindung der Botschaften an faktische Nachprüfbarkeit. Diese Fehleranfalligkeit wirft Fragen an das Selbstverständnis und die Ethik des Journalismus auf. Ein nachhaltendes Beispiel für einen Wandel im professionellen Verständnis einiger Fernsehmacher sind die gefälschten Fernsehreportagen des Reporters Michael Born in unterschiedlichen Politmagazinen. Mit der Reportage von Ku-Klux-Klan Aktivitäten in deutschen Wäldern ist eine Bastion des Journalismus gefallen, nämlich die Glaubwürdigkeit und Authentizität der Bilder. Nun hat auch der Bildschirm „seine Unschuld verloren“, schreibt Peter Sartorius (1996). Daß Papier geduldig ist, weiß man ja, daß man lügen kann wie gedruckt. Aber daß auch die Fernsehbilder gelogen sind, daß auch die Fernsehwirklichkeit nicht mehr wahrhaftig ist, das ist einigermaßen neu. Das Beispiel zeigt nicht nur, daß die Medienexpansion und Kommerzialisierung die Willkürlichkeit der Medienbotschaften und Glaubwürdigkeit der Medien selbst beeinträchtigt, sondern daß auch die Einhaltung berufsethischer und professioneller Standards der publizistischen Branche nicht mehr selbstverständlich ist.

Der Ruf nach Kontrollmechanismen der journalistischen Profession und einer Reflektion ethischer Grundsätze im Journalismus haben durch die jüngsten Ereignisse um den Unfalltod der Prinzessin von Wales weltweit eine neue Zuspitzung erfahren. In der Bundesrepublik wird diese Diskussion seit einiger Zeit unter dem Stichwort „Verantwortung des Fernsehens“ gebührt (Bertelsmann Stiftung 1995). Im „Bericht zur Lage des Fernsehens“ an den Bundespräsidenten (Groebel et al. 1995) fordern Medienexperten eine Fernsehselbstkontrolle, die eine senderübergreifende Verpflichtung zur Einhaltung ethischer Grundsätze beinhaltet. Zudem fordern die Experten einen Rat der elektronischen Medien, der die Praktiken der Fernsehanbieter beobachten, Maßstäbe der Medienverantwortung entwickeln und einen anhaltenden Diskurs über das Fernsehen in Gang halten soll. Zudem soll eine Stiftung Medientest für den Fernsehbereich - ähnlich wie die Stiftung Warentest für den Verbraucherschutz - eine laufende Bestandsaufnahme der Medienentwicklung machen und das Programm kontinuierlich beobachten.

Aufgrund der Medienfreiheit und des Grundrechtes der freien Meinungsäußerung sind umfassende staatliche Kontrollen im Medienbereich mit Recht nicht zulässig, sondern beschränken sich auf eng definierte und gesetzlich fixierte Aufgaben der Landesmedienanstalten und der Rundfunkräte in öffentlich-rechtlichen Anstalten, meistens im Bereich des Jugendschutzes und der Werberichtlinien. Mechanismen der gesellschaftlichen Kontrolle, d.h. Gremien der Selbstkontrolle, Transparenz der Entscheidungen in den Medien sowie ein anhaltender Diskurs über Medien sind daher die einzigen realistischen und mit den Prinzipien einer liberalen Medienordnung zu vereinbarende Wege, um ethisches und professionelles Fehlverhalten der Medien zu sanktionieren. Gleichwohl darf man die Wirkung dieser Instrumente nicht überschätzen, weil auch und insbesondere die Akteure der Medienbranche nicht frei sind von einer gewissen Doppelzüngigkeit, so daß sich so manche Forderung nach verantwortlichem Handeln als symbolische Politik entlarvt. Wenn Leo Kirch die Entlassung eines Kommentators der BILD-Zeitung fordert, weil dieser Verständnis für das Kruzifix-Urteil geäußert hatte, ist dies eine Sache. Wenn Leo Kirch keine Gelegenheit ausläßt, seine Geschäfte vor allem im Sex- und Pornobereich auszuweiten, ist dies eine andere Sache. Eine ähnliche Doppelstrategie fahrt der Bertelsmann-Konzern, der zu den maßgeblichen Motoren der Kommerzialisierung des Rundfunksektors gehört und mit neuen Programmangeboten wie z.B. RTL2 nicht eben die Qualitätsstandards des deutschen Fernsehens hebt. Die Bertelsmann-Stiftung indessen läßt keine Gelegenheit aus, mit Expertenrunden und Publikationen zur Verantwortung des Fernsehens und einer gemeinwohlorientierten Medienethik auf sich aufmerksam zu machen.

2.4 Zur Kommunikation der intermediären Akteure: Entkopplungsprozeß zwischen Medien und gesellschaftlichen Organisationen

Was bedeutet die Medienentwicklung für die intermediären Organisationen, d.h. diejenigen Institutionen, die zentrale gesellschaftliche Vermittlungsfunktionen zwischen Individuum und politischem und sozialem System wahrnehmen und die zu den zentralen Akteuren im

Diskurs um die Wertegrundlagen der Gesellschaft und/oder individueller und kollektiver Sinnstiftung gehören. Dazu zählen einerseits politisch etablierte Organisationen wie die Parteien, andererseits aber auch Kirchen, Gewerkschaften oder Stiftungen. In eine prekäre Situation kommen diese Institutionen, weil sich die Medien zunehmend als autonomer Institutionentypus profilieren, die ihre Botschaften auf ein zahlendes Publikum und nicht auf die Gemeinschaft ausrichten. So argumentiert Jarren (1997), daß die Strukturveränderungen im Mediensystem dazu führen, daß sich auch die Rückbindung von Medienorganisationen an gesellschaftliche Interessen, Gemeinwohlvorstellungen oder ähnliche Wertorientierungen auflösen. Mit zunehmender ökonomischer Orientierung und Selbstbezüglichkeit werden die Medien immer störrischer gegenüber den Vermittlungsinteressen gesellschaftlicher Organisationen. Der Entkoppelungsprozeß zwischen Medien und gesellschaftlichen Organisationen stellt auch die Kirchen vor das Problem, daß sie ihr „Vermittlungsprivileg" in der medial vermittelten gesellschaftlichen Kommunikation verlieren.

Diese Entwicklung ist umso folgenreicher, als die Organisationspublizistik gesellschaftlicher Großorganisationen, z.B. die Partei- und Gewerkschaftspresse, die Kirchenzeitungen oder die konfessionellen Nachrichtendienste an publizistischer und somit gesellschaftlicher Bedeutung verloren haben und auch bei der internen Kommunikation Defizite aufweisen. Schließlich haben sich infolge geseamtgesellschaftlicher Individualisierungsprozesse auch das Publikum und die Mitglieder gesellschaftlicher Großorganisationen gewandelt. Sie sind „günstigenfalls anspruchsvoll und wählerisch, schlimmstenfalls sogar störrisch geworden ... Die Stammkunden sterben aus, die Zahl der Mitglieder schwindet, die soziale Zusammensetzung der Mitglieder schwankt, die aktiven werden weniger, die Bereitschaft, allen Organisationszielen zuzustimmen, wird geringer, Dauer-Bindungen sind kaum noch herstellbar, die Ansprüche an Service und individuellen Nutzen steigen ..." (Jarren/Arlt 1997:481).

Trotz oder gerade wegen der Strukturveränderungen im Mediensystem, dem Bedeutungsrückgang der Organisationspresse und den veränderten Mitgliederansprüchen sind die intermediären Organisationen auf das allgemeine Massenkommunikationssystem angewiesen. Dabei konkurrieren die Kirchen mit anderen gesellschaftlichen Akteuren um Medienaufmerksamkeit, und der Erfolg dieser Kommunikation ist davon abhängig, in welchem Ausmaß es ihnen gelingt, von ihren Adressaten gehört und in der Öffentlichkeit positiv wahrgenommen zu werden: „Gezielte Imagepflege ist unter diesen Bedingungen keine Sache außergewöhnlicher Eitelkeit, sondern eine elementare Angelegenheit des Überlebens“ (Münch 1993:265).

Medienresonanz setzt unter den veränderten Strukturbedingungen der Massenkommunikation voraus, daß sich die Anbieter von Informationen auf die Medienlogik - auf die Formate, die Nachrichtenwerte und die Nachrichtenlogistik einlassen. Zu den Antworten auf die externen Kommunikationsbedingungen in den gesellschaftlichen Organisationen gehören daher eine Ausdifferenzierung der Stellen der politischen Öffentlichkeitsarbeit, die Weiterentwicklung einer konventionellen Pressearbeit hin zu professionellen Methoden des Nachrichten- und Ereignismanagementes sowie die Spezialisierung von Experten, die eine Botschaft zielgruppen- und medienspezifisch kommunizieren können. Die Einrichtung einer auf die Medienlogik hin professionalisierten Öffentlichkeitsarbeit fällt nicht allen intermediären Organisationen in gleicher Weise leicht. Organisationen wie Greenpeace, die sich nur auf Themen in einem engen Bereich konzentrieren und mit vorrangig medienbezogenen Pseudoereignissen hervortreten, können von der Medienentwicklung profitieren. Organisationen wie die Kirchen hingegen, die mit dem Anspruch antreten, einen gesamtgesellschaftlichen Wertediskurs in Gang zu halten, haben hier das Nachsehen, weil ihre Botschaften nur bedingt in die Medienlogik zu zwingen sind.

3. Schlußfolgerungen

Für Institutionen wie die Kirche, die an zentralen Achsen der Gesellschaft eine Sinnbildungs- und Integrationsfunktion wahrnehmen, stellt sich die Frage, inwieweit sie sich den neuen Kommunikationsbedingungen der Mediengesellschaft anpassen kann, ohne ihr eigenes Profil zu verlieren. Wie kann die Kirche ihre Deutungsmuster und Traditionen an das (fragmentierte) Publikum vermitteln? Eine einfache Antwort auf das Kommunikationsproblem besteht in der Einbeziehung neuer Medien und technischer Übertragungsmittel in die bisherigen Kommunikationspolitik: Kirche im Internet, lokale Kirchenkanäle und die email-Kommunikation mit den Mitgliedern eröffnen Chancen der Stabilisierung der Beziehung zu den 80 Prozent der Katholiken, die nicht regelmäßig Gottesdienste besuchen, sowie Chancen der Einbeziehung neuer Gruppen in das Gespräch mit den Kirchen. Schwieriger ist indessen die Frage zu beantworten, inwieweit die Kirchen ihre Öffentlichkeitsarbeit spezialisieren und professionalisieren können, ohne ihre Organisationsidentität zu verlieren. Erste Schritte einer authentischen, gleichwohl aber professionellen Öffentlichkeitsarbeit sind die Kirchentage und Papstbesuche, die sowohl medienwirksame Ereignisse als auch Integrationsmechanismen für die Mitglieder sind. Gleichwohl kann sich die Öffentlichkeitsarbeit nicht - wie bei Greenpeace - auf das Ereignismanagement und Politmarketing beschränken. Die Kirche kann aber von Greenpeace lernen, daß zu den nachhaltigen Möglichkeiten der Aufmerksamkeitsgenerierung die kontinuierliche Einmischung in den gesellschaftlichen und politischen Diskurs gehört. Dazu bedarf es dann nicht nur schlauer Pressestellen, sondern auch einer gewissen Offenheit und Kommunikationsfahigkeit der Institution, der Diskursfähigkeit der eigenen Botschaft und der Glaubwürdigkeit der Akteure.

Die Kirchen sind aber auch von dem Problem betroffen, daß die Medien der Massenkommunikation durch die Strukturveränderungen an Integrationspotential verloren haben und immer weniger in der Lage sind, einen gemeinsamen sozialen und politischen Erfahrungshorizont zu stiften. Da auch die Kirchen Probleme haben, ihre Mitglieder zu binden und ihre Botschaften gesamtgesellschaftlich zu kommunizieren, sind von den immer ärmeren Vermittlungsleistungen der Massenmedien betroffen, wenn sie ihre Stimme erheben wollen. Dieses Dilemma ist nicht aufzuheben, weil die Strukturveränderungen im Medienbereich nicht rückholbar sind und Medienaufmerksamkeit angesichts der Konkurrenzsituation unter den Medien fluktuierend und situationsabhängig ist . Sicher erscheint mir aber, daß die Antwort nicht ausschließlich in einer stärkeren marketingorientierten PR-Philosphie und Konsumentenorientierung bei der Generierung kirchlicher Botschaften liegen kann. Und genausowenig kann man - nach einer Woche weltweiter Fernsehtrauer um eine verunglückte Medienprinzessin - sagen, die moderne, individualisierte Kommunikationsgesellschaft brauche keine Sinnstiftungsmechanismen mehr. Vielleicht ist das Bedürfnis des Publikums nach sinnhaften Botschaften ja die (alte und neue) Chance der kirchlichen Kommunikationspolitik auch unter den veränderten Strukturbedingungen der Massenkommunikation, neu ist lediglich, daß die kirchlichen Botschaften mit den neuen Medienrealitäten konkurrieren.

Literatur

- Bertelsmann Stiftung (Hrsg.) (1995). Fernsehen bedarf der Verantwortung, Ergebnisse von Symposium und Festakt anläßlich der Verleihung des Carl Bertelsmann Preises 1994 zum Thema „Gesellschaftliche Verantwortung des Fernsehens“, Band 1, Gütersloh:Verlag Bertelsmann Stiftung.
- Bonfadelli, Heinz (1994). Die Wissenskluft-Perspektive. Massenmedien und gesellschaftliche Information. Konstanz: Verlag Ölschläger.
- Gerbner, George, Gross, Larry, Morgan, Michael & Signorielli, Nancy (1982). Charting the Mainstream: Television‘s Contribution to political orientations. Journal of Communication, No. 2, 32, 100-127.
- Groebel, Jo/Hoffmann-Riem, Wolfgang/Köcher, Renate et al. (1995). Bericht zur Lage des Fernsehens für den Präsidenten der Bundesrepublik Deutschland, Gütersloh: Bertelsmann Stiftung.
- Jarren, Otfried (1997). Medien als Akteure. Die Risiken politischer Kommunikation aus institutionetheoretischer Sicht. Frankfurter Rundschau vom 19.8.1997 16.

- Jarren, Otfried & Arlt, Hans-Jürgen (1997). Kommunikation Macht Politik. Konsequenzen der Modernisierungsprozesse für die politische Öffentlichkeitsarbeit. WSI Mitteilungen 7/1997, 480-486.

- Kirchenamt der Ev. Kirche in Deutschland und Sekretariat der Deutschen Bischofskonferenz (Hrsg.) 1997. Chancen und Risiken der Mediengesellschaft. Gemeinsame Erklärung der Deutschen Bischofskonferenz und des Rates der Evangelischen Kirche in Deutschland, Hannover und Bonn.

- Manheim, Jarol B. (1997). Strategische Kommunikation und eine Strategie für die Kommunikationsforschung. Publizistik Heft 1, 42, 62-72.

- Münch, Richard (1993). Journalismus in der Kommunikationsgesellschaft. Publizistik, Heft 3, 38, 261-279.

- Neidhardt, Friedhelm (1994). Öffentlichkeit und Selbstkontrolle: Die Rolle der Experten. Manuskript eines Vortrages anläßlich des ZUMA Jubiläums am 5.10.1994 in Mannheim.

- Pfetsch, Barbara (1996). Konvergente Fernsehformate in der Politikberichterstattung? Eine vergleichende Analyse öffentlich-rechtlicher und privater Programme 1985/86 und 1993, in: Rundfunk und Fernsehen. 44. Jg., Heft 4. 479-498.

- Sartorius, Peter (1996). Lügen wie gesendet. Über den journalistischen Umgang mit der Wirklichkeit: eine Replik. Süddeutsche Zeitung Nr. 236 12/13. Oktober. 13.

- Schulz, Winfried (1987). Politikvermittlung durch Massenmedien. In: Sarcinelli, Ulrich (Hrsg.): Politikvermittlung. Beiträge zur politischen Kommunikationskultur. Bonn.

Dr. Anton Magnus Dorn

Bericht über den Arbeitskreis

In den einleitenden Statements zu den Folgen der Medienentwicklung für die öffentliche Kommunikation kam deutlich zum Ausdruck, daß durch die Strukturveränderungen die Integrationsfähigkeit der Medien für die Gesellschaft und ihre Fähigkeit, eine gemeinsame Erfahrungsbasis der gesellschaftlichen und politischen Kommunikation - auch einen gesell-schaftlichen Konsens - herzustellen, insgesamt abgenommen hat.

Die Kennzeichen in der strukturellen Entwicklung hin zur Kommunikationsgesellschaft lassen sich in fünf Punkten schlagwortartig zusammenfassen:

1. das enorme Wachstum der Medien als Wirtschaftsbranche,
2. die Explosion von Medien und Botschaften,
3. die Beschleunigung des Kommunikationstempos,
4. die Kommerzialisierung der öffentlichen Kommunikation,
5. die Internationalisierung der Kommunikation.

Als Folge kann man einen Paradigmenwechsel in der Medienpolitik feststellen. Vorher wurden insbesondere die elektronischen Massenmedien als Kulturgüter und unter der Prämisse der Gemeinwohlorientierung angesehen. Mit der Deregulierung des Rundfunkssystems und der Europäisierung der Medienangebote werden seit 1984 Medien als wirtschaftliche Dienstleistungen betrachtet und nach Marktprinzipien und nach industrie- und standortpolitischen Kriterien beurteilt. Kurz gesagt: Ein Wandel vom Kulturgut zur Ware.

Weitere Folgen waren z.B. der Trend zum Infotainment und mit dem Reality-TV die Verschmelzung von Realität und Fiktion bis hin zur Ununterscheidbarkeit und damit die Aufhebung der Nachprüfbarkeit und Wahrheit.

Die individualisierte Formen der Mediennutzung beinhaltet Chancen für diejenigen, die mit hoher Medienkompetenz ausgestattet sind. Die Medienexpansion verstärkt aber die schichtenspezifische Differenzierung der modernen Gesellschaft, insofern sie Ungleichheiten verstärkt, die aus Bildung und sozialer Position resultieren.

Diese Desintegration wird sich noch verstärken mit den sog. Navigationssystemen, die der Rezipient, sprich Zuschauer, nach persönlichen Vorlieben programmiert und dann nur noch Programme seiner Wahl erhält und alles übrige ausschaltet.

Ich komme direkt auf die Kirche zu sprechen, die wie andere Institutionen in der Forschung zu den „intermediäre Akteuren" gerechnet wird.

Zu fragen ist, was die Medienentwicklung für die intermediären Organisationen bedeutet - damit sind Institutionen gemeint, die zentrale gesellschaftliche Vermittlungsfunktionen zwischen Individuum und politischem und sozialem System wahrnehmen und die zu den zentralen Akteuren im Diskurs um die Wertegrundlagen der Gesellschaft und/oder individueller und kollektiver Sinnstiftung gehören. Dazu zählen einerseits politisch etablierte Organisationen wie die Parteien, anderseits aber auch Kirchen, Gewerkschaften oder Stiftungen. In eine prekäre Situation kommen diese Institutionen, weil sich die Medien zunehmend als autonomer Institutionstypus profilieren, die ihre Botschaften auf ein zahlendes Publikum und nicht auf die Gemeinschaft ausrichten.

Diese Strukturveränderungen im Mediensystem führen dazu, daß sich auch die Rückbindung von Medienorganisationen an gesellschaftliche Interessen, Gemeinwohlvorstellungen oder ähnliche Wertorientierungen auflöst. Mit zunehmender ökonomischer Orientierung und Selbstbezüglichkeit werden die Medien immer störrischer gegenüber den Vermittlungsinteressen gesellschaftlicher Organisationen. Der Entkoppelungsprozeß zwischen Medien und gesellschaftlichen Organisationen stellt auch die Kirchen vor das Problem, daß sie ihr „Vermittlungsprivileg" in der medial vermittelten gesellschaftlichen Kommunikation verlieren.

Trotz oder gerade wegen der Strukturveränderungen im Mediensystem, dem Bedeutungsrückgang der Organisationspresse und den veränderten Mitgliederansprüchen sind intermediäre Organisationen auf die allgemeine Massenkommunikation angewiesen. Dabei konkurrieren die Kirchen mit anderen gesellschaftlichen Akteuren um Medienaufmerksamkeit, und der Erfolg dieser Kommunikation ist davon abhängig, in welchem Ausmaß es gelingt, von ihren Adressaten gehört und in der Öffentlichkeit wahrgenommen zu werden. Gezielte Imagepflege ist unter diesen Bedingungen keine Sache der außergewöhnlichen Eitelkeit, sondern eine elementare Angelegenheit des Überlebens!

Medienresonanz setzt unter den veränderten Struukturbedingungen der Massenkommunikation voraus, daß sich die Anbieter von Information auf die Medienlogik - auf die Formate, die Nachrichtenwerte und Nachrichtenlogik - einlassen. Zu den Antworten auf die externen Kommunikationsbedingungen in den gesellschaftlichen Organisationen gehören daher eine Weiterentwicklung der konventionellen Pressearbeit hin zu professionellen Methoden des Nachrichten- und Ereignismanagements sowie die Spezialisierung von Experten, die eine Botschaft zielgruppen- und medienspezifisch kommunizieren können. Die Einrichtung einer auf die Medienlogik hin professionalisierten Öffentlichkeitsarbeit fällt nicht allen intermediären Organisationen in gleicher Weise leicht. Organisationen wie Greenpeace, die sich nur auf Themen in einem engen Bereich konzentrieren und mit vorrangig medienbezogenen Ereignissen hervortreten, können von der Medienentwicklung profitieren. Organisationen wie die Kirchen hingegen, die mit dem Anspruch auftreten, einen gesamtgesellschaftlichen Wertediskurs in Gang zu halten, haben hier das Nachsehen, weil ihre Botschaften nur bedingt in die Medienlogik zu zwingen sind.

Dennoch kann die Kirche von Greenpeace lernen, daß zu den nachhaltigen Möglichkeiten, Aufmerksamkeit zu erregen, die kontinuierliche Einmischung in den gesellschaftlichen und politischen Diskurs gehört.

Der Kirche fehlt es nicht an beachtlichen päpstlichen und bischöflichen Papieren zu Medienfragen. Drei seien hier wenigstens genannt:

- Communio et progressio. Die Pastoralinstruktion über die Instrumente der sozialen Kommunikation, 1991;
- Aetatis Novae. Zur sozialen Kommunikation zwanzig Jahre danach, 1992;
- Chancen und Risiken der Mediengesellschaft. Gemeinsame Erklärung der Deutschen Bischofskonferenz und des Rates der Evangelischen Kirche in Deutschland von 1997.

Im Arbeitskreis wurde die Ohnmacht vor den Medien hervorgehoben. Es wurde aber kritisch angemerkt, daß die Christen in diesem Lande mit ihrem achtzigprozentigen Bevölkerungsanteil zur bisherigen Entwicklung beitragen, weil sie diese Programme einschalten. Man war sich einig: die Entwicklung ist noch längst nicht am Ende, auch nicht in negativer Hinsicht.

Aus der Diskussion seien hier die positiven Anregungen aufgelistet:

- Nutzung von Internet und Online;
- der Erwerb von Medienkompetenz durch Medienpädagogik;
- Leser-, Hörer-, Zuschauerbriefe und telefonische Anrufe;
- stärkere Wahrnehmung der Aufsichtspflicht in den Gremien;
- Verstärkung und Ausbau der journalistischen Aus- und Weiterbildung;
- die Gerichte einzuschalten hat nur einen Sinn, wenn die „Verletzung der Menschenwürde“ eingeklagt werden kann;
- Schaffen von Events und Ereignissen, worüber die Medien berichten können. Wenn es sie nicht gäbe, müssten Katholikentage und Kirchentage erfunden werden.

Abschließend eine persönliche Anmerkung: Von der früheren Kommission 5 „Publizistik“ des ZdK gibt es ein Papier „Kirche und Öffentlichkeit“, das es nach wie vor zu lesen lohnt.

Infolge der Zeitknappheit wurde im Arbeitskreis die „öffentliche Meinung“ nicht eigens diskutiert, sondern mit den Massenmedien gleichgesetzt, was ja keineswegs der Fall ist. Nach wie vor sehe ich auch als Christ und Journalist die große Chance in der Individualkommunikation und sozialen Komunikation in Gruppen, Verbänden usw. Was an unserer Medienkommunikation negativ ist, kann zu einem nicht unwesentlichen Teil über Kontakte zu Journalisten ausgeglichen werden. Diese Kontakte sollten gepflegt und nicht nur aktiviert werden, wenn man etwas will. Auch Journalisten sind Menschen, und ich kenne sehr viele, die unser Anliegen um echten Dialog und Solidarität mit uns teilen.

Arbeitskreis 5
Solidarität und Dialog der Christen in der Völkergemeinschaft, in Europa, in der einen Welt

Solidarische Welt - in der Vielfalt der Kulturen, Nationen und Religionen: Wunschtraum der Christen?

Prof. Dr. Ludwig Bertsch SJ

Statement

1. Wunschtraum oder Verheißung?

Oft wird das Pfingstereignis so gedeutet, als hätten die Apostel in den jeweiligen Sprachen zu den verschiedenen Völkern gesprochen, und zwar als Repräsentanten der Universalkirche, die sich dann in die jeweiligen Ortskirchen unterteilt habe, zu denen die Apostel von Jerusalem aus hinauszogen. Doch der Text sagt etwas anderes: In der zusammengeströmten Menge, Juden und Proselyten aus allen Völkern unter dem Himmel (Apg 2,5), hörte jeder sie in seiner Sprache reden. Sie gerieten außer sich vor Staunen (V.6-7) Die Aufzählung der verschiedenen Völkerschaften schließt mit der Feststellung: Wir hören sie in unseren Sprachen Gottes große Taten verkünden (V.11). Die Verheißung dieses Textes liegt gerade darin, daß die eine Botschaft des Geistes in der jeweiligen Muttersprache gehört und verstanden wurde. Die Sprache, die Muttersprache, ist das höchste Gut einer jeden Kultur, das tiefgreifendste Identitätszeichen, das alle in ihrer je ihnen zukommenden und sie prägenden Besonderheit verbindet. Pfingsten überwindet den Fluch von Babel, dem Ort der Sprachverwirrung aufgrund menschlicher Hybris, die dazu führte, daß keiner mehr die Sprache des anderen versteht (Gen11,7).

So lautet also unsere Frage nicht: Wunschtraum der Christen? Sondern: Trauen wir der Verheißung? oder, um ein Wort Teilhard de Chardins für unseren Zusammenhang abzuwandeln: Ihr Christen, was habt ihr nur 2000 Jahre nach der Himmelfahrt Christi aus der pfingstlichen Verheißung von einer solidarischen Welt in der Vielfalt der Kulturen gemacht?

2. Der sozial- und wirtschaftspolitische Kontext.

(Die grundsätzlichen Feststellungen und Aussagen sollen im Folgenden am Beispiel des südsaharischen Afrika konkretisiert werden. Einmal wird dadurch deren Brisanz besser deutlich. Zum anderen ist der Verfasser seit 1977 dort regelmäßig vor allem im Hochschulbereich tätig. Das hier exemplarisch Gesagte gilt mit entsprechenden Änderungen auch für andere Länder der sogenannten Dritten und Vierten Welt.)

Es ist bereits seit Jahrhunderten das Schicksal vieler Länder des schwarzafrikanischen Kontinents, daß eine oft skrupellos auf den eigenen Vorteil bedachte Führungsgruppe aus dem eigenen Land bzw. Stamm mit außerafrikanischen politischen oder wirtschaftlichen Gruppen, denen es ebenfalls um den eigenen Vorteil geht, auf Kosten der übrigen Bevölkerung die menschlichen und wirtschaftlichen Ressourcen ausbeutet. Das gilt ab dem 17. Jahrhundert bezüglich des Sklavenhandels, der bis in das 20. Jahrhundert ging (1963 wurde die Sklaverei in Saudi-Arabien abgeschafft). Anfänglich haben Päpste hier eine unterstützende und permissive Haltung gezeigt, so sehr sie sich später für die Ächtung der Sklaverei eingesetzt haben. Das gilt für die Berliner Konferenz (15.11.1884 bis 26.02.1885), in der die Großmächte, konkret vor allem Belgien, England, Frankreich und Deutschland den afrikanischen Kontinent unter sich aufgeteilt haben, ohne jede Rücksicht auf in Jahrhunderten gewachsene völkische und damit kulturelle Eigenständigkeiten der betroffenen Völker. Die Wurzeln heutiger Konflikte reichen bis in dieses Ereignis zurück.

Dies gilt bis heute. Viele der blutigen Auseinandersetzungen in Zentralafrika haben als einen, jedoch sehr entscheidenden Grund den Kampf zwischen den USA und Frankreich um die politische und vor allem wirtschaftliche Vormachtstellung in diesem Teil der Welt. (Der sogenannte Bürgerkrieg in Zaire, heute Demokratische Republik Kongo, wurde hauptsächlich von den USA betrieben, um den für sie nicht mehr nützlichen Diktator Mobutu zu beseitigen und sich durch dessen Rivalen den Zugang zu den reichen Bodenschätzen des Landes zu sichern. Ähnliches gilt für den blutigen Konflikt in der Republik Kongo, früher Französisch- Kongo.)

Für uns gilt es hier, die guten und notwendigerweise allgemeiner gehaltenen Aussagen des Wortes des Rates der Evangelischen Kirche in Deutschland und der Deutschen Bischofskonferenz „Für eine Zukunft in Solidarität und Gerechtigkeit“ in die Tat umzusetzen und so nicht zu einem Wunschtraum werden zu lassen. Z.B: „Das Wohlstandsgefälle zwischen den ärmsten und reichen Ländern hat weiter zugenommen. In einigen Entwicklungsländern verhindern oder bremsen korrupte Eliten, ethnische Konflikte und geringe Partizipationsmöglichkeiten der Bevölkerung die wirtschaftliche und politische Entwicklung. Neben diesen internen stehen die externen Faktoren, die die politisch und wirtschaftlich Verantwortlichen in den Industrieländern beeinflussen können. Dazu gehören der Agrarprotektionismus der Industrieländer, eine nur schleppend vorankommende Entschuldung und Entscheidungen und Absprachen internationaler Organisationen, z.B. IWF, Weltbank, UNO-Sicherheitsrat (Nr. 89, vgl. auch ebd. Nr. 84-90). Sollen die Aussagen desselben Schreibens zu der internationalen Verantwortung (161-165) und der Appell, Verantwortung in der einen Welt wahrzunehmen (237-243), im Sinne der Hildesheimer Erklärung („Wir treten dafür ein, daß Freiheit, Gerechtigkeit und Solidarität Fundament auch der zukünftigen Ordnung sind: ... in der einen Welt, in der eine globale Friedensordnung geschaffen werden muß, die allen Menschen Chancen für ein menschenwürdiges Leben eröffnet und Gottes Schöpfung für die kommenden Generationen bewahrt“) verwirklicht werden, müssen wir überlegen, was hier die nächsten Schritte unseres Handelns sein müssen.

3. Ein erster Schritt: Eine neue Bewußtseinsbildung

Wir müssen den Wert der jeweiligen Kultur anerkennen und damit - kognitiv und emotional - die Maßgeblichkeit der eigenen Kultur relativieren. Dies bedeutet einmal, daß wir Kultur nicht mit wissenschaftlichem, wirtschaftlichem und technologischen Vorrang gleichsetzen.

Was die Kirche und ihren Auftrag der Evangelisierung der Völker angeht, hat das II. Vatikanum die bis dahin geltende *praestantia Latini*, den Vorrang der lateinischen Kultur als einzig gültigen, oder zumindest als bestmöglichen Ausdruck und Verwirklichung des Evangeliums, eindeutig zurückgewiesen. Vgl. „Kirche in der Welt von heute“: „Zugleich ist die Kirche wohl zu allen Völkern, welcher Zeit und welchen Landes auch immer, gesandt, jedoch an keine Rasse oder Nation, an keine besondere Art der Sitte, an keinen alten oder neuen Brauch ausschließlich und unlösbar gebunden. Sie läßt zwar den Zusammenhang mit ihrer eigenen geschichtlichen Herkunft nicht abreißen, ist sich aber zugleich der Universalität ihrer Sendung bewußt und vermag so mit den verschiedenen Kulturformen eine Einheit einzugehen, zur Bereicherung sowohl der Kirche wie der verschiedenen Kulturen“ (Nr. 58).

Dies hat Konsequenzen sowohl für eine innerkirchliche, wie für eine gesellschaftliche Bewußtseinsbildung. Vieles geschieht hier durch Partnerschaften, etwa im Rahmen der kirchlichen Hilfswerke. Dabei, und noch mehr bei dem internationalen Tourismus gilt es zu sehen, daß nicht durch unsachgemäße Unterrichtung europäische Vorurteile bestehen bleiben oder gar bestärkt werden.

Dieses eine Anliegen ist, wie Norbert Brieskorn es formuliert (in: Menschenrechte. Eine historisch-philosophische Grundlegung, Stuttgart 1997), plural zu normieren: „Der eine Inhalt muß nicht in einer weltweit gleichen Formulierung wiedergegeben sein....Universal wird ein Programm erst und nur dann gelebt, wenn sämtliche sich von einander unterscheidenden Kulturen auf ihre, je eigene Weise den Gehalt des Programmes bejaht und umgesetzt haben, wobei sich dieses Programm im Laufe des Prozesses selbst ändern wird, und dies noch einmal in einer je den einzelnen Kulturen eigenen Geschwindigkeit und Richtung. Nicht universal wird demnach ein Grundsatz bejaht, wenn alle ihn nur in einer, sich zwar sprachlich universal gebenden, inhaltlich jedoch partikularen Form übernehmen und ihn nicht je nach ihrer Art auf die eine Sinnrichtung hin abändern“ (ebd. S. 22-23; vgl. auch S. 163-171). Was hier im Blick auf die Menschenrechte gesagt wird, gilt auch für alle anderen Bereichen der Kultur. (Brieskorn scheint mir treffend der Prozeß der Inkulturation zu beschreiben, ohne daß er das Wort verwendet .)

4. Ein weiterer Schritt zu einer solidarischen Welt in der Vielfalt der Kulturen: Den interkulturellen Austausch leben (nicht nur fördern!)

Die verschiedenen schwarzafrikanischen Stämme und Völker haben einen unterschiedlichen anthropologischen Ansatz zu dem der (vor allem west-) europäischen Völker. In europäischem Denken und Leben steht, zumindest seit dem 15. Jahrhundert, das Individuum mit seinen unveräußerlichen Rechten und Pflichten an erster Stelle im Prozeß der Personwerdung (z.B. Martin Luther:Wie finde **ich** einen gnädigen Gott, Descartes: Cogito ergo sum). Für die Afrikaner (wie auch für viele asiatische, lateinamerikanische und ozeanische Völker gilt: Ich komme zu mir selbst, ich finde mein Ich durch die Beziehungen, in denen ich stehe. Dieser unterschiedliche Ansatz hat jeweils seine eigenen Vorteile wie Gefahren. Er ist von großer Bedeutung z.B. innerkirchlich und theologisch für das Kirchen- und Gemeindeverständnis, gesellschaftlich für das Verständnis von Volk und Staat, für die Auffassung der Menschenrechte.

5. Ein erneuertes Miteinander von Kirche und Welt bzw. Gesellschaft

Die Konstitution des II. Vatikanum „Kirche in der Welt" von heute hat zwar die Eigenständigkeit der weltlichen Sachbereiche unterstrichen, doch warten sowohl in der theologischen Reflexion wie im Handeln der Kirche noch manche Konsequenzen dieser Feststellung auf ihre Anerkennung und erst recht auf ihre Verwirklichung. Sehr gut hat Kardinal Malula, der Erzbischof von Kinshasa (Demokratische Republik Kongo) dies formuliert: „Die ... theologische Reflexion führt uns dazu, die Dinge in der Perspektive: Gott - Welt - Kirche, und nicht mehr in der gewohnten Perspektive: Gott - Kirche - Welt zu betrachten. Es ist die Welt in ihrer Gesamtheit, die zu retten Gottes Sorge ist. Gott handelt in dieser ganzen Welt unter allen Menschen ohne Ausnahme, und nicht allein in der einen Kirche .... Da die Kirche nicht mehr als das Schiff gesehen wird, außerhalb dessen man zum Untergang verurteilt wäre, wird man nicht mehr alles daransetzen, möglichst viele um jeden Preis in dieses Schiff zu holen. Wenn die Kirche eher als eine Kirche von Zeugen erscheint, als eine Art ‚Leuchtturm', wirksames Zeichen des Heiles, das Gott unaufhörlich wirkt in dieser Welt, und zwar weit über die sichtbaren Grenzen dieser Kirche hinaus, dann wird man vor allem darauf bedacht sein, bei ihren Mitgliedern dieses Sendungsbewußtsein zu entwickeln und die Entschlossenheit, immer aktiver an dieser Sendung teilzunehmen" (Ludwig Bertsch SJ, Laien als Gemeindeleiter. Ein afrikanisches Modell. Theologie der dritten Welt 14, Freiburg 1993, 2.Aufl., S. 54-55).

Es liegt auf der Hand, daß diese Konzeption weitreichende Konsequenzen hat, sowohl für die ökumenische Zusammenarbeit wie für die Zusammenarbeit mit allen Gruppen und Menschen guten Willens, vor allem auch für den interreligiösen Dialog.

Der Ausgangspunkt, solches zu verwirklichen, sind nicht Stabs- und Planungsstellen - so wichtig diese sind - , sondern „communautées ecclesiales vivantes de base", wie sie Kardinal Malula in der „Option fondamental" von 1970 als Grundstruktur kirchlichen Handelns vor Ort eingeführt hat: „Die grundlegende Einheit ist nicht mehr die Pfarrei, sondern die Wohnviertelgemeinschaft" (ebd. S. 41). Damit ist die traditionelle Großpfarrei nicht aufgehoben oder gar beseitigt. Sie ist nur - im Sinne des Subsidiaritätsprinzips - zweite Ebene kirchlichen Handelns, sowohl innerkirchliche wie gesellschaftlich, die die erste Ebene notwendig voraussetzt (vgl. Medard Kehl SJ, Kirche auf der Suche nach kommunikativen Sozialmilieus, in: ders., Die Kirche, Würzburg 1992, S. 199 ff).

6. Schlußüberlegung

Die solidarische Welt in der Vielfalt der Kulturen Nationen und Religionen bleibt solange ein Wunschtraum der Christen, wie diese darauf warten, daß andere ihn verwirklichen. Dieser Traum wird Wirklichkeit, wenn die Christen, im Vertrauen auf die pfingstliche Verheißung Gott zutrauen, daß er Wege finden wird, seine solidarische Welt zu verwirklichen, mit uns Christen, manchmal auch trotz uns. „Gott hat viele seiner Verheißungen an das Vertrauen gebunden, daß wir ihm entgegenbringen. ... Wir müssen uns auf jeden Fall in die Verfassung bringen, daß die Dinge nicht daran scheitern, weil wir sie Gott nicht zugetraut haben“ (Alfred Delp SJ).

Hans Christoph Buch

Statement

Die Medien, die Menschenrechte und der Krieg

I.

Derselbe Geist oder vielmehr Ungeist, der ein Wort wie „Rentnerschwemme“ geprägt hat, kommt zum Ausdruck in der gängigen Rede vom Flüchtlingsstrom oder der angeblichen Asylantenflut: So als handle es sich um eine Überschwemmung, die um Folgeschäden zu verhindern, gewaltsam eingedämmt und kanalisiert werden muß und nicht um eine von Menschen gemachte Katastrophe, deren Ursachen hinlänglich bekannt und öffentlich benannt worden sind.

Das Problem datiert nicht erst von heute. Völkerwanderungen gab es nicht nur in der Zeitspanne zwischen Antike und Mittel-alter, die noch heute diesen Namen trägt, sondern lange vor dem Auszug des Volkes Israel aus Ägypten und dessen babylonischer Gefangenschaft: „Unstet und flüchtig sollst du sein auf Erden.“ Mit diesem nicht revidierbaren Urteil hat der zornige Gott des Alten Testaments den Brudermörder Kain zu ewiger Wanderschaft verdammt. „Wenn du den Acker bauen wirst,“ heißt es weiter, „soll er dir hinfort sein Vermögen nicht geben.“ Damit ist nicht bloß eine ‚conditio humana‘ bezeichnet, die für alle Orte und alle Zeiten gilt, sondern der Übergang vom Nomaden zum Ackerbauer, der am Ursprung der Menschheitsentwicklung stand, sozusagen die zweite Erbsünde nach der Vertreibung Adams und Evas aus dem Paradies: Kain war Ackerbauer, als er den Nomaden Abel erschlug, dessen Tieropfer Gott wohlgefälliger war als die Früchte des Feldes, die Kain ihm darbrachte. Eine biblische Geschichte, die sich Wort für Wort auf den Brudermord der Hutu-Ackerbauer an den Tutsi-

Nomaden übertragen läßt, den letzten Genozid unseres zu Ende gehenden Jahrtausends, der noch dazu im ostafrikanischen Grabenbruch, an der Wiege der Menschheit, stattfand.

Wie bei Kain und Abel steht am Anfang der Geschichte unschuldig vergossenes Blut; noch heute löst jeder Völkermord, jeder Bürgerkrieg und jedes Massaker eine Flüchtlingsbewegung aus, und am Ende des 20. Jahrhunderts gibt es so viele Kategorien von „unstet Flüchtigen", daß unser Vokabular nicht mehr ausreicht, Ursachen und Wirkungen zu benennen, und die Sprache vor der grimmigen Realität kapituliert: Flüchtlinge und interne Vertriebene, Asylbewerber und „Scheinasylanten", Arbeitsimmigranten und Wirtschaftsemigranten, Spätaussiedler und Zwangsumgesiedelte, Displaced Persons und Boat-People, Opfer ethnischer Säuberungen, Vergewaltigte und Gefolterte. Anders als noch zu Lebzeiten Goethes ist es heute nicht mehr möglich, den Kopf in den Sand zu stecken, „wenn hinten, weit, in der Türkei, die Völker aufeinanderschlagen", denn die global vernetzten Medien übermitteln die Nachrichten vom Kurdenkrieg via Kabel und Satellit live in unsere Wohnzimmer, und schon wenige Tage später überschreiten die Opfer des Konflikts die Grenzen und bevölkern unsere Fußgängerzonen mit der Bitte um Almosen und/oder politisches Asyl - kein Wunder im Zeitalter des weltumspannenden Flugverkehrs, der die Distanz zu den entlegensten Regionen in wenigen Stunden überbrückt.

Unter dem Druck wirtschaftlicher und sozialer Krisen fühlen sich viele Bürger der Industriestaaten durch diese Gleichzeitigkeit überfordert. Nicht nur die Aufnahmebereitschaft für fremdes Elend geht zurück - buchstäblich wie im übertragenen Sinn. Der Traum vom multikulturellen Zusammenleben, die fröhliche Utopie der achtziger Jahre, bleibt dabei auf der Strecke und hat einer Wagenburg-Mentalität Platz gemacht, in der sich jede ethnische Gruppe, ängstlich oder aggressiv, hinter ihrer vermeintlichen Identität verschanzt. Und im Zeichen leerer Staatskassen ist der Ruf: „Das Boot ist voll!" zum Wahlspruch der neunziger Jahre avanciert.

II.

Wir leben in einer Welt, aber unser Bewußtsein ist steckengeblieben in den sechziger Jahren, als die maoistische Kulturrevolution eine chinesische Mauer hochzog zwischen Erster und Dritter Welt - der bis heute gängige Begriff wurde erstmals in dieser Zeit geprägt; mittlerweile ist sogar von einer Vierten oder Fünften Welt die Rede, während die Zweite, ehemals sozialistische Welt aus der Wahrnehmung ausgeblendet wird. Die Aufteilung in Länder erster, zweiter und dritter Kategorie schiebt das, was uns räumlich näher gerückt ist, wieder in weite Ferne ab. Dahinter steckt ein legitimes Bedürfnis nach Distanz, da niemand alles Elend dieser Welt zugleich aufnehmen und verarbeiten kann. Aber die Bewußtseinsschranke wird bei vielen zur Hemmschwelle, und das bloß passive Nichtwissen schlägt um in aktives Nichtwissenwollen, eine aggressive Abwehr gegen alles, was das eigene Wohlbefinden beeinträchtigen könnte nach dem pharisäischen Motto des Spießbürgers in Goethes Faust:

„Nichts Bessers weiß ich mir an Sonn- und Feiertagen
Als ein Gespräch von Krieg- und Kriegsgeschrei,
Wenn hinten, weit, in der Türkei,
die Völker aufeinanderschlagen.
Man steht am Fenster, trinkt sein Gläschen aus
Und sieht den Fluß hinab die bunten Schiffe gleiten;
Dann kehrt man abends froh nach Haus
Und segnet Fried und Friedenszeiten."

Nur eine Minderheit ist bereit, ihr Leben und ihre Gesundheit zu riskieren, um sich durch persönlichen Augenschein darüber zu informieren, wie der Alltag der Menschen in den Krisen- und Kriegsgebieten aussieht. Dabei denke ich nicht an Touristen, Geschäftsreisende oder Diplomaten, die politische oder militärische Konflikte nur als Störung ihrer Routine wahrnehmen, sondern an all diejenigen, die sich von Berufs wegen in Gefahr begeben müssen - ob sie dies nun wollen oder nicht: humanitäre Helfer, Fotografen und Journalisten. Allen drei Gruppen ist gemeinsam, daß sie, um sich und uns ein Bild zu machen von der Lage vor Ort, ihr komfortables Hotelzimmer oder klimatisiertes Büro verlassen, um dem Geschehen hautnah auf den Leib zu rükken. Hier setzt die beliebte Medienschelte ein, die den Boten verantwortlich macht für die Botschaft, indem sie ihm Sensations- und Profitgier oder die Befriedigung niederer Instinkte unterstellt: ein populistischer Refrain, in den ich nicht einstimmen mag, besonders dann nicht, wenn er sich mit dem Gestus professioneller Gutmenschen verbindet, die das Elend der Dritten Welt als abrufbares Zitat im Munde führen, um damit auf die moralische Verkommenheit des Westens einzuschlagen. Je weiter diese selbsternannten Experten vom Ort des Geschehens entfernt sind, desto besser wissen sie über alles Bescheid: erst die Distanz schafft ja den nötigen Überblick. Anstatt an die Front des zairischen Bürgerkrieges gehen sie lieber ein Stockwerk tiefer ins Archiv; der konkrete Augenschein wird durch das Nachschlagen in der Bibliothek ersetzt. Wer seine Studierstube verläßt und sich persönlich vor Ort begibt, macht die ebenso irritierende wie beglückende Erfahrung, daß sich sein angelesenes Wissen als Halbwahrheit entpuppt: seine von zu Hause mitgebrachten Gewißheiten zerschmelzen wie Schnee unter der Tropensonne und werden als ideologische Klischees entlarvt. An diesem Punkt setzt die Arbeit des Berichterstatters ein, vergleichbar dem kreativen Akt eines Künstlers oder Dichters, der die Lese- und Sehgewohnheiten des Publikums nicht bestätigt, sondern in Frage stellt.

Eine Reportage, die diesem Anspruch genügt, will nicht schockieren, sondern aufklären: an Stelle verstümmelter Leichen stellt sie lebendige Menschen dar, denen der Text ihre Individualität, ihre Würde und ihre Schönheit zurückgibt. Der einzelne ist hier mehr als ein Tropfen in einem Ozean von Leid, und der Krieg erscheint nicht als anonymes Verhängnis, das wie eine Naturkatastrophe über ein Volk hereinbricht - er hat Namen und Adresse. Aber auch der sozialkritisch erhobene Zeigefinger des akademischen Besserwissers fehlt: die Dritte Welt erscheint nicht als Ansammlung von ausweglosem Elend, sondern als kreatives Chaos, in dem sich Menschen mit Phantasie und Improvisationstalent behaupten. Die Slumbewohner von Monrovia oder Port-au-Prince, die Hutu-Flüchtlinge in Zaire und die Obdachlosen in den Ruinen von Grosny werden nicht als Hilfsempfänger und passive Objekte vorgeführt, sondern als Subjekte, die unter für uns unvorstellbaren Bedingungen ein Leben meistern, das mehr als bloßes Überleben beinhaltet. Viele von ihnen lachen und sehen fröhlicher aus als die Bewohner der sogenannten Geberländer. Diese Feststellung ist keineswegs frivol, denn zusammen mit der Erfahrung kollektiven Leids ist den Bürgern der Industriestaaten auch die Fähigkeit, sich zu freuen abhanden gekommen, während sich spontane Lebensfreude am ehesten dort artikuliert, wo sie durch eine Bedrohung von außen gefährdet ist. Hinzu kommt, daß die militärischen und politischen Konflikte der neunziger Jahre keine konventionellen Kriege waren und sind (was im Vergleich zum alles vernichtenden Atomschlag allzu verharmlosend klingt), sondern „low intensity wars", die Märkte verwüsten an Stelle von Fabriken und Hütten, an Stelle von Palästen. Massive Zerstörungen wie Mostar oder Monrovia und Flächenbombardements wie in Kabul oder Grosny bilden die Ausnahme; es gab und gibt zahlreiche Nischen, in denen die Zivilgesellschaft überlebt hat, auf deren Rücken der Krieg ausgetragen wird: Frauengruppen wie die russischen Soldatenmütter, islamische Mullahs und christliche Geistliche, Menschenrechtsaktivisten und Intellektuelle wie Tadeusz Mazowiecki und Sergej Kowaljow riefen zur Einstellung der Kämpfe, zu Frieden und Versöhnung auf. Auch wenn ihre Appelle das Morden nicht beendeten: die Anwesenheit interna- tionaler Beobachter und die permanente Präsenz humanitärer Organisationen unterscheiden die Bürger- und Stammeskriege der neunziger Jahre von denen früherer Epochen. Menschenrechtsverletzungen wurden dadurch zwar nicht verhindert, aber die Täter sind namentlich erfaßt und wissen, daß sie für ihre Un- taten zur Rechenschaft gezogen werden können: das UN-Menschen- rechtstribunal für Ruanda und Ex-Jugoslawien hat seine Arbeit aufgenommen, auch wenn diese bisher noch nicht zu befriedigenden Ergebnissen geführt hat. Aber ein Anfang ist gemacht. Und der Einsatz humanitärer Helfer aus aller Herren Länder hat nicht nur die Kriegsfolgen gelindert und Minenopfer versorgt, sondern Vertriebene vor dem Verhungern bewahrt, Flüchtlinge repatriiert und durch Gewalt traumatisierte Menschen in ihre sozialen Gemeinschaften reintegriert.

III.

Auf meinem Schreibtisch liegt eine 7,6 Millimeter-Patrone, die ich letzten Herbst in Grosny vom Boden aufgelesen habe. In der kupferfarbenen Hülse steckt eine konisch zugespitzte Bleikugel, die Menschen töten kann. Die Patrone ist noch scharf: Kalaschnikow-Munition, wie sie auf allen Kriegsschauplätzen der Dritten Welt herumliegt. Was für ein Wort: Kriegs-Schau-Platz. Und Michail Timofejewitsch Kalaschnikow, dessen AK 47 vermutlich mehr Menschen getötet hat als die Atombombe, feiert in einem Sanatorium bei Moskau seinen 77. Geburtstag und stirbt demnächst friedlich im Bett.

Verheerender noch als Maschinenpistolen sind Granaten und Bazookas, aus Hubschraubern abgefeuerte Raketen und Vakuumbomben, wie sie die russische Armee in den Dörfern Tschetscheniens erprobt hat: sie lassen Gebäude weitgehend intakt und töten „nur" deren Bewohner. Die Arsenale scheinen unerschöpflich zu sein; und die unter friedensbewegten Deutschen beliebte Vorstellung, durch ein Verbot des Waffenhandels den Kriegsherren das Wasser abzugraben, ist leider genauso ein frommer Wunsch wie die weltweite Ächtung des Krieges durch freiwilligen Gewaltverzicht. Waffen waren und sind, wo man sie brauchte, stets in ausreichender Menge vorhanden; und wo es sie nicht gab, wurden sie illegal eingeführt oder nachgebaut wie in den Waffenschmieden von Peshawar. Das dahinter stehende Aggressionspotential läßt sich vielleicht kanalisieren, aber nie ganz ausrotten, so daß, wer will, von einem Destruktions- oder Todestrieb sprechen kann, der die Menschheitsgeschichte von Anbeginn begleitet - der Mythos von Kain und Abel ist dafür nur ein Beleg.

Und doch war der Aufenthalt in Krisen- oder Kriegsregionen für mich nicht so deprimierend, wie er aus der Rückschau erscheint. Was die meisten Kriegsberichte verschweigen, ist der Erfindungsreichtum, mit dem Menschen den Tod unterlaufen, um ihm ein Stück Leben abzutrotzen: in dieser subversiven Phantasie drückt sich ihre Menschenwürde aus. Außer in Algerien fühlte ich mich in keinem Krisengebiet physisch bedroht; und selbst dort war das Risiko ähnlich unkalkulierbar wie die Ge- fahr eines Flugzeugabsturzes oder Autounfalls, mit der zu leben wir gelernt haben. Der Mensch ist nicht von Natur aus böse: die Street-Fighter in den Straßen von Monrovia unterbrachen ihre Schußwechsel, um Fotografen und Journalisten die Front überqueren zu lassen; durch Zurufe signalisierten sie ihren Gegnern, vorübergehend das Feuer einzustellen; beide Seiten hielten sich daran. Und abgesehen von mißtrauischen Militärs, die überall Spione wittern, hatte ich nirgendwo das Gefühl, ein unerwünschter Beobachter oder lästiger Augenzeuge zu sein, im Gegenteil: die Betroffenen beantworteten geduldig meine Fragen, selbst wenn diese ihnen naiv oder dumm erschienen. Denn für die Opfer eines bewaffneten Konflikts ist die Weitergabe des Wissens über das, was ihnen widerfahren ist, so lebenswichtig wie materielle Hilfe: nichts wirkt lähmender als das Gefühl, einem Geschehen ausgeliefert zu sein, von dem nichts an die Außenwelt dringt.

Hinzu kommt die Erfahrung einer spontanen Solidarität, die es zu Hause so nicht gibt: hinter der gemeinsamen Bedrohung tritt der Konkurrenzkampf unter Kameraleuten und Fotografen, Reportern und Journalisten zeitweilig zurück und wird durch gegenseitige Hilfe und spontane Kooperation ersetzt.

Ist diese Sicht der Dinge nicht blauäugig, und spart sie nicht allzu viel Fragwürdiges aus? Hat die Berichterstattung über den Golfkrieg, den Bundeswehreinsatz in Somalia, den Genozid in Ruanda und die Massaker in Bosnien nicht deutlich gemacht, wie zynisch die Presse, allen voran das Fernsehen, die öffentliche Meinung manipuliert? Gewiß, aber andererseits hat gerade die Omnipräsenz der Medien solche Manipulationen aufgedeckt und die Wahrheit an den Tag gebracht: im Vietnam- ebenso wie im Golfkrieg, in Bosnien, Tschetscheninnen und Somalia haben mutige Reporter Falschmeldungen widerlegt und die Regierungspropaganda Lügen gestraft. Wird das Bewußtsein des Zeitungslesers und Fernsehzuschauers nicht trotzdem manipuliert? Gewiß, aber nicht durch grobe Fälschungen, die im Zeitalter von Internet, Satellitentelefon und Fax kaum noch möglich sind - Giftgasfabriken, Gefangenenlager und Massengräber werden heute von Infrarotkameras per Satellit registriert -, sondern mit subtileren Methoden. Die Frage, ob ein regionaler Konflikt in seiner ganzen Komplexität dargestellt oder auf zwei Zeilen bzw. zwanzig Sekunden verknappt werden soll - diese an die Substanz der Berichterstattung rührende Entscheidung bleibt allzu oft dem Zufall oder der fragwürdigen Kompetenz des zuständigen Redakteurs anheimgestellt.

Trotzdem bleibe ich dabei, daß der Satz: „Der Bote ist schuld an der Botschaft", genauso töricht ist wie der Slogan „Das Boot ist voll." Das Ergründen der historischen Wahrheit setzt die Kenntnis der politischen Wirklichkeit voraus, und zu dieser liefern die Medien - allen voran das Fernsehen - das nötige Anschauungsmaterial, sofern der Zuschauer sich sein kritisches Urteilsvermögen bewahrt und nicht zum passiven Konsumenten mutiert. Wer die tägliche Bilderflut sorgfältig analysiert, findet heraus, daß die von Videokameras überwachte Grenze zwischen Mexiko und den Vereinigten Staaten keine Berliner Mauer ist, und daß das Massensterben der Hutu-Flüchtlinge in Zaire kein Genozid war, wie er im benachbarten Ruanda stattgefunden hat: für die Ermordeten und Vergewaltigten ist dies zwar ein schwacher Trost, aber mit dem Begriff Völkermord sollten gerade wir Deutschen sehr vorsichtig umgehen. Analogieschlüsse und fragwürdige Vergleiche helfen uns nicht weiter: jedes historische Unrecht und jedes politische Verbrechen muß für sich allein beurteilt und notfalls verurteilt werden. Wer sich dieser Mühe unterzieht, wird feststellen, daß das Eintreten für die Menschenrechte keine kapitalistische Verschwörung zur Unterwanderung des Kommunismus oder zur Bekämpfung des islamischen Fundamentalismus ist. Zwar wurden die Menschenrechte in der Präambel zur nordamerikanischen Verfassung und in der Proklamation des droits de l'homme et du citoyen (und später in der Charta der Vereinten Nationen) erstmals kodifiziert, aber ihr Ursprung ist älter und ihre Wurzeln reichen in ein allen Kulturen und Religionen gemeinsames Erbe zurück. In den Geboten des Talmuds, der Bibel und des Korans ist die Idee der Menschenrechte implizit ebenso enthalten wie in den Sprüchen des Konfuzius, in der Verteidigungsrede des Sokrates und in der Weisheit Salomos, in der Bergpredigt und im justinianischen Recht, in der „habeas-corpus"-Akte, in Luthers Wittenberger Thesen, in Descartes' „Cogito, ergo sum" und in Kants kategorischem Imperativ. Ihre bis heute unverminderte Aktualität beweist, daß die Menschenrechte nirgendwo ganz und, wenn überhaupt, dann nur ansatzweise verwirklicht worden sind, als Ideal oder Utopie, die sich, wie eine Asymptote, in der Unendlichkeit ihrem Ziel annähert.

IV.

Machen wir eine Probe aufs Exempel. Vor mir liegt eine Fotografie, die mir der Redakteur einer Schweizer Tageszeitung mit folgendem Begleitschreiben zugeschickt hat: „Im Auftrag meines Redaktionskollegen, der Ihnen heute morgen aufs Band gesprochen hat, gelange ich mit einer dringenden Anfrage an Sie. Sie gelten unter den deutschsprachigen Schriftstellern als der beste Kenner Haitis. Ein Schweizer Fernsehschaffender hat uns Bilder des international renommierten Fotografen Michel Comte vermittelt, die Kinder in Haiti zeigen, die wegen Unterernährung gestorben sind. Wir möchten in unserem Magazin, das als Wochenendbeilage in einer Auflage von 450.000 Stück er-scheint, eines dieser Bilder publizieren. Dazu suchen wir einen Essay eines Schriftstellers, der die Armut in Haiti zum Thema hat und einem breiten Leserpublikum erklären kann, weshalb in diesem Land auch heute noch viele Kinder an Hunger sterben."

Soweit die Anfrage aus Zürich. Name und Alter des auf dem Foto abgebildeten Kindes hat mir der zuständige Redakteur nicht mitgeteilt. Statt dessen weist er in seinem Begleittext darauf hin, „daß mitten im touristischen Januar-Rummel in der Karibik täglich Kinder an Hunger sterben - und das an einem Ort, der bloß eine Flugstunde von Miami bzw. drei Flugstunden von New York entfernt liegt", und bezeichnet diese Tatsache als skandalös.

Die geographisch Lage Haitis läßt sich leicht überprüfen; es stimmt, daß die Karibikinsel nur wenige Flugstunden von der Ostküste der USA entfernt liegt. Einen „touristischen Januar-Rummel aber gibt es dort nicht. Seit Jahren traut sich kein Tourist mehr nach Haiti - aus Angst vor politischen Unruhen oder vor AIDS. Die wenigen Ausländer, die man dort antrifft, sind Journalisten und Diplomaten, Entwicklungshelfer und Missionare, UN-Blauhelmsoldaten und Mitarbeiter humanitärer Organisationen. Ab und zu verirrt sich ein Funktionär der Weltbank oder ein privater Geschäftsmann nach Port-au-Prince, nicht etwa um dort zu investieren, sondern um Schulden einzutreiben - die haitianische Regierung ist berüchtigt für ihre schlechte Zahlungsmoral.

Obwohl die Kindersterblichkeit in Haiti noch immer erschreckend hoch ist - laut UNO-Statistik lag sie 1995 bei 12,4 Prozent - weiß ich nicht, ob das auf dem Foto abgebildete Kind wirklich an Unterernährung, Krankheit oder an einer durch Mangelernährung ausgelösten Infektion gestorben ist: darüber könnte nur seine Obduktion Aufschluß geben. Die Todesursache eines Menschen, der auf dem Tisch des Leichenschauhauses oder ermordet am Straßenrand liegt, läßt sich nicht so einfach feststellen, wie es die Berichterstattung in der Presse suggeriert, die Opfer und Täter ohne Umschweife beim Namen nennt: Hutu-Flüchtling, getötet von Tutsi-Soldaten; bosnischer Zivilist, von serbischen Tschetniks erschossen; israelisches Opfer eines von Palästinensern verübten Terroranschlags; algerische Dorfbewohner, von moslemischen Fundamentalisten massakriert, usw. usf. In Wirklichkeit stand ich als Reporter meist ratlos vor den Toten, die mir keine Auskunft mehr geben konnten und die, selbst wenn sie es hätte tun können, nicht zu sagen gewußt hätten, wie und woran sie gestorben waren; auch die Überlebenden wissen meist nicht wer auf sie geschossen hat und warum; und wenn sie dies wissen, haben sie Angst, die Wahrheit zu sagen und halten sich, um nicht erneut ihr Leben zu riskieren, an das mafiose Schweigegebot. Weder die Todesursache, noch die Schuldigen lassen sich ohne weiteres benennen, wenn ein Mensch ermordet vor einem liegt - andernfalls gäbe es keine forensische Medizin, und die Ermittlungen der Kriminalpolizei wären überflüssig.

Ich versuche mich probeweise als Detektiv, der die Aufgabe hat, die Umstände aufzuklären, die zum Tod eines haitianischen Kindes geführt haben, sofern dies, gestützt auf ein Foto als alleiniges Indiz, post festum überhaupt möglich ist.

Wer oder was tötete Aristide Duval? So nenne ich den kleinen Jungen, der zum Zeitpunkt seines frühen Todes neun oder zehn Jahre alt gewesen sein könnte, obwohl in ihrer Entwicklung retardierte Kinder, als Folge der Mangelernährung, meist jünger aussehen als sie sind. Vielleicht haben seine Eltern ihn auf den Ende der 80er Jahre in Haiti beliebten Namen Aristide getauft, weil der Hoffnungsträger der Armen, der Salesianerpater und Befreiungstheologe Jean-Bertrand Aristide, so hieß. Nach Herbst 1991, als ein Militärputsch den zum Präsidenten gewählten Priester aus seinem Amt vertrieb, hätte der Vorname des Kleinen den Eltern wahrscheinlich Schwierigkeiten gemacht - viele Unschuldige in Haiti wurden Opfer politischer Gewalt, weil ihr Name den Herrschenden mißfiel: 1963 erschossen Papa Docs „Tonton Macoutes" den Rechtsanwalt Francois Bénoit, nur weil sein Nachname mit dem Vornamen eines prominenten Regimegegners identisch war; und nach dem Sturz von Baby Doc entlud sich der Volkszorn gegen Menschen, die mit Nachnamen Duvalier oder mit Vornamen Jean-Claude hießen.

Wer oder was tötete Aristide Duval? Als ersten Verdächtigen nehme ich die Regierung der Vereinigten Staaten ins Visier, nicht bloß darum, weil Washington nur wenige Flugstunden von Port-au-Prince entfernt liegt. Die US-Administration hat eine besondere Verantwortung für Haiti, das oft als ihr Hinterhof bezeichnet wird, und die Frage ist, ob und wie sie dieser historischen Verantwortung gerecht geworden ist. Nach Ausbruch des Ersten Weltkriegs wurde Haiti von amerikanischen Marinetruppen besetzt, die im Juli 1915 hier landeten, um Chaos und Anarchie zu beenden, und erst 19 Jahre später wieder abzogen. Zwar baute die Besatzungsmacht in dieser Zeit Straßen, Schulen und Hospitäler, rottete Gelbfieber und Malaria aus und reformierte das korrupte Finanzsystem; aber die Periode der Fremdherrschaft ist bis heute in unguter Erinnerung, weil die US-Marines Arbeiterstreiks und Aufstände von Bauern, die sich gegen die Zwangseinziehung zum Straßenbau zur Wehr setzten, blutig niederschlugen, und sich dabei ziemlich rassistisch gebärdeten. Als Antwort auf diese Diskriminierung besannen sich Haitis Intellektuelle auf die vorher verleugneten, afrikanischen Wurzeln ihrer ethnischen Identität.

Nach dem von Roosevelt verfügten Abzug der US-Marines geriet Haiti in neokoloniale Abhängigkeit von den USA, die den Inselstaat nach dem Motto: „Even if he's a son of a bitch, he's our son of a bitch", zum antikommunistischen Bollwerk gegen Castros Kuba ausbauten und ihnen nicht genehme Regierungen mit dem dicken Knüppel (big stick) zur Raison brachten - mit einer, politisch bedeutsamen Ausnahme. Im Herbst 1994 kehrte Haitis erster demokratisch gewählter Präsident, der linke Befreiungstheologe Aristide, mit Militärhilfe aus Washington nach Port-au-Prince zurück, von wo ihn Putschgeneral Raoul Cédras verjagt hatte. Die amerikanische Hilfe war nicht so selbstlos, wie es schien, weil nur so der Massenexodus haitianischer Boat-People nach Florida zu stoppen war, und weil Bill Clinton, der sich mit Aristide gut verstand, Flagge zeigen wollte gegen die republikanische Mehrheit im Kongreß. Aber wie imperialistisch die USA sich in anderen Teilen der Welt auch immer auf geführt haben mögen: Haitis Rückkehr zur Demokratie war ohne ihre Hilfe nicht möglich, denn die Zivilbevölkerung war die Geisel terroristischer Militärs, die im Auftrag der um ihre Privilegien bangenden Oberschicht handelten und niemals freiwillig die Macht abgetreten hätten. Im übrigen trägt die Beziehung des kleinen Haiti zum großen Bruder in Washington Züge eines psychologischen Double-bind: greifen die USA in die haitianische Innenpolitik ein, werden sie der unerwünschten Einmischung beschuldigt; tun sie nichts, macht man sie für den skandalösen Zustand verantwortlich, daß, eine Flugstunde von Miami entfernt, Kinder an Unterernährung sterben...

Als zweiter Verdächtiger kommt Frankreich in Betracht, das über ein Jahrhundert lang, von 1697 bis 1804, Haiti beherrscht und rücksichtslos ausgebeutet hat. Der wirtschaftliche Wert der Kolonie, die im 18. Jahrhundert Saint Domingue hieß, ermißt sich unter anderem daran, daß Ludwig XV. nach dem Siebenjährigen Krieg Kanada an England abtrat, um Haiti behalten zu können, das ganz Frankreich mit Zucker und Kaffee versorgte. Nicht nur der König und die Aristokratie, auch das revolutionäre Bürgertum verdankte seinen Reichtum der Zwangsarbeit aus Afrika verschleppter Sklaven, die im Zuge der Französischen Revolution ihre Freiheit und Unabhängigkeit erkämpften. Die Reparationszahlungen an Frankreich, mit denen Haiti die Anerkennung seiner Unabhängigkeit erkaufte, haben das schmale Budget des Inselstaats bis ans Ende des 19. Jahrhunderts belastet; neben der kreolische Umgangssprache wird hier bis heute französisch besprochen .Auch Spanien ist mitschuldig an der gegenwärtigen Misere Haitis, denn schon dreißig Jahre nach der „Entdeckung“ der Insel durch christliche Seefahrer hatten spanische Konquistadoren deren Ureinwohner mit Feuer und Schwert ausgerottet, und der Apostel der Indios, Bartolomé de Las Casas, schlug statt dessen die Einfuhr von Negersklaven vor: ein Genozid gebar den nächsten. Selbst Deutschland ist von historischer Mitverantwortung nicht ganz freizusprechen, denn vor dem Ersten Welt- krieg kontrollierten deutsche Kaufleute den Ein- und Ausfuhrhandel Haitis und trugen durch Finanzierung von Militärputschs zur Destabilisierung ihnen nicht genehmer Regierungen bei, was wiederum die USA zum Eingreifen bewog, um den deutschen Einfluß aus Haiti zurückzudrängen. Aber, soviel ist nach dem Vorangegangenen klar: weder die Regierung der Vereinigten Staaten, noch die Frankreichs, Spaniens oder Deutschlands trägt Schuld am Tod von Aristide Duval. Dann schon eher die Vereinigten Nationen, die, um Haitis Militärjunta unter Druck zu setzen, ein Wirtschaftsembargo über das Land verhängten, das mehr Opfer gefordert hat als der Terror der „Attachés“ genannten Todesschwadronen. Die gute Absicht zeitigte ein schlimmes Resultat, denn nach drei Jahren Wirtschaftsembargo waren Haitis Superreiche, die keine Steuern bezahlen und lieber die zuständigen Beamten bestechen, noch reicher als zuvor, während die Preise für Grundnahrungsmittel wie Milchpulver, Zucker und Reis Rekordhöhen erreichten, und der durchschnittliche Lebensstandard unter das Existenzminimum fiel. Der Abwärtstrend wurde durch die Austerity-Politik der Weltbank noch verstärkt, die Haiti ein eisernes Sparprogramm verordnete, um den defizitären Staatshaushalt zu sanieren, und damit das Gegenteil bewirkte: die Privatisierung staatlicher Betriebe wie Telekom, Régie du Tabac und Zementfabrik vernichtet die letzten noch verbliebenen Arbeitsplätze.

V.

Aber anstatt die Schuld am Tod des kleinen Aristide an internationale Organisationen zu delegieren, die anonym und ungreifbar sind, nehme ich an dieser Stelle die einheimische Oberschicht in den Blick, die sich selbst Elite nennt und ihre Unverantwortlichkeit bewiesen hat, indem sie Haitis noch ungefestigte Demokratie von mordenden Militärs destabilisieren ließ. An diesem Punkt ist eine Einschränkung zu machen: die gegenwärtige Regierung in Haiti ist aus international überwachten, freien Wahlen hervorgegangen und demokratisch legitimiert. Nach Beendigung seiner Amtszeit, von der Putschgeneral Cédras ihm drei Jahre gestohlen hatte, hat Aristide im Einklang mit der Verfassung nicht wieder kandidiert, obwohl er die Wahl mit Sicherheit gewonnen hätte. Sein Nachfolger Préval, ein Pragmatiker ohne das Charisma von Aristide, hat der weitverbreiteten Korruption den Kampf angesagt, was nichts daran ändert, daß für Haiti bestimmte Hilfsgelder im Filz der Bürokratie hängenbleiben oder in dunklen Kanälen versickern. Das kleine Haiti, eines der ärmsten Länder der Vierten Welt, gehört weltweit zu den größten Empfängern von Nahrungsmitteln und medizinischer Hilfe und ist ein Friedhof für gescheiterte Entwicklungsprojekte aller Art: „UNO, Caritas oder GTZ werden's schon richten", lautet der stets wiederkehrende Refrain, wenn irgendwo eine Brücke eingestürzt oder eine Straße durch Erdrutsche blockiert ist - eine Einstellung, die jede Initiative lähmt und die vielbeschworene Selbsthilfe systematisch untergräbt.

Nicht nur der kontraproduktive Effekt der Entwicklungshilfe, auch der Voyeurismus der Medien ist schuld am Tod von Aristide Duval, weil Reporter und Journalisten sich wie Aasgeier und Hyänen immer nur dann für Haiti interessieren, wenn dort Blut fließt, wenn ein gewalttätiger Umsturz oder ein Massaker stattgefunden hat. Das wichtigste Ereignis der Amtszeit von Aristide, die Auflösung der Armee, die nach dem Vorbild Costa Ricas durch eine Polizeitruppe ersetzt worden ist - das Hauptquartier der Streitkräfte wurde zum Frauenministerium umfunktioniert: dieser beispiellose Vorgang war der deutschen Presse keine Zweizeilenmeldung wert.

Als Mittäter kommen, last but not least, die Eltern des kleinen Aristide in Betracht, an erster Stelle sein Erzeuger, der ohne sich um die Folgen zu kümmern, ein Kind in die Welt gesetzt und seine schwangere Freundin oder Frau ihrem Schicksal überlassen hat, was in den Armenvierteln von Port-au-Prince keine Ausnahme, sondern fast die Regel ist. Kondome sind zu teuer - kein Wunder bei einer Arbeitslosigkeit von über 60 Prozent und Programme zur Geburtenkontrolle existieren nur auf dem Papier. Die minderjährige Mutter bleibt allein zurück und legt ihr unterernährtes Baby, das sie mit ihrer Arbeit nicht ernähren kann, vor dem Kirchenportal oder an der Einfahrt zum Hospital ab - manchmal landet es auch auf dem Müllplatz, wo es von Ratten aufgefressen wird. Ich habe die dehydrierten Kinder in der von Mutter Teresa gegründeten Klinik der Sisters of Charity in Port-au-Prince gesehen; sie hingen am Tropf mit greisenhaften Gesichtern und durchscheinender Haut, die sich wie knittriges Seidenpapier über die dünnen Knochen spannte; eines von ihnen hatte AIDS im finalen Stadium, und Schwester Amantha aus Kenia nahm das Kind vom Tropf, um Platz zu schaffen für Neuzugänge, wie es in den Flüchtlingslagern von Goma auf dem Höhepunkt des ruandischen Völkermords üblich war.

Auf Sartres gegen den ‚nouveau roman' gerichtete Bemerkung, daß „angesichts des Sterbens eines kleines Kindes in Biafra kein Buch mehr ins Gewicht fällt", erwiderte der französische Romancier Claude Simon, daß Bücher und tote Kinder nicht auf der gleichen Waagschale gewogen werden sollten. „Wenn dieser Tod wirklich ein unerträglicher Skandal ist", führt Claude Simon in seiner Rede zur Verleihung des Nobelpreises aus, „dann, weil dieses Kind ein kleiner Mensch ist, das heißt, ein Wesen mit einem Geist und mit einem Bewußtsein begabt, das, auch wenn es noch am Anfang steht, später einmal - sofern es überlebt - denken wird und von seinem Leiden sprechen, von dem der anderen lesen, davon selbst ergriffen werden und mit ein wenig Glück darüber schreiben wird."

Dr. Claudia Lücking-Michel

Bericht über den Arbeitskreis

Ist eine solidarische Welt in der Vielfalt der Kulturen, Nationen und Religionen ein Wunschtraum der Christen? - Das war die Frage, der sich der Arbeitskreis 5 stellen mußte. Die Antwort war eindeutig: „Ja". Zu diesem „Ja" nun einige Fußnoten - gegliedert nach drei Aspekten.

1. Versuch einer Synthese des Gespräches - Ein Wunschtraum?

In diesem Zusammenhang den Begriff „Wunschtraum" zu benutzen ist sicher schwierig, insofern die Gefahr eines tatenlosen Quietismus mitschwingt. „Vision" „Leitbild" - das wäre offener für weitergehende Handlungsimplikationen. Denn eine Erkenntnis im Laufe des Gespräches war überwältigend: Die Anwesenden - immerhin über 50 Teilnehmerinnen und Teilnehmer - standen nicht nur entschieden für das „Ja", sondern alle konnten auch beeindruckende Formen des persönlichen Engagements aufweisen. Prof. Bertsch ergänzte aus theologischer Sicht gewichtige Einwände gegen den vorgegebenen Begriff: Eine solidarische Welt ist nicht einfach nur „Wunschtraum" der Christen, sondern die konkrete Verheißung des Pfingstereignisses, von dem in der Apostelgeschichte berichtet wird. So lautet die eigentliche Frage nicht, ob die solidarische Welt ein „Wunschtraum"der Christen sei, vielmehr müssen wir uns der kritischen Anfrage stellen: „Trauen wir der Verheißung?" Gleichzeitig wird damit deutlich, daß der eschatologische Vorbehalt auch für all unser Tun in diesen Zusammenhängen bestimmend ist. Wir werden niemals eine wirklich solidarische Welt, ein „Paradies auf Erden" erschaffen können, trotzdem sind wir aufgefordert, unaufhörlich daran zu arbeiten.

Die konkreten Gründe unserer Hoffnung

Ein erstes Ziel der Gesprächsrunde war es, nach den konkreten Gründen unserer Hoffnung zu fragen. Der Urgrund unserer Hoffnung ist bereits genannt: Die Verheißung Jesu Christi. Doch wo sind die konkreten Gründe, die uns Anlaß zur Hoffnung geben? Zur Sprache kam eine Vielzahl von positiven Erfahrungen mit Begegnungen, des Austausches und der gelingenden Zusammenarbeit. Von solchen „Erfolgserlebnissen“ gab es sowohl auf zwischenmenschlicher Ebene zu berichten wie auf struktureller. Allen war gemeinsam, daß sie veranschaulichen: Wenigstens kleine Schritte hin zu einer solidarischen Welt sind möglich, denn menschliches Miteinander kann gelingen, und auch strukturelle Veränderungen können in Ansätzen erreicht werden.

Kritische Anfragen

Natürlich muß man sich trotzdem ernsthaft allen kritischen Anfragen stellen. Im Gespräch wurden diese allerdings nicht auf die Verheißung insgesamt, sondern auf die Ebene der Maßnahmen und der einzelnen Instrumente zu deren Umsetzung appliziert. Damit war die gesamte entwicklungspolitische Debatte zur Diskussion aufgerufen. Fehler in der Entwicklungszusammenarbeit und in den Bemühungen, an einer solidarischen Welt mitzubauen, wurden gemacht. Natürlich war einiges naiv oder sogar kontraproduktiv. Außerdem gibt es deutliche Ungleichzeitigkeiten im Lernprozeß. Doch - und dies ist wichtig festzuhalten - „es gibt Lernprozesse“.

Bedingungen der Möglichkeit für eine weltweite Solidarität

Anfragen und Anmerkungen zu einzelnen Aspekten der Solidaritätsarbeit ergaben sich aus der Diskussion des Arbeitskreises: Welche Rolle spielen die verschiedenen Akteure? Wer ist eigentlich im Zusammenspiel der Akteure der „Samariter“ und wer ist derjenige, der „unter die Räuber gefallen ist“? Wann nehmen wir endlich zur Kenntnis, daß die

Armen nicht nur Opfer sind, sondern Subjekt ihrer Geschichte? Und wann nehmen wir endlich zur Kenntnis, daß wir nicht nur „Helfer in der Not", nicht nur „Samariter" sind, sondern unsere Handlungsmöglichkeiten Grenzen haben und wir ebenfalls Hilfe nötig haben?

Was ist zu tun

Als zentrale Forderung wurde hier genannt, daß eine fundamentale Relativierung des europäischen Selbstbewußtseins notwendig sei, damit wir die Vielfalt der Kulturen und Gesellschaften tatsächlich als solche anerkennen können. Wie kann dies erreicht werden? Ein Ernstnehmen dieser Forderung hätte weitreichende Konsequenzen für Kirche und Gesellschaft. Dazu gehört z.B. die Anerkennung der Tatsache, daß die eine christliche Botschaft nicht in einer weltweit gleichlautenden Formulierung wiedergegeben werden muß. Und es gehörten vielfältige Bemühungen dazu, daß diese Erfahrungen tatsächlich im gemeinsamen Leben weitergegeben werden und Konsequenzen zeitigen, z.B. in Gemeinschaften und in den Familien.

2. Die Ergebnisse des Arbeitskreises in bezug zu Erkenntnissen der Studientagung

In seinem Grundsatzreferat hat Bischof Lehmann Richtwerte für den Umgang mit der Grundsitutation in unserer Gesellschaft benannt. An erster Stelle stand bei ihm die Forderung nach einer Anerkennung der pluralistischen Grundsitutation. Wer dies ernst nehmen will, hat Konsequenzen auch für die einzelnen hier angesprochenen Sachthematiken zu vergegenwärtigen. D.h. nämlich für jede einzelne Fragestellung, daß man sich in Dialoge begeben, daß man seine eigene Position zur Disposition stellen muß. Ein echter Dialog setzt die Bereitschaft zu Veränderungen voraus. Für die hier interessierende Fragestellung kann dies an vier Fragen exemplifiziert werden:

1. Was verbirgt sich denn tatsächlich hinter dem Etikett „solidarische Welt"? Was soll und was kann dieser Begriff leisten? Eine Antwort auf diese Frage wird um so dringlicher, da die meisten der von Kaufmann genannten Integrationsmechanismen beim Stichwort „solidarische Welt" nicht funktionieren.

2. Außerdem gehört die Erkenntnis dazu, daß wir in dem Moment, in dem wir in Dialoge eintreten und Kooperationen anstreben, zusammenarbeiten müssen mit Leuten, die das gleiche Ziel verfolgen, aber aus ganz anderen Motiven. Eine „solidarische Welt" ist nicht nur Wunschtraum der Christen, sondern vieler anderer Menschen auch.

3. Das alles geht nur, wenn wir uns wirklich den kritischen Anfragen stellen, die sich - und das muß man ernsthafterweise anerkennen - ja nicht nur auf einzelne Instrumente, sondern auch auf das vorgegebene Ziel „eine solidarische Welt" insgesamt beziehen. Das heißt, man muß sich einer theoretischen Debatte, wie sie sich z.B. zu den Thesen von Huntington zum „Kampf der Kulturen" ergeben hat, stellen. Man muß mitdiskutieren bei Walzers Unterscheidung von „dichter und dünner Moral". Und auf praktischer Ebene gilt es, diejenigen Mitbürger ernstzunehmen, die gegen eine weltweite Solidarität optieren und dabei nicht aus niederen Motiven handeln und auch nicht aus mangelnder Intelligenz, sondern aus der Erkenntnis heraus, daß Solidarität nicht nur teilbar ist, sondern sogar geteilt werden muß, um konkret gelebt zu werden.

4. Wie gehen wir mit denjenigen um, die nicht solidarisch sein wollen? Dem Schriftsteller Hans Christoph Buch verdanken wir den Hinweis, daß natürlich ernsthaft die Frage im Raum steht, ob diese Menschen vielmehr nicht solidarisch sein können.

3. Konsequenzen für die Arbeit des ZdK.

Drei Konsequenzen oder mögliche Herausforderungen für die Arbeit des ZdK sind als Schlußfolgerung aus dem Gespräch des Arbeitskreises zu benennen:

1. Das ZdK sollte Netzwerk sein für die Vielzahl von Initiativen und Organisationen, die beim Aufbau einer solidarischen Welt mitarbeiten wollen. Dies gilt vorrangig natürlich für die Initiativen im kirchlichen Raum, aber nicht nur für diese.

2. Die Aufgabe des ZdK wird es in Zukunft sein, sich nicht nur selbst ernsthaft dem Dialog zu stellen, sondern auch für die Gesellschaft die Dienstleistung zu erbringen, Orte des Dialogs zu schaffen und dorthin einzuladen.

3. Über den Dialog hinaus gilt es, projektbezogene Allianzen aufzubauen und in einzelnen Fragen mit anderen gesellschaftlichen Gruppen zu kooperieren - auch wenn die Gesamtausrichtung ihrer ideologischen oder politischen Überzeugungen nicht mit denen des ZdK übereinstimmt.

Zum Schluß ein Zitat von Prof. Bertsch „Der Traum der solidarischen Welt wird Wirklichkeit, wenn die Christen im Vertrauen auf die pfingstliche Verheißung Gott zutrauen, daß er Wege finden wird, seine solidarische Welt zu verwirklichen, mit uns Christen - und manchmal auch trotz uns.„

Arbeitskreis 6
Solidarität und Dialog der Christen bei der Bewahrung der Schöpfung

Scheitert der notwendige ökologische Wandel an den sozialen und politischen Realitäten?

Prof. Dr. Michael Schramm

Statement

Wenn das Stichwort ‚Ökologie' fällt, stellt man fest: Alle sind dafür - irgendwie jedenfalls. Angesichts der allseitigen Beteuerungen konnte man geradezu meinen, wir befänden uns auf dem direkten Durchmarsch ins Paradies der ökologisch Seligen: Nicht nur in christlichen Stellungnahmen zur ‚Bewahrung der Schöpfung', sondern ebenso auch in den Werbebotschaften der Wirtschaft wird ganz- und glanzseitig das neue Leitbild einer ökologischen Verantwortung verkündet: „Der ökologischen Moral", so der Popularsoziologe Ulrich Beck, „konnte gelingen, was das Christentum immer anstrebte und verfehlt hat: alle Feinde und Konkurrenzreligionen ... zu schlucken, zu bekehren".[1]

Die real existierende Lage sieht natürlich etwas weniger berauschend aus: Läßt man sich auf die Niederungen der konkreten Probleme ein, so wird rasch klar, daß sich der Weg des ökologischen Strukturwandels weitaus dornenreicher gestaltet, als man dies auf den ersten Blick hätte meinen können.

Aus der Sicht der theologischen Sozialethik möchte ich im folgenden nun fünf Thesen zu diesem Thema zur Diskussion stellen.

These 1: Der christliche Schöpfungsglaube stellt als (innerweltlich unerreichbares) Ziel die Vision eines eschatologischen Schöpfungsfriedens vor Augen (‚kontingenzeröffnende Heuristik'). Die konkreten Mittel zur Umsetzung dieses Ziels liefert er als solcher jedoch nicht.

Zunächst einmal muß die banale, aber nicht ganz bedeutungslose Tatsache in Erinnerung gerufen werden, daß das Christentum eine Religion ist. Dies bedeutet, daß der Versuch, unmittelbar aus der Bibel - die ja gar

[1] Becken (1993, S. 147)

keine Umweltproblematik kannte - direkte Aussagen zur Ökologisierung der modernen Marktwirtschaft zu entnehmen, von vornherein verfehlt ist. Die Bibel ist kein Buch, das wirtschaftspolitisch konkretisierte Rezepte zur Lösung moderner (ökologisch- ökonomischer) Probleme enthält. Die Bibel ist ein religiöses Buch, das uns allerdings eine religiöse Zielvorstellung, eine ‚ökologische' Vision, hinsichtlich unseres modernen Umweltproblems bereitstellen kann. Bezüglich dieser ‚ökologischen' Vision des Schöpfungsglaubens möchte ich zwei Aspekte herausgreifen:

Zunächst einmal ist bereits im Alten Testament eine Entmythisierung der nichtmenschlichen Natur zu beobachten - im Unterschied zur Umwelt Israels. Die Dinge besitzen keine numinosen oder mythischen Qualitäten: In den Dingen wirken weder göttlich-unbegreifliche Kräfte noch hausen in jedem Baum Geister oder Zwerge. Der Weg wird freigegeben für einen entmythisierten, ‚vernünftigen' Umgang mit den Dingen.[2]

Zum zweiten aber gibt es die eschatologische Dimension der biblischen Schöpfungstheologie. So ist im messianischen Friedensreich der Schöpfungsfriede zwischen allen Geschöpfen offensichtlich miteingeschlossen. Auch Röm 8,18-23, wo vom ‚Seufzen der Schöpfung' die Rede ist, bleibt zwar „vorökologisch"[3], insofern die nichtmenschliche Schöpfung nicht aus Naturverbundenheit, sondern aus theologischen Gründen erwähnt wird, aber auch hier bei Paulus wird die gesamte Schöpfung in das Heilsgeschehen Gottes mit den Menschen eingebunden. Es zeigt sich zum einen ein realistisches Bewußtsein für die Gebrochenheit der Schöpfung: Esoterische Vorstellungen einer völligen Schöpfungsharmonie gehören in der Realität jenseits von Eden, in den Bereich der paradiesischen Utopie.[4]

---

[2] Zum hier entstehenden Problem der Anthropozentrik: Schramm (1994, S. 91-93). Die Vernetzung aller Dinge erschließen heute nicht mehr mythische Einbildungen, sondern ökologische Einsichten.

[3] Lochbühler (1996, S. 125).

[4] Diesen Gedanken betont auch der Hinweis Moltmanns (1985), daß in der Schöpfungstheologie der „siebte Tag, der Sabbat ... oft übersehen' (ebd., S. 20) wurde. Aber gerade der ‚abbat ist das wahre Erkennungszeichen jeder ... Schöpfungslehre' (ebd., S. 20), denn ‚am Sabbat wind die Schöpfung vollendet' (ebd., S. 20; vgl. Gen

Es zeigt sich zum anderen aber - eben im sehnsuchtsvollen ‚Seufzen' der Schöpfung - auch die Vorstellung, daß diese Gebrochenheit schöpfungstheologisch nicht das ‚letzte' Wort sein sollte, daß das letzte Woraufhin von Mensch und Welt eben jener umfassende Friede der gesamten Schöpfung ist. Als - innerweltlich unerreichbares - letztes Woraufhin (‚Ziel') stellt uns der christliche Schöpfungsglaube also die Vision eines eschatologischen Schöpfungsfriedens vor Augen. Oder - wenn Sie es etwas großartiger formuliert haben wollen: Der (Schöpfungs-)Glaube fungiert als ‚kontingenzeröffnende Heuristik.[5]

Die innerweltlich unausschöpfbaren Visionen der Bibel stellen als solche zwar keinesfalls eine Blaupause für die Gestaltung einer modernen Gesellschaft dar sie eröffnen aber eine Perspektive, die über das Faktische grundsätzlich hinausdrängt, änderbare Fehlentwicklungen - z.B. in ökologischer Hinsicht - nicht schicksalsergeben schluckt und sich immer aufs neue auf den Weg zu machen sucht, die ‚Spielregeln' unserer Gesellschaft zu verbessern.[6] Lange Rede, kurzer Sinn: Es gibt viel zu tun, parken wir's an.

These 2: Ein (langfristig angelegter) ökologischer Strukturwandel ist notwendig

---

2,2). Diese ‚Vollendung der Schöpfung durch den Sabbat'(ebd., S. 20) ist die .Erlösung der Welt' (ebd., S. 279).

5 Der Ausdruck ‚Heuristik' leitet sich ab von gr. heuriskein = finden, entdecken: Der Schöpfungsglaube treibt dazu an, immer neu nach Wegen zu suchen, Möglichkeiten eines ökologiegerechten Wirtschaftens zu entdecken. Auf diese Weise erhält die Schöpfungsheuristik einen ‚kontingenzeröffnenden' Charakter. Im Lichte der ökologischen Vision des Schöpfungsfriedens wind bewußt, daß jeder faktische Gesellschaftszustand ‚kontingent' ist, d.h. auch anders möglich ist, gestaltungsoffen ist, weiterentwickelt werden kann. Religion hält Kontingenz verfügbar.

6 Eine solche heuristische Funktion von Moral gesteht selbst der orginellste Moralverachter unserer Tage zu: ‚Manches deutet ... darauf hin, daß die Moral jetzt eine Art Alarmierfunktion übernimmt. Sie kristallisiert dort, wo dringende gesellschaftliche Probleme auffallen und man nicht sieht, wie sie mit den Mitteln der symbolisch generalisierten Kommunikationsrnedien und in den entsprechenden Funktionssystemen gelöst werden können' (Luhmann 1997, S. 404).

Obgleich immer wieder die Meinung artikuliert wird, es sei z B das Szenario eines ungemütlichen Treibhauses ein ‚Märchen'[7], wird man mit der seriösen Klimaforschung davon ausgehen müssen, daß es einen anthropogenen (Zusatz-)Treibhauseffekt gibt.[8] Dieses vorausgesetzt ist festzustellen, daß die bisherigen Reduktionen des CO_2-Ausstoßes in Deutschland (Weltanteil: 5%) nicht ausreichend waren: Nach Auskunft von Otto Hermann Otto Solms[9], der ja bekanntlich nicht der Fraktion der Ökofundamentalisten angehört, sind die jährlichen CO_2-Emissionen Gesamtdeutschlands zwischen 1987 und 1993 zwar um 14,3% gesunken, doch konnte diese Reduzierung nur aufgrund des Zusammenbruchs der ostdeutschen Industrie erreicht werden; die Emissionen in Westdeutschland seien im genannten Zeitraum um 1,5% gestiegen. Aktuellere Zahlen bestätigen diesen Trend: In Westdeutschland ist der Kohlendioxidausstoß zwischen 1990 und 1997 um 3,4% gewachsen und auch in Ostdeutschland, wo er von 1990 bis 1995 um 48% zurückgegangen war, steigen die Werte seit 1995 wieder an. Es bedarf somit weiterer Anstrengungen.

Im folgenden möchte ich nun drei Aspekte benennen, warum dieser notwendige ökologische Strukturwandel nur schleppend vorankommt.

---

7 So jüngst wieder Maxeiner (1997, S. 38). Kritisch hierzu: Hasselmann (1997).

8 Nach Schnabel (1995) und Schönwiese (1996) ist folgendes festzustellen: Die Erdmitteltemperatur ist in den letzten hundert Jahren um ca. 0,5 Grad Celsius angestiegen, wobei die durch die CO_2-Emissionen induzierte Erwärmung von ca 1 Grad Celsius durch den ‚Kühlhauseffekt' des Ausstoßes von Schwefeldioxid reduziert wurde. Per saldo wird (ohne wirksame Klimaschutzmaßnahmen) eine weitere Erwärmung von ca. 2 Grad Celsius in den nächsten 100 Jahren erwartet. Folgende Effekte wären dann zu erwarten: 1. weitere Erwärmung der unteren Atmosphäre um ca. ein bis drei Grad Celsius, 2. Abkühlung der Stratosphäre, wodurch der dortige Ozonabbau begünstigt und die ‚Ozonloch-Problematik' verschärft wird, 3. differenzierte Niederschlagsumverteilungen (weniger Regen im Mittelmeerraum sowie in den großen Getreideanbaugebieten der USA, Zunahme in den Polargebieten und entsprechendes Anwachsen der Eismassen, in Deutschland Zunahme der Winter- und Abnahme der Sommerniederschläge), 4. Anstieg der Meeresspiegelhöhe um etwa zwanzig bis fünfzig Zentimeter, s. möglicherweise Häufung von Extremereignissen (Stürme, Hagelunwetter, Überschwemmungen, Dürren)

9 Solms (1995).

These 3: Eine erste Hürde für den ökologischen Strukturwandel ist darin zu sehen, daß die zukünftigen Generationen keine Wahlstimmen besitzen und ihre ökologischen Interessen in unserer Wettbewerbsdemokratie politisch nicht angemessen zur Geltung kommen. Dies bezüglich können z.B. die Kirchen die demokratisch wichtige Funktion einer advokatorischen Interessenvertretung erfüllen.

Man offenbart der geneigten Öffentlichkeit kein Geheimnis, wenn man darauf hinweist, daß unser demokratisches Politiksystem nach den Gesetzlichkeiten des Wettbewerbs um Wahlstimmen funktioniert. Für diese Wettbewerbskoordination sprechen sehr gute Gründe, sie ist daher grundsätzlich auch moralisch wünschenswert und ohne jede Alternative'[10] - doch: Ein gravierendes Defizit ist unübersehbar: Weil ... alle vier Jahre gewählt wird, neigt der Politiker zu Entscheidungen, deren Wohltaten in der laufenden Legislaturperiode merkbar werden, deren Lasten aber weit in die Zukunft verschoben sind". Engels (1895, S. 324).[11] Es handelt sich nicht um ein charakterliches Defizit von Politikerinnen, sondern um einen „Defekt in der Konstruktion unserer ... Demokratien".[12] Da gloriose Lösungen dieses Konstruktionsproblems jedoch nicht in Sicht sind[13], wird es wichtig, daß im Raum der Gesellschaft Gruppen existieren, die das Be-

[10] Zum einen werden Politikerinnen dadurch gezwungen, die Interessen der Wählerinnen wahrzunehmen. Zum anderen fungiert der politische Wettbewerb als ‚Entdeckungsverfahren' von Politikoptionen.

[11] Engels (1895, S. 324).

[12] Hayek (1981. S. 53).

[13] Es käme darauf an. daß auch die mehrheitlich gewählte Regierung, wenn sie in Einzelfragen entscheidet, durch Regeln gebunden ist, die sie nicht ad hoc ändern kann (Hayek 1981, S. 47). Aus sozialethischer Perspektive wäre grundsätzlich eine Legislative notwendig, die die (scheinbar herzlosen) Grundregeln schützt und weiterentwickelt - im Interesse der ‚Armen', die aufgrund der schwachen Organisierbarkeit ihrer Interessen vom demokratischen ‚Schacher' ausgeschlossen bleiben. Obgleich der Vorschlag einer unabhängigen Legislative (‚Zwei-Kammern-System) von Hayeks in die richtige Richtung weist - Vorbild konnten hier unabhängige Institutionen wie die Deutsche Bundesbank oder eine weisungsunabhängige Schuldenkontrolle (‚National Debt Board') sein -, ist auch er mit nahezu unüberwindlichen Problemen verbunden (‚Quis custodiet custodes ipsos?').

wußtsein für diese (langfristigen) Probleme wachhalten. Und so können gerade hinsichtlich des Ökoproblems auch die christlichen Kirchen eine wichtige demokratische Funktion wahrnehmen: Sie können - als unabhängige und daher moralisch glaubwürdige Organisationen - Advokatinnen der (nur ungenügend organisierbaren) Interessen zukünftiger Generationen sein. In diesem Sinn verstehe ich auch die Aussage des Sozialpapiers vom Februar 1997: „Die Kirchen wollen nicht selbst Politik [Anm.: Staatspolitik im engeren Sinn] machen, sie wollen Politik möglich machen“[14] eben durch ihr gesellschaftspolitisches Engagement für die Interessen gesellschaftlich Schwacher, z.B. eben für die Interessen der zukünftigen Generationen.

Erneut möchte ich an dieser Stelle jedoch darauf hinweisen, daß der christliche Schöpfungsglaube (im Sinne einer ‚kontingenzeröffnenden Heuristik‘) als solcher noch nicht die konkreten Mittel zur Umsetzung des ökologische Strukturwandels liefert. Mit einem - von Sachkenntnis unbelasteten - Moralisieren gäbe man dem moralischen Anliegen den Rest. Wenn die Kirchen also diesen ihren demokratischen Beitrag in einer konstruktiven (und nicht nur ‚sozialkritischen‘) Weise beisteuern wollen, dann wird es wichtig, daß sie dem ‚Prinzip der ausreichenden Sachkenntnis‘[15] (z.B. in ökonomischen Angelegenheiten) Rechnung tragen.[16] Ich komme auf diese Problematik am Schluß zurück.

---

[14] EKD /DBK (1997, S. 7, Hinführung, These 1).

[15] Schmitz (1992).

[16] Die Kirchen werden ihre moralischen Anliegen nur dann zur Geltung bringen können, wenn sie sich nicht mit dem Pathos, in der moralisch verfallenen Welt der Moderne zu leben, auf unwirksame oder sogar kontraproduktive Gesinnungsappelle verlegen, sondern nur dann, wenn sie sich ausreichend - etwa ökonomisch - kundig machen. Ansonsten werden sie nicht nur nichts erreichen, sondern sogar die gefüllten Kübel des Spotts über sich ergießen sehen - so wie etwa der Ökonom Wolfram Engels (CDU) nach Durchsicht einer päpstlichen Sozialenzyklika (‚Sollicitudo rei socialis‘ 1987) ungerührt bemerkt: Der Papst leitet die Enzyklika damit ein, daß er sich auf den Beistand des Heiligen Geistes beruft. Vielleicht hätte er auch einen ganz ordinären Volkswirt zu Rate ziehen sollen (Engels 1995, S. 329). Es ergibt sich: „um heute moralisch richtig ... zu handeln, brauchen wir eine Menge Sachkenntnis“ (Homann 1996, S. 86).

These 4: Ein durchgreifender ökologischer Strukturwandel kommt zum zweiten nicht deswegen nur schleppend in Gang, weil die deutsche Umweltpolitik versagt hätte, sondern deswegen, weil sie bisher (relativ) erfolgreich war.

Umweltpolitisch ist in der Bundesrepublik bisher durchaus eine ganze Menge erreicht worden. Die Wasserqualität der Flusse hat sich verbessert: Im Rhein schwimmen wieder Fische. Auch die Luft ist sauberer geworden: In Thüringen wurde 1993 zum letzten Mal Smogalarm ausgelöst, seither nicht mehr.[17] Paradoxerweise aber bilden genau diese Erfolge bei den direkt wahrnehmbaren Umweltbedingungen einen Grund dafür, daß weitergehenden Maßnahmen der Boden entzogen wird. So sagte Umweltministerin Merkel kürzlich sehr treffend: „Wir haben in der Vergangenheit eine ganze Menge erreicht, Luft und Wasser sind sauberer geworden. Deshalb verstehen viele Menschen nun nicht mehr, was wir eigentlich noch wollen. ... Und es wird in Zukunft noch schwieriger, weil die neuen Herausforderungen - Stichwort Treibhauseffekt - viel abstrakter sind als der Kampf gegen dreckige Luft oder schmutziges Wasser vor der eigenen Haustür. Außerdem setzen Bürger wie Politiker angesichts der hohen Arbeitslosigkeit derzeit andere Prioritäten".[18] Die Probleme wie die unerträglich hohe Arbeitslosigkeit werden eben gerade deswegen als drängender empfunden, weil die unmittelbar wahrnehmbaren Umweltbelastungen reduziert werden konnten.

These 5: Zum dritten sieht sich das Anliegen eines ökologischen Strukturwandels mit gravierenden Dilemmata konfrontiert. So könnten etwa Ökosteuern (z.B. CO_2-Energiesteuern), die im nationalen Alleingang erhoben wurden, in ökonomischer, sozialer und sogar ökologischer Hinsicht kontraproduktive Effekte hervorrufen. Letztlich bedarf es daher globaler Lösungen, an denen unverdrossen gearbeitet werden muß.

Gut gemeint ist noch nicht gut gemacht. Man kann unter den Bedingungen der modernen Wirtschaft das Ziel eines ökologischen Strukturwan-

---

[17] So eine Meldung der Thüringer Allgemeine vom 11. Januar 1993, S. 3.

[18] Merkel (1996, S. 19).

dels nicht durch bloße moralische Aufrüstung (und entsprechende Forderungen und Schuldzuweisungen) zur Geltung bringen. Vielmehr sind die Dilemmata ernst zu nehmen, vor die sich jede (nationale) Umweltpolitik gestellt sieht.

Erstes Beispiel: die umweltökonomisch an sich völlig einsichtige[19] Forderung nach Ökosteuern (z.B. CO_2-Energiesteuern). Wenn wir z.B.[20] die Tonne ausgestoßenen Kohlendioxids (CO_2) mit 100 DM besteuern, dann wird in Deutschland produzierter Stahl entsprechend teurer[21], wobei für die Tonne Rohstahl ca. 400 Kilogramm Kohle verbraucht werden. In der Folge wurde auf dem Weltmarkt deutscher Stahl sowohl im Inland als auch im Ausland durch z.B. brasilianische Stahlprodukte ersetzt werden. Die deutsche Stahlbranche wäre also ökonomisch nicht mehr wettbewerbsfähig und es ergäben sich damit auch sozial problematische Folgen insofern, als der Lenkungseffekt von Ökosteuern dann vor allem im Umlenken von Arbeitsplätzen ins Ausland bestünde. Wenn man zudem noch berücksichtigt, daß für brasilianischen Stahl ca. 1,2 Tonnen Kohle je Tonne Rohstahl verbraucht werden müssen (also die dreifache Mange im Vergleich zu deutschem Stahl) und sich daher eine globale Verdreifachung der CO_2-Emissionen ergäbe, dann wird deutlich, daß sogar ökologisch aufgrund der Produktionsumlenkung ins umweltpolitisch weniger gestrenge Ausland kontraproduktive Effekte die Folge wären. Insofern kann man Ökosteuern nicht ohne weiteres als Monstranz einer erlösenden Dreieinigkeit von ökologisch, ökonomisch und sozial[22] verkaufen. Das Beispiel zeigt, daß zwar ein (zeitlich befristeter) nationaler Vorausgang,

---

[19] Zur Umweltökonomik vgl. grundsätzlich etwa: Wicke (1993), Endres (1994), Weirnann (1995). Zur Relevanz der Umweltökonomik für die christliche Sozialethik: Schramm (1994), Schramm (1997).

[20] Das folgende Beispiel bei Reuter (1995, S. 20).

[21] In dem bekannten aufkommensneutralen Energiesteuer-Modell des DIW (1994) wird für den Produktionssektor Eisen und Stahl als Nettoeffekt eine Verteuerung der Produktpreise von 19,2% nach 10 Jahren prognostiziert.

[22] So eine Formulierung bei Steger (1995, S. 26).

aber kein nationaler Alleingang sinnvoll wäre.[23] Man muß also sehr genau zusehen, daß man sich keine Eigentore schießt.[24] Letztendlich läßt sich der ökologische Strukturwandel nur durch globale Lösungen (etwa durch eine weltweite Zertifikatsvereinbarung) voranbringen.[25]

Zweites Beispiel: unser Energiemix. Garzweiler II stellt - aufgrund der CO_2- Intensität der Braunkohle[26] - eine ökologisch problematische Ener-

---

[23] So auch Nutzinger (1996, S. 133). Gleichwohl würde die Bundesrepublik schon heute nicht allein stehen: So gibt es z.B. in Norwegen seit 1987 Abgaben auf Energie und CO_2 in Schweden seit 1991 auf Energie/Elektrizität (nur Haushalte) und CO_2 in Dänemark seit 1992 auf CO_2/Elektrizität (nur Haushalte) und Kraftstoffe.

[24] Zu Überlegen wäre daher, ob man nur die Endverbraucherinnen - also nicht die deutsche Industrie - heranziehen sollte (so der Vorschlag von Münchmeyer 1997) oder einen zusatzlichen dritten Mehrwertsteuersatz (so ein FDP-Vorschlag) einführen sollte.

[25] In Chicago, wo seit März 1994 SO_2-Zertifikate gehandelt werden, lag der Preis für eine Tonne Schwefeldioxid Ende 1995 nicht bei den ursprünglich prognostizierten 2.000 US-$, sondern bei nur 130 US-$ (Klusrnann 1995, S. 46). Global bedarf es eines weltweiten ‚Umwelt-GATTs' für solche Zertifikate (Siebert 1992, S. 53). Eine Steuerlösung ist im Rahmen einer globalen Umweltpolitik aus machtpolitischen Gründen nicht akzeptabel. Konkret müßten die Zertifikate nicht nur aus Gerechtigkeitsgründen nicht nach dem gegenwärtigen Ernissionsausmaß zugeteilt werden, ist doch diese vermeintlich ‚realistische' Position deswegen kaum realistisch, weil die Entwicklungsländer einer globalen Umweltpolitik nur dann zustimmen werden, wenn das ökologisch Notwendige sich auch Ökonomisch auszahlt. Die Zertifikate könnten folgendermaßen verteilt werden: Cline (1992) legt den Durchschnitt dreier Größen zugrunde: So entfielen 1992 z.B. auf die USA 17,5% der Welt-Treibhausgas-Ernissionen, 25,7% des Welt-BIPs und 4,8% der Weltbevölkerung, was einen von 16% ergibt. Bei einem globalen Emissionsziel von 4 Mrd. Tonnen Kohlenstoff bekämen die USA, die gegenwärtig 1,2 MnL Tonnen emittieren, somit ein initiales Zertifikatskontingent von nur 640 Mio. Tonnen. Indiens initiales Kontingent würde dagegen 8% bzw. 320 Mio. Tonnen betragen, was mit einem Oberschuß von knapp 50 Mio. Tonnen verbunden wäre. Diese überzähligen Zertifikate könnten die Entwicklungsländer gegen Finanzmittel oder Technologien an Industrieländer verkaufen oder leasen. Genauer hierzu: Simonis (1996).

[26] Allerdings ist zu berücksichtigen, daß sich. die Klimawirksamkeit der verschiedenen fossilen Energieträger nicht so stark unterscheidet, wie gemeinhin angenommen wird: Nimmt man nur das CO_2 in den Blick, dann ergeben sich. folgende Werte:

giequelle dar Langfristig müssen wir zweifelsohne auf kohlenstoffarme und/oder regenerative Energieträger umstellen. Kurzfristig jedoch stehen wir vor dem Dilemma, die fossilen Energieträger (momentaner Anteil am Primärenergieverbrauch: ca. 88%)[27] eigentlich nur durch die - politisch nicht konsensfähige - Kernenergie (momentaner Anteil am Primärenergieverbrauch: 10%) ersetzen zu können, da man den Anteil der regenerativen Energieträgern von momentan 2% des Primärenergieverbrauchs realistischerweise nicht von heute auf morgen auf 88% des Primärenergieverbrauchs anheben kann. Man wird kurz- und mittelfristig also kaum an den fossilen Energieträgern vorbeikommen können. Dennoch muß sich die langfristige Energiestrategie natürlich am Ziel eines - sich ökonomisch rechnenden - ansteigenden (Energiemix-)Anteils von kohlenstoffarmen und/oder regenerativen Energieträgern ausrichten.

Jenseits von Eden haben alle Dinge ihre Schattenseiten. Einen direkten Durchmarsch ins Ökoparadies gibt es nicht. Es bleibt nur die Strategie der kleinen Schritte. Vielleicht kann aber der christliche Glaube Kraft geben, daß auch bescheidene Schritte nicht sinnlos sind.

Bei der Verbrennung von Braunkohle werden 3,25 Tonnen CO_2 pro Tonne Steinkohle-Einheiten (SKE) freigesetzt (Steinkohle: 2,68 t; Erdöl: 2,3 t; Erdgas: 1,5 t). Es ergeben sich die Relationen (in der Reihenfolge Braunkohle, Steinkohle, Mineralöl, Erdgas): 121: 100: 88: 58. Berücksichtigt man jedoch alle relevanten Treibhausgase, insbesondere auch das Methan (CH), dann fällt - so jedenfalls Rheinbraun (1994, S. 22) - die Bilanz der Braunkohle etwas günstiger als die der Steinkohle aus, allerdings immer noch. schlechter als diejenigen von Erdgas und Mineralöl (in der gleichen Reihenfolge): 100: 110: 72: 87

[27] Zahlen nach: BUND-Misereor (1996, S. 105).

Dr. Thomas Petermann

Statement

Scheitert der notwendige ökologissche Wandel an den sozialen und politischen Realitäten? Damit haben wir uns eine schwierige Frage gestellt , nicht nur deswegen, weil sie auf einen recht komplexen Gegenstand zielt, sondern aus mindestens zwei weiteren Gründen.

Zum einen weist diese Fragestellung etwas Perspektivisches oder Prognostisches auf: Das Scheitern des Wandels wird sich erst in Zukunft erweisen. Es ist also über Dinge zu reden, die sich in die Zukunft hinein entwickeln. Dies ist diffizil, insbesondere weil wir einen solchen Gegenstand vor Augen haben, über den wir in einem strikt naturwissenschaftlichen Sinne zwar einiges wissen, aber doch noch mit einer ganzen Reihe von Wissensdefiziten konfrontiert sind. Wir wissen aber auch sehr wenig, jenseits von deskriptiven Daten, über kausale Zusammenhänge. Dies gilt nicht nur für das Ökosystem, sondern auch um soziale Systeme und ihre Anpassungsfähigkeit.

Der zweite Aspekt, der die Antwort erschwert, ist, daß es eine normative Frage ist. Was ist denn notwendig? Welche Not soll gewendet werden? In welchen Zeiträumen, mit welchen Instrumenten? Empfinden wir diese Notwendigkeit alle gleich, und was ist, wenn die Not gewendet wurde, was ergibt sich dann? Diese Fragen können wir nicht objektivistisch behandeln, indem wir zur Kenntnis nehmen, was uns die Naturwissenschaften zur globalen ökologischen Bedrohung sagen. Denn in bezug auf Prioritäten, in bezug auf Entscheidungen, womit wir beginnen und welche Instrumente wir wählen, wann gehandelt werden soll - bei diesen Fragen müssen wir anders vorgehen. Wir müssen entweder (unter Unsicherheit) entscheiden oder nach Konsens suchen - wir müssen uns darüber einigen, was notwendig ist.

Wir sind also mit einer komplexen Situation konfrontiert , und wir müssen anerkennen, daß wir mindestens ein dreifaches Defizit haben, mit dem wir umgehen müssen. Es fehlen Daten, es mangelt an Wissen über kausale Zusammenhänge, und wir haben immer Bewertungsprobleme. Trotzdem bleibt viel mehr, als nur zu hoffen, und es bleibt auch mehr als zu schweigen, weil wir nicht so recht wissen, was der Fall ist. Denn es läßt sich sehr wohl, denke ich, auf verschiedenen Ebenen mit Gründen argumentieren, und man kann sich der strukturellen Bedingungen vergewissern, die für Wandlungsprozesse relevant sind.

Welche Faktoren werden möglicherweise zukünftig ausschlaggebend dafür sein, daß dieser ökologische Wandel, der hier als notwendig behauptet wird, stattfindet oder nicht, schneller oder langsamer stattfindet? Ökologische Katastrophen oder Probleme sind ja nicht nur Symptome von Gefährdungen von Ökosystemen, sondern Indizien für ein Versagen von Institutionen und Organisationen und auch Indizien dafür, daß sie induziert sind durch individuelles und kollektives Verhalten.

Insofern könnten wir den Versuch eines Überblicks auf mindestens drei Ebenen unternehmen: 1. Auf der Ebene des individuellen und kollektiven Verhaltens 2. Auf der Ebene des ökonomischen Systems (Produktion und Konsumtion) 3. Auf der Ebene der politischen Strukturen.

1.Individuelles und kollektives Verhalten

Fangen wir mit der Nachfrageseite an, mit uns, mit den Konsumenten.

- Ist die Erde noch zu retten? Auf diese Frage antworten 75 % hier in der Bundesrepublik mit Nein.
- Ist Ihr Lebensstil besonders umweltverträglich? Auf diese Frage antworten 15 % mit Ja.

Man könnte daraus schließen, daß zwischen einem hohen Umweltbewußtsein und dem tatsächlichen Umweltverhalten eine große Diskrepanz klafft. Das hört man immer wieder, das ist auch teilweise richtig, aber nicht in dieser Allgemeinheit. Es gibt durchaus Beispiele dafür, wo Bewußtsein und Handeln kongruent sind. Unabhängig davon wie man diese Zahlen wertet, der Lebensstil, insbesondere der Lebensstil in den reichen OECD-Ländern ist ein entscheidender Faktor. Lebensstile konstituieren nämlich das, was wir vor 20 oder 30 Jahren heftig kritisiert haben als Überfluß- und Wegwerfgesellschaft. Heute wird uns gesagt, daß diese Lebensstile einem nachhaltigen Wohlstandsmodell entgegenstehen. Wir geben Konsum-und Verhaltensweisen mit den Merkmalen wie z.B. Schnelligkeit und Beschleunigung, Ferne, Häufigkeit, Intensität, Mehr den Vorrang. Dementsprechend wird gefordert, daß dieser Lebensstil z.B. zu entschleunigen sei, er solle sich nahe an den Kreisläufen, an der unmittelbaren Nähe orientieren. Insgesamt weniger, dafür vielleicht intensiver, kurzum ein weniger energie- und ressourcenintensiver Lebensstil wird angemahnt. Was steht dem entgegen, oder was könnte einen solchen Lebensstil fördern?

Wir können eine Reihe von einschlägigen Schwierigkeiten identifizieren. Nehmen wir den durchschnittlichen Bundesbürger. Er ist konfrontiert mit einer Fülle von widersprüchlichen Informationen. Was ist ökologisch eigentlich sinnvoll? Welche Art von Mülltrennung, welche Verpackungen, welche Verkehrssysteme in welcher Kombination? Hierzu liegen die widersprüchlichsten Aussagen vor, und niemand kann eigentlich hier einen besonders entscheidungsstarken und gut orientierten Konsumenten erwarten, solange dies so ist.

Es liegen auch viele Informationen über umweltverträglicheres Verhalten vor, die nicht anknüpfen an der Lebenswelt der einzelnen Menschen. Und sie knüpfen oftmals auch nicht unmittelbar an deren Eigeninteresse an. Das ist aber, wir mögen es bedauern, eine ganz wichtige Sache: Solange ökologische Aufklärung und Information abstrakt bleibt und auch nicht ein bißchen den Eigennutz des Menschen anspricht, wird sie weitgehend verpuffen.

Ein weiteres Problem besteht darin, daß umweltverträgliche Lebensstile im allgemeinen als teuer wahrgenommen werden, als zu wenig lustbesetzt und auch als zu wenig prestigeträchtig gesehen werden. Wir müssen auch konzedieren, daß, wenn es zum Schwur kommt, wenn eine Entscheidung zwischen Ökonomie und Ökologie, Arbeitsplätzen oder dem Schutz der Natur ansteht, die materielle Sicherung höher bewertet wird.

Ein letzter Punkt: Oft fehlen Infrastrukturen, derer man sich bedienen könnte, wollte man sich umweltfreundlicher verhalten. Die Notwendigkeit hierzu fällt insbesondere da auf, wo die Appelle dafür, z.B. nicht so viel das Auto zu benutzen, deswegen als handlungsleitend nicht sinnvoll sind, weil es keine vernünftigen Alternativen im Nahverkehr gibt. Moralische Appelle nützen dann nichts, wenn keine konkreten Handlungsalternativen da sind.

Auch das mag man bedauern, aber man muß es zunächst akzeptieren. Wir haben also im Grunde eine Quadratur des Kreises. Wir bräuchten einen weitverbreiteten umweltverträglichen Lebensstil, der den Kriterien der Nachhaltigkeit genügt und zugleich komfortabel und lustbetont wäre, in der Wertehierarchie ganz oben stünde.

2. Ökonomische Strukturen

Produktion und Konsumtion nach dem „alten Wohlstandsmodell“: Diese Produktion und Konsumtion ist, obwohl man es hin und wieder anders hört, meines Erachtens nach wie vor und auch in Zukunft auf Wachstum angewiesen.

Es sind nun sehr viele Zahlen auf dem Markt in bezug darauf, was sich ändern muß. Sie zeigen alle, daß es offensichtlich nicht nur um kleine Korrekturen geht, sondern um einen radikalen Kurswechsel, der erhebliche Einschnitte in die Volumina der Stoff- und Energieströme fordert. Nehmen wir ein paar Zahlen: 70 - 90 % weniger Energie- und Materialinput seien erforderlich für nachhaltige Entwicklung über einen Zeitraum von 10 oder 20 Jahren. Wir hören von einem Faktor 4 oder auch Faktor 10, um den der Input an Material und Energie gedrosselt werden soll. Wir hören, daß wenn es nicht schlimmer werden soll, jeder Bürger, jede Bürgerin in der Bundesrepublik, nur mit 250 l Benzin im Jahr auskommen sollte oder daß die Verbrennung von fossilen Energieträgern um 25 % bis ins Jahr 2010 und um 80 % bis ins

Jahr 2050 reduziert werden soll. Ich habe erhebliche Zweifel, ob es vorstellbar und auch machbar ist, angesichts der ökonomischen Realitäten und auch der Strategien der großen Unternehmungen, in einem solchen Umfang die Wirtschaft Produktion und Konsumtion, ihres Lebenselixiers zu berauben. Ob es tatsächlich gelingen könnte, auf einem gleichen Niveau des Konsums und Komforts zu verbleiben und die Umwelt weniger zu belasten, wenn man nur intelligent und effizient über Technologien und andere Maßnahmen die Stoffströme organisiert? Das könnte vielleicht noch in einem „Festungsmodell" gelingen, wo die reichen OECD-Länder sich zusammenschließen und dies praktizieren. Aber wie ist es mit den nachholenden Teilen der Welt, die sich anschicken, ein Wohlstandsmodell, welcher Art auch immer, anzustreben? So scheint ein Einschnitt in angenehme Gewohnheiten unumgänglich - aber erst ist nirgends vorbereitet.

3. Politische Strukturen

Ich habe den Eindruck, daß wir uns alle noch nicht so ganz verabschieden wollen von der Vorstellung, daß der Staat derjenige Akteur im Gewimmel der gesellschaftlichen Kräfte ist, dem es am ehesten gelingen könnte, so etwas wie ein bonum commune, ein Allgemeinwohl zu verwirklichen jenseits der divergierenden Interessen und der vielleicht noch am ehesten der Garant sein könnte, daß sich nachhaltige Entwicklungen besser durchsetzen, als sie es bislang getan haben.

Nur, wir sehen uns konfrontiert mit einer Vielzahl von Diagnosen, daß der Staat der Moderne, dieser aufgeklärte Despot nicht mehr sein könnte, der zentral die notwendigen Prozesse steuert. Alle sind sich einig in einer abnehmenden Steuerungsfähigkeit des Staates. Zum einen ist der Staat, insbesondere der Nationalstaat, kein homogener Akteur, er ist in sich widersprüchlich, und er ist vielfältig gegliedert: Wenn Sie sich in der Bundesrepublik die politischen Entscheidungsebenen ansehen, von den Kommunen bis hin zur Bundesebene; wenn man auf jeder Ebene dann auch wieder die horizontale Ausdifferenzierung des politischen Systems betrachtet, kann man zu Recht zu einer

Diagnose kommen, die da lautet: Zu viele Akteure, mit vielen Zielen auf zu vielen Ebenen, die in einer Verflechtungsfalle sitzen, die sich gegenseitig blockieren.

Dieser Verlust an innerer Souveränität wird begleitet von einem Verlust an äußerer Souveränität. Diesen beobachten wir nicht zuletzt angesichts der globalen Probleme und der Entwicklung hin zu größeren Wirtschaftsräumen und zu Entscheidungsgremien und Entscheidungsnotwendigkeiten auf internationaler, evtl. supranationaler Ebene. Hier entsteht eine neue Politarchitektur - ob sie tragfähig ist in dem Sinne, daß sie mit Verbindlichkeit etwas durchsetzen könnte, ist noch eine offene Frage. Es gibt durchaus nicht nur Beklagenswertes zu vermelden, sondern auch Fortschritte, gerade im Bereich internationaler Umweltregimes. Aber wir haben auch hier das Verflechtungsdilemma konkurrierender Akteure. Belassen wir es bei dieser Diagnose des geforderten, aber gehandikapten Staates.

Alles in allem: Wir haben eine sehr komplexe Problemlage, wachsende ökologische Probleme und große Schwierigkeiten der sozialen und politischen Systeme, sich hier anzupassen. Wir haben ein sehr anspruchsvolles Programm der Nachhaltigkeit, das Leitlinien für eine Wirtschaftsweise umfaßt, in der z.B. die Belastung der Umwelt durch nicht abbaubare Schadstoffe verringert wird, letztlich gegen Null tendiert. Flächen- und Wasserverbrauch und die Transportleistung sollen gleichbleiben, technologische Großrisiken sollen vermieden werden, die Artenvielfalt soll weitgehend erhalten werden, damit die Funktionsfähigkeit ökologischer Systeme und der Nahrungsketten gesichert ist. Damit verbinden sich auch Vorstellungen dahingehend, die Verteilungsungerechtigkeit zwischen den Industriestaaten und den anderen Staaten des Südens zu verringern. Das ist eine Agenda, die umzusetzen ausgesprochen schwierig sein dürfte. Insbesondere deshalb, weil die Strukturen, wie ich sie beschrieben habe, daran nicht ohne weiteres anschließbar sind.

Deswegen wird eines nur helfen, nämlich politische und gesellschaftliche Lernprozesse. Woher können wir Indizien dafür nehmen, wie diese funktionieren könnten? Es gibt Untersuchungen darüber, wann Umweltpolitik funktioniert hat.

Dort zeigt sich, daß verschiedene Voraussetzungen hierzu erfüllt sein müssen: Wir brauchen wissenschaftlich-technische Kapazitäten, ohne die werden technische Effizienzstrategien, z.B. im Energie- und Verkehrsbereich, nicht funktionieren. Wir brauchen darüber hinaus eine politisch institutionelle Kooperationsfähigkeit der Akteure, d.h. die Fähigkeit von Politik, Gesellschaft und Wirtschaft, miteinander ins Gespräch zu kommen und zusammenzuarbeiten. Notwendig ist auch weiterhin eine strategische Planungsfähigkeit und einen Zielkonsens, z.B. über Reduktionsziele. Hierüber muß man sich einigen können - z.B. in Form von Umweltplänen, in denen man Ziele festlegt, auf die man sich geeinigt hat und die man daraufhin überprüft, ob man sie eingehalten hat

Es gibt noch eine Reihe weiterer Aspekte, die notwendig sind, um Lern- und Anpassungsprozesse zu initiieren, die vielleicht den sogenannten notwendigen ökologischen Wandel befördern könnten: Dazu zählen eine angemessene Instrumentenwahl des Staates mit einer Präferenz bei weichen informationellen Instrumenten, ohne auf den Knüppel des Ordnungsrechts gänzlich verzichten zu wollen. Wir brauchen Netzwerke von vielen Beteiligten, die gemeinsam um Lösungen ringen. Wir brauchen Innovatoren und Schrittmacher in der Wirtschaft, in der Presse und in den Umweltverbänden, die demonstrieren, was ökologische Modernisierung oder gar strukturelle Ökologisierung der Wirtschaft heißt, und das alles muß auch klar durchgesetzt werden gegen etablierte und bestehende Interessen auch in solchen Wirtschaftsbereichen, die sich bislang immer gegen Umweltinnovationen gewendet haben. Es ist nämlich nicht nur eine Frage, ob man in der Lage ist, Diskurse zu führen, sondern auch eine Frage, ob man in der Lage ist, konsensfähige Ziele auch durchzusetzen.

Wenn weltweit solche Strukturen entstehen und solche Prozesse in Gang kommen, dann wird der „notwendige Wandel“ auch stattfinden.

Prof. Dr. Bernd Rosenberger

Bericht über den Arbeitskreis

Der Arbeitskreis 6 war mit 16 Teilnehmern wohl der kleinste Arbeitskreis. Er befaßte ich mit Solidarität und Dialog der Christen bei der Bewahrung der Schöpfung unter der folgenden Fragestellung: Scheitert der notwendige ökologische Wandel an den sozialen und politischen Realitäten?

Die nicht gerade große Anzahl der Teilnehmer spiegelt einerseits möglicherweise den heutigen Stellenwert einer ökologischen Verantwortung wider - das Interesse an Fragen und Problemen im Zusammenhang mit der Bewahrung der Schöpfung ist in Deutschland von Platz 1 auf Platz 15 gesunken - ermöglichte aber andererseits einen intensiven, sachlichen und nüchternen Gedankenaustausch in dieser Runde. Dies wurde von den Teilnehmern als sehr angenehm empfunden.

Die beiden Referenten nahmen mit sehr unterschiedlichen Sichtweisen Stellung zu der angeschnittenen Frage und zwar „nüchtern und desillusionierend“, wie es ein Teilnehmer formulierte.

Prof. Dr. Michael Schramm kleidete seine Anmerkungen aus der Sicht der theologischen Sozialethik in 5 Thesen:

1. These: Der christliche Schöpfungsglaube stellt als (innerweltlich unerreichbares) Ziel die Vision eines eschatologischen Schöpfungsfriedens vor Augen. Die konkreten Mittel zur Umsetzung dieses Ziels liefert er als solcher jedoch nicht.

2. These: Ein (langfristig angelegter) ökologischer Strukturwandel ist not wendig.

Die nächsten drei Thesen beleuchteten Gründe, warum der ökologische Strukturwandel nur zögernd vorankommt.

3. These: Eine erste Hürde für den ökologischen Strukturwandel ist darin zu sehen, daß die zukünftigen Generationen keine Wählerstimmen besitzen und ihre ökologischen Interessen in unserer Wettbewerbsdemokratie politisch nicht angemessen zur Geltung kommen. Diesbezüglich können z.B. die Kirchen die demokratisch wichtige Funktion einer advokatorischen Interessenvertretung erfüllen.

4. These: Ein durchgreifender ökologischer Strukturwandel kommt zum zweiten nicht deswegen nur schleppend in Gang, weil die deutsche Umweltpolitik versagt hätte, sondern deswegen, weil sie bisher (relativ) erfolgreich war.

5. These: Zum dritten sieht sich das Anliegen eines ökologischen Strukturwandels mit gravierenden Dilemmata konfrontiert. So könnten etwa Ökosteuern, die im nationalen Alleingang erhoben würden, in ökonomischer, sozialer und sogar ökologischer Hinsicht kontraproduktive Effekte hervorrufen. Letztlich bedarf es daher globaler Lösungen, an denen unverdrossen gearbeitet werden muß.

Dr. Thomas Petermann vom Büro für Technikfolgenabschätzung beim Deutschen Bundestag plädierte dafür, zunächst den Stand der Informationen, der Daten, den Stand des Wissens über Zusammenhänge und Wirkungen und den Stand der Bewertungsgrundlagen, der Kriterien und Ziele zu analysieren und zu beschreiben, weil sonst Aussagen über Zukünftiges eher dem Bereich der Spekulationen zuzuordnen wären. Er bezweifelte, daß ein breiter Konsens darüber besteht, was an ökologischem Wandel wirklich notwendig ist. Er verwies auf Strukturen (Realitäten), die Veränderungen und damit auch einen ökologischen Wandel hemmen oder ermöglichen wie psychische Strukturen, die einen solchen Wandel verstandesmäßig und emotional mittragen müssen, gesellschaftlich ökonomische Strukturen und politische Strukturen, die es einem einzelnen Staat kaum mehr ermöglichen, als zentrales Steuerungssubjekt oder als Garant für nachhaltige Entwicklungen zu agieren. Zusammenfassend bewertete Dr. Petermann die Strukturbedingungen für einen notwendigen ökologischen Wandel als nicht optimal und unterstrich die Notwendigkeit von politischen und gesellschaftlichen Lernprozessen auf allen Ebenen. Politik, Wirtschaft und Gesellschaft müssen miteinander kooperieren, wirtschaftlich-technische Kapazitäten erschlossen und intelligente Netzwerke aller Beteiligten aufgebaut werden.

Nach einer allgemeinen Aussprache über die vorgetragenen Statements, bei der deutlich wurde, daß trotz der Komplexität eines ökologischen Wandels Resignation fehl am Platz und Handeln gefragt ist, befaßte sich der Arbeitskreis mit zwei Fragen sehr ausführlich:

1. Frage: Ist eine Veränderung des Lebensstils möglich und notwendig? Es wurde einhellig bejaht, daß eine Lebensstiländerung notwendig und möglich ist und dabei darauf hingewiesen, daß ökologischer Wandel und Veränderung des Lebensstils untrennbar miteinander verknüpft sind und daß ebenso Lebensstilveränderung und Strukturänderungen zusammen notwendig sind.

2. Frage: Welche Auswirkungen hat die Veränderung unseres Lebensstils auf andere Länder, insbesondere auf Länder der sogenannten Dritten Welt? Bei der Auseinandersetzung mit dieser Frage wurde noch einmal sehr deutlich, daß ökologische Probleme in vielen Fällen nicht mehr national zu lösen sind, sondern nur im Zusammenspiel mit anderen Ländern, und daß durch diese Probleme der Blick für die Nord-Süd-Problematik geschärft werden kann.

Wie können nun Christen dialogisch und solidarisch bei der Bewahrung der Schöpfung handeln?

Wenn auch diese Frage im Arbeitskreis in dieser Form nicht gestellt worden ist, scheinen mir doch indirekt einige Antworten darauf gegeben worden zu sein.

Zunächst einmal muß man sich innerhalb unserer Gesellschaft darüber verständigen, ob ein ökologischer Wandel überhaupt als notwendig erachtet wird. Selbst wenn diese Notwendigkeit allgemein anerkannt ist, so bedarf es dennoch einer Einigung; darüber, welches Ziel dieser ökologische Wandel haben soll und welche Wege zum Ziel eingeschlagen werden sollen. Dies aber setzt Dialogbereitschaft und Dialogfähigkeit der gesellschaftlichen Gruppen voraus, und da sind wir Christen nicht ausgenommen.

Wenn wir als Christen aus unserer Überzeugung heraus als Anwälte der Interessen zukünftiger Generationen handeln wollen, weil wir uns verantwortlich fühlen für unsere Kinder, unsere Enkelkinder und die nachfolgenden Generationen und weil wir ihnen unseren Lebensraum erhalten wollen, so handeln wir solidarisch mit ihnen. Dabei erscheint es mir zutiefst unchristlich, wenn wir ein Szenario des Schreckens über den zukünftigen Zustand unserer Schöpfung und damit den Lebensraum der nachfolgenden Generationen an die Wand malen, es ist vielmehr wichtig, dem Prinzip der ausreichenden Sachkenntnis Rechnung zu tragen, naturwissenschaftliche und ökonomische Daten, Fakten und Zusammenhänge, Ursachen und Wirkungen zu ergründen, um daraus Konsequenzen zu ziehen. Hierbei ist der Dialog mit den entsprechenden Wissenschaften unerläßlich.

Welche Aufgaben könnten sich auf Grund der Diskussionen in diesem Arbeitskreis für das Zentralkomitee ergeben?

Ich will es kurz fassen: Zunächst erscheint es mir sinnvoll, die in den einzelnen Diözesen gemachten Erfahrungen und Aktivitäten im Hinblick auf die Bewahrung der Schöpfung, insbesondere aber auch der Umweltbeauftragten zu sammeln und auszutauschen, um so Beispiele und Ermutigung für andere zu geben, sozusagen ein Netzwerk zu schaffen, wie es vorhin anklang. Dann benötigen wir eine Koalition, ein Bündnis aller Christen, damit die stumme Schöpfung und die nachfolgenden Generationen eine adäquate Interessenvertretung findet. Und schließlich sollten wir auch nach anderen Verbündeten in unserer Gesellschaft suchen, die bereit sind, mit uns für eine solche Interessenvertretung einzutreten.

Abendlob

Weihbischof Leo Schwarz

Begrüßung

Liebe Schwestern und Brüder!

Ich darf Sie an diesem Abend in diesen Gottesdienst einführen. Jeder von uns hat auf seine Art diesen Tag erlebt. Das Wort von der Solidarität, vom Dialog, von unserer Zeitgenossenschaft ist tief in uns eingedrungen. Jetzt kommen wir am Tag unserer Einheit zusammen, um dem dreifaltigen Gott zu danken. Wir wissen, daß unser Leben nicht nur die Wege dieser Studientagung ist, sondern daß daraus Schritte gesetzt werden sollen, morgen und übermorgen, auf das Jahr 2000 hin. Wir denken besonders auch an die Herausforderung eines Katholikentages im Jahre 2000 in Hamburg. Deshalb bin ich sehr froh, daß als die Vorbeter an diesem Abend Bischöfin Maria Jepsen und Weihbischof Dr. Hans-Jochen Jaschke in unserer Mitte sind. Bevor wir aber an die 2000 Jahre denken, rufe ich die 1000 Jahre Schottenkirche in Ihr Gedächtnis. Es sind 1000 Jahre her, daß irische Mönche hier das Evangelium verkündet haben. Damals ist ihnen dieses Terrain zur Verfügung gestellt worden. Es hat dann 100 Jahre gedauert, bis diese Kirche - es war die zweitälteste romanische Kirche in Erfurt - gebaut wurde. Wenn wir über das Wachsen im Reich Gottes nachdenken, daß es nicht nur das Wachsen im Reiche Gottes gibt, kann die Geschichte dieser Kirche mit einbezogen werden. Es gebt um das Standhalten, das Ausharren. 1482 wurde zwei Drittel der Stadt Erfurt durch ein Großfeuer in Schutt und Asche gelegt, auch diese Kirche. Die Kirche wurde wieder aufgebaut durch schottische Mönche, daher der Name Schottenkirche. Bis zum Jahre 1820 war es eine glückliche Geschichte. Dann folgte die Säkularisierung. Erst in der Neuzeit ist die Kirche wieder ihrer Bestimmung übergeben worden.

Heute morgen im Gottesdienst haben wir darüber gesprochen, daß wir Brief Gottes sind in unserer Zeit. Der erste Brief, den der Apostel

Paulus an die Gemeinde der Thessalonicher gerichtet hat, dankt für das Werk des Glaubens, für die Opferbereitschaft der Liebe und die Standhaftigkeit der Hoffnung. Die drei großen Erinnerungen des Apostels Paulus stehen heute abend auch vor uns, wir haben allen Grund, Gott zu danken und zu bitten für das Werk des Glaubens, für die Opferbereitschaft der Liebe und die Standhaftigkeit der Hoffnung, die uns durch Jesus Christus geschenkt werden.

Bischöfin Maria Jepsen

Predigt

Liebe Schwestern und Brüder,

das Wort Einheit kommt in der Bibel, zumindest in unseren evangelischen Übersetzungen, nur einmal vor (Eph 4,17 - bis wir alle zur Einheit des Glaubens gelangen), einig, einigen und Einigkeit finden wir immerhin ein paarmal; der Favorit aber der Bibel für das, was uns vorschwebt, ist der Begriff einmütig, gipfelnd in dem Wunsch des Paulus an die Korinther: „daß ihr alle einmütig seid“ (1 Kor 1,10), was ja etwas anderes ist als einheitlich oder gleich.

Sind unsere so unterschiedlichen Kirchen jedenfalls einmütig? Sind unsere Bundesländer einmütig ?

Gibt es nach der Wiedervereinigung in Deutschland, nach der Einheit auch Einmütigkeit? Und innerhalb unserer Gesellschaft, in den Gruppen - eint uns mehr als die Kartographie ?

„Einheit - politisch wie auch theologisch“ solle das Thema dieses Abendlobs sein, so schrieben Sie mir mit der Einladung. Was wir darunter verstehen, darüber sprechen wir in diesen Tagen, aber hoffentlich nicht nur hier und jetzt. Einheit als Tatsache oder mehr als Zielvorgabe? Einheit als Einheitlichkeit oder Einheit in versöhnter Vielfalt ?

In unserer Gesellschaft ist von beiden Interpretationsweisen nicht viel zu spüren - die Differenzen sind zu gewaltig, Individualisierung, Verbitterung, Resignation und Neid sind nicht zu leugnen, bis zu Haß und Gewalt. Wir alle kennen das und wissen doch nicht recht, was wir sagen und tun sollen, oder: wir haben Angst davor, sind feige und stumm und tatenlos. Der Wahlkampf in Hamburg ließ erschreckende Gedanken und Parolen laut werden, weit mehr als die kleine Zahl der rechtsradikalen Wähler es vermuten lassen könnte.

Die Einheit steht auf dem Spiel, die gesellschaftliche Einheit in Ost und West, in einzelnen Stadtteilen, in Schulen, auch in unseren Kirchen. Die Einheit ist am Auseinanderbrechen, auf der Kippe Anlaß genug also, alles zu tun, um neu uns aufstören, bewegen und beflügeln zu lassen, um zu kitten, was auseinanderzubrechen beginnt, und langfristig sozialen Ausgleich im weitesten Sinn zu schaffen. Aber auch: um besonders sein zu lassen, mit gutem Gewissen, was besonders ist.

Wie steht es mit der theologischen Einheit?

Auch da fällt es schwer, eine versöhnte Vielfalt zu akzeptieren, die unterschiedlichen theologischen Suchbewegungen und Positionen als solche anzuerkennen -es fällt uns schwer in den einzelnen Kirchen und Konfessionen, erst recht in der ökumenischen Gemeinschaft. Dabei zeigt uns doch schon das Neue Testament, wie wichtig es ist, miteinander zu suchen, miteinander zu streiten, beweglich zu bleiben und nicht starr eine Position durchsetzen zu wollen. Von unseren je unterschiedlichen Kontexten und Positionen haben wir auszugehen und uns zur Mitte zuzuwenden, an ihr neu auszurichten - und dann werden wir merken, daß wir, wie wir zusammengehören - und das befreit zu neuer Begegnung und zu mehr Toleranz.

Vielleicht fällt uns Protestanten und insbesondere uns Protestantinnen der Verzicht auf Bewertung und Einordnung oft leichter, weil wir skeptisch geworden sind gegenüber institutioneller und patriarchalischer Bevormundung, weil wir das allgemeine Priestertum aller Getauften ernstzunehmen versuchen, in großer Verantwortung vor Gott und Jesus. Und wir sind nicht bereit, unsere eigene theologische Position, unser theologisches Suchen auf Anweisung anderer einfach einzuordnen, unterzuordnen, aufzugeben.

Wir suchen neu-alte Wege, die uns nicht auseinanderdriften lassen, die von vielen wieder ernstgenommen werden, die neutestamentlich-missionarisch sein sollen. Wir suchen Einheit in und durch Christus, der uns unterschiedlich beauftragt, je nach unseren Begabungen und Situationen Glauben zu leben, zu bezeugen - mit Wort und Tat, in persönlicher Verantwortung und kirchlicher Geprägtheit, als Christen und Christinnen, die die Begegnung mit Kirchenfremden, mit Agnostikern und Angehörigen anderer Religionen nicht scheuen, die mit Toleranz und Respekt jeden und jede als ihren Nächsten und ihre Nächste ansehen und achten und lieben auch, das zumindest immer neu versuchen.

Einheit - oder biblischer gesagt: Einmütigkeit ist für uns in der Kirche, in den Kirchen nicht zu verwechseln mit Einheitlichkeit, auch nicht ansatzweise, sondern eher zu verstehen als Einheit in Vielfalt, in versöhnter Verschiedenheit, oder vorsichtiger noch: als Weg zu gegenseitigem Respekt. Da haben wir noch viele Schritte vor uns, evangelisch-lutherisch und römisch-katholisch und allgemein ökumenisch, in unserem Verhältnis zu Juden und Moslems und allgemein interreligiös, aber auch Männer und Frauen, Ost und West, Reiche und Arme, Arbeithabende und Arbeitslose, Deutsche und Nicht-Deutsche, Europäer und NichtEuropäer und nicht zuletzt Ordinierte/ Geweihte und Laien.

Von uns aus allein schaffen wir es nicht, aber wir können getrost darauf vertrauen, daß Gott die Gräben zuschüttet und Zäune einreißt, die zwischen uns und anderen inzwischen entstanden sind. Daß Gott unseren Mut nicht erlahmen läßt.

Wir können und sollen gemeinsam uns daran machen, offen auf die anderen zuzugehen, sie an uns heranzulassen, einander helfen und uns dann auch über die Vielfalt freuen, die Gott uns geschenkt hat, auch in der Theologie und Frömmigkeitsgestaltung, in der eigenen Kirche und weiten Ökumene. Im Bilde gesagt: Fünf Daumen machen keine Hand! Ein römischer Daumen, ein reformierter Zeigefinger, ein lutherischer Mittelfinger, ein orthodoxer Ringfinger und ein freikirchlicher kleiner Finger machen erst eine Hand - und noch eine andere dazu mit noch einmal soviel Fingern - von Juden, Moslems, Buddhisten, Agnostikern und Suchenden. Wo hinkt der Vergleich, wo stimmt er ?

Einheit (politisch wie auch theologisch) - so die vorgegebene Themenstellung. Die Ausführung muß nun in Dialog und Solidarität geschehen, und nicht nur mit vertröstenden Worten, sondern in konkreten Veränderungen auch. In unserem Volk, auch in unserem Kirchenvolk brodelt es - unter denen, die noch etwas mehr erwarten als den gegenwärtigen Zustand, und das sind - Gott sei Dank - noch viele. Die sich mit einem Nebeneinander, und sei es noch so geordnet, nicht zufrieden geben wollen. Es haben sich noch nicht alle zurückgezogen. Sie beobachten uns erwartungsvoll, uns in den kirchlichen Ämtern mit unseren Worten und Taten angesichts der sozialen und wirtschaftlichen Lage in Deutschland, uns in den Kirchen mit unseren gemeinsamen ökumenischen Schritten - und daß da gemeinsam gefeiertes Abendmahl / gemeinsame Eucharistie in erster Linie genannt wird, wissen wir, auch daß an der Basis weithin solches geschieht.

Wenn schon dieses Zeichen offiziell nicht möglich erscheint, so brauchen wir anderes, das deutlich hinweist, daß die Schritte zu mehr Gemeinsamkeit nicht nur geduldet, sondern wirklich gewollt sind. Sonst steht hier unsere Glaubwürdigkeit auf dem Spiel. Jesus sagte nicht: „Kommt her zu mir, Grüppchen für Grüppchen", sondern: „Kommt her zu mir alle!"

Als Protestantin fällt es mir manchmal außerordentlich schwer, diese Spaltung ertragen zu müssen, mitten im Kernbereich unseres Glaubens, und frage mich ernsthaft, ob da die Gewichte richtig verteilt sind: ob die Theologie hier nicht schwerer wiegt als der Glaube, ob die Tradition dem Leben hier zur Lebendigkeit hilft oder ob sie hier nicht eher lähmt. Konsens mahnen wir in unseren Kirchen an - für das politische und gesellschaftliche Leben, für soziale Aufgaben. Für unsere religiösen Fragen und unsere Alltagsfrömmigkeit muß es auch gelten, auf allen Ebenen.

Zum Schluß: Von Johannes und Paulus und vielen anderen frommen Männern sind uns Glaubenszeugnisse überliefert, wenige nur von Frauen der frühen Kirche, und aus den späteren Jahrhunderten, Jahrtausenden auch nicht gerade sehr viele. Da ist es mehr als notwendig, daß die Kirchen ihre Solidarität mit den Frauen heute unter Beweis stellen, sie endlich zur Sprache kommen lassen, auch theologisch und politisch, und zwar ohne männliche Zensur - damit eine wirkliche Gemeinschaft von Frauen und Männern wieder möglich wird, so wie es neutestamentlich bezeugt ist.

Wir haben ebenso Einheit oder Gemeinschaft anzustreben mit allen, die sonst an den Rand gedrängt wurden, durch die Jahrhunderte ebenso wie in unserer Zeit, in der Kirche und Gesellschaft.

Diese alle aufzuzählen, würde zu lange dauern - ich weise nur auf die hin, die früher und heute sich von kontextueller Theologie und der Glaubenssuche ihrer Mitbrüder und Mitschwestern anregen und bewegen ließen und lassen. Einheit ist vollkommen erst im Reich Gottes, aber hier muß sie schon ernsthaft und zeichenhaft angestrebt werden, in ihrer Fülle - um Jesu willen. Amen

Eucharistiefeier

„Seid stets bereit, jedem Rede und Antwort zu stehen, der nach der Hoffnung fragt, die euch erfüllt"
(1 Petr 3,15)

Erzbischof Dr. Ludwig Averkamp

Predigt

Der 1. Petrusbrief mahnt seit eintausendneunhundert Jahren die Christen: „Seid stets bereit, jedem Rede und Antwort zu stehen, der nach der Hoffnung fragt, die euch erfüllt“ (3,15).

Ist das eine dringliche Aufgabe auch heute an der Schwelle zum dritten Jahrtausend?

Menschen unserer Generation haben sich daran gewöhnt, unablässig eine wichtige Frage mit sich herumzutragen, ohne doch eine befriedigende Antwort darauf zu finden. Es ist die Frage nach dem Sinn des Lebens. Es ist die Suche nach einer Antwort auf die tiefe Menschensehnsucht nach einer unendlichen und überfließenden Lebenserfüllung. Wolfgang Borchert artikulierte diese Suche und die Resignation vor einer Antwort in einem szenischen Gleichnis, in dem eine Straßenbahnfahrt für die Lebensreise des Menschen steht: „Wohin fahren wir denn? frag ich die anderen. Wir müssen doch wissen, wohin? Da sagt Timm: Das wissen wir auch nicht. Das weiß keiner. Und alle nicken mit dem Kopf und grummeln: Das weiß keiner. Aber wir fahren... Tingeltangel, macht die Klingel der Straßenbahn. Und keiner weiß wohin. Und alle fahren mit. Und keiner weiß - und keiner weiß und keiner weiß ...“.

Vor einigen Wochen war ein Interview mit einer bekannten Schauspielerin zu lesen. Am Ende hieß es: „Nur eines hat diese seltsame Frau... noch nicht ergründen können: den Sinn dieses Lebens.“ Aber da kennt diese sonst so Ruhelose plausiblerweise keine Eile: „Dann wäre ja Zeit zu sterben!“

Wäre dann Zeit zu sterben? Etwa, weil erst im Tode unser ganzes Leben ins Licht gehoben wird und für uns ganz durchsichtig wird? Wäre es für ein sinnvolles und erfülltes Leben nicht unendlich wichtig, daß wir auf dem ganzen Weg wüßten, was uns damit aufgegeben ist, wie wir damit umgehen sollen und wohin es münden soll?

Unser Jahrhundert hat versucht, die weltüberschreitende Hoffnung der Christen gegen neue innerweltliche Hoffnungen einzutauschen. Hinter uns liegt der ebenso grandiose wie schreckliche Versuch, mit Macht und Gewalt eine kommunistische Ordnung aufzurichten, von der man sich eine neue Gesellschaft erhoffte, in der der neue, bessere Mensch endlich frei in eine selbstgemachte strahlende Zukunft geht. Dieses utopische Paradies ist in einem Meer von Blut und Tränen untergegangen.

Nicht vorbei ist der zweite innerweltliche Versuch, mit der Hoffnungssehnsucht des Menschen mit eigenen Mitteln zurechtzukommen. In Ost und West stehen wir in der Gefahr, die große Zukunftshoffnung zu lassen und uns mit kleineren Erwartungen an das Leben zu begnügen. Manche sind nach dem Zerbrechen der Utopien nur zu bereit, alles auf die Karte des privaten irdischen Lebensglücks zu setzen. Das scheint seelisch eine geraume Zeit auch zu funktionieren, solange die Erfahrung mit der praktischen Lebensqualität keine größeren Einbrüche erlebt und solange nicht schleichend eine Depression mehr und mehr Macht gewinnt mit der trostlosen Frage: Soll das nun alles gewesen sein, was aus meinen Lebensträumen geworden ist?

In jeder irdischen Glückserfahrung bleibt ein uneingelöster Rest. In allem ist für das Herz des Menschen immer etwas zu wenig. In der Seele bleiben ein Hunger und Durst, die über unser irdisches Leben und seine Erfüllung weit hinausweisen. Was soll aus der tiefsten Hoffnung des Menschen werden? Das ist auch die große Zukunftsfrage Europas in Ost und West. Gibt es nur noch verlorene Paradiese?

Uns Christen ist von Jesus Christus die Verheißung einer erfüllten ewigen Zukunft für Welt und Mensch anvertraut. Er selbst führt das Reich Gottes herauf, schon jetzt. Überall, wo Menschen sich auf sein Wort einlassen und sich verändern lassen von Hartherzigen zu Barmherzigen, von Ellenbogenleuten zu Menschen mit ausgestreckten Händen, von Unfriedensstiftern zu Friedensstiftern, von Selbstsüchtigen zu Selbstlosen, von Gleichgültigen zu Anwälten des Nächsten: überall dort scheint in umrißhafter und fragmentarischer Weise die Wirklichkeit des Reiches Gottes auf, das im Wachsen und Kommmen ist und in dem auf verborgene Weise der Auferstandene am Werk ist.

Er wird am Ende eine herrliche Verwandlung und Vollendung der Welt und der Menschheit heraufführen, in der die Liebe Gottes alles ganz und gar erfüllt. Hier versagen die Werte und Vorstellungen unserer Welt. Die Hl. Schrift gebraucht ein Bild, um diese kostbare Wirklichkeit anzudeuten. Es ist das Bild von der Hochzeit, die der König dem Sohn bereitet und bei der wir Menschen die geliebte Braut sind. Wir Christen sind als Kundschafter einer Hoffnung für alle Menschen und die ganze Schöpfung bestellt, die auch von Tod und Unterwelt nicht kapituliert. Europa hat ein heiliges Recht darauf, daß wir den Auftrag aus dem 1. Petrusbrief erfüllen: „Seid stets bereit, jedem Rede und Antwort zu stehen, der nach der Hoffnung fragt, die euch erfüllt" (3,15). Wir erfüllen diesen Auftrag nicht nur mit dem Mund, sondern auch und vor allem mit unserem Leben und mit unserem Einsatz für eine Gesellschaft und für Lebensweisen, in denen die Konturen des Reiches Gottes Gestalt annehmen können.

Christen werden wegen ihrer weltüberschreitenden Hoffnungen manchmal verdächtigt, zu sehr schon im Jenseits zu leben, statt ein Herz für die Menschen im Diesseits mit allen Nöten und Bedrängnissen zu haben. Jeder Zeitgenosse, der vorurteilsfrei die soziale Wirklichkeit und das soziale Wirken der verschiedenen Träger und Dienste der Kirche zur Kenntnis nimmt, weiß, daß dies nicht wahr ist. Es ist vielmehr so, daß Christen wegen ihrer Hoffnung freier sind in ihrer Zuwendung zu den Mühseligen und Beladenen. Sie leben unter dem Hoffnungshorizont des Reiches Gottes und sind erlöst von dem Zwang, ihr kleines Leben ausquetschen zu müssen für den höchstmöglichen Ertrag an irdischer Erfüllung, damit es sich wenigsten ein bißchen gelohnt hat. Auf dem Weg zum vollendeten Reich Gottes haben sie den Rücken frei und können es sich leisten, gelassener zu leben und die Aufmerksamkeit darauf zu richten, nach den Spuren dieses Reiches Ausschau zu halten und daran das Leben in Liebe zu verschwenden.

Wer verstanden hat, daß sein Leben auf eine wunderbare Liebesgemeinschaft mit Gott und den Menschen hinausläuft, und wer begriffen hat, daß der Sinn seines irdischen Lebens darin besteht, das Lieben zu lernen, immer mehr das Lieben zu lernen aus ganzem Herzen, aus ganzer Seele und aus allen Kräften, der wird sich aus der Not anderer nicht heraushalten.

Die Kirche begeht heute den Gedenktag des hl. Franz von Assisi. Christus hat ihn vor bald 800 Jahren zu einem Licht in unserer Welt gemacht mit einem dreifachen Glanz. Sein Leben leuchtet bis in unsere Zeit von inniger Gottzugewandtheit und zugleich von herzlicher Menschenzugewandtheit - er wagt es, den Aussätzigen zu küssen - und es leuchtet von Zugewandtheit zu allen Geschöpfen, die er Bruder und Schwester und Mutter nennt.

Unser Herr Jesus Christus schaue auf uns Christen in dieser Eucharistiefeier und stecke uns an mit einer solchen Liebe, daß uns die Zeitgenossen mit Vertrauen fragen mögen nach der Hoffnung, die unseres Leben hell macht.

Abschlußveranstaltung

Dr. Annette Schavan, Prof. Dr. Peter Glotz

Gespräch: Der Dialog zwischen Kirche und Welt ist Ausdruck ungeteilter Solidarität mit allen Menschen

Peter Glotz: Ja, wenn in unserer Parteiendemokratie, so wie unser Staat gebaut ist, Dialogfähigkeit eingefordert wird, dann klingt das wie eine Selbstverständlichkeit, wie eine Phrase, wie eine Üblichkeit. Dialogfähig will jeder sein, ist im Grunde auch fast jeder, die PDS oder PDI und Scientology, selbstverständlich die großen Kirchen. Damit könnte man die Debatte schon beenden. Man kann sie damit natürlich nicht beenden, denn im Grunde, und das werde ich gerade als Kommunikationswissenschaftler sagen, sind die Verhältnisse, die wir miteinander vereinbart haben zum Verhältnis von Staat und Kirche, eine Art Kommunikationsverfassung. Das definiert die Art, wie gläubige und ungläubige Menschen unterschiedlicher Konfessionen, unterschiedlichen Glaubens miteinander reden und umgehen. Die Situation ändert sich natürlich. Durch die Vereinigung ist der Prozentsatz derer, die keiner der beiden großen christlichen Kirchen angehören, auf 30 Prozent hochgeschnellt. Die Einigung Europas macht, glaube ich, auch die Singularität dieses deutschen gewachsenen Verhältnisses von Staat und Kirche in Europa deutlich, und andere Religionsgemeinschaften sind mit dem Anspruch auf Gleichbehandlung angetreten. Das werden demnächst die Muslime tun, und die Zeugen Jehovas haben schon ein erstes Gerichtsurteil in dieser Richtung erstritten.

Die Situation verändert sich also. Ich glaube, es gibt ja auch eine Diskussion von zwei Seiten, die eine solche Veränderungen anstrebt. Einmal gibt es Verfechter einer strikten Trennung von Staat und Kirche, die so einfach sagen: wir sind ein weltanschaulich neutraler Verfassungsstaat. Religion und Philosophie, das ist sozusagen bunte Vielfalt. Der Staat ist bekenntnisfrei und orientiert tolerant über alles - ich benutze jetzt bewußt diese Begriffe - was da kreucht und fleucht. In die gleiche Richtung wirkt eine Tendenz in der Kirche selbst. Ich habe z.B. dieses Problem bei meinem Wunsch, das Philosophisch-Theologische Studium in Erfurt als eine Fakultät in die Universität einzubeziehen, und dieselbe Diskussion gibt es ja um den Religionsunterricht. Ich schildere diese Position mal so: Die heute vorfindbare Theologie, sagt ihr entschiedenster Sprecher, der Bischof von Fulda, ist in wesentlichen Teilen modisch verseucht, ja, ich zitiere, „durchsetzt von eitlen und treulosen Selbstvermarktern", und wörtlich sagt Johannes Dyba: „Wir tragen inzwischen die Rüstung des Goliath, und sie lähmt uns zunehmend. Werden wir den Stein des David wiederfinden, bevor wir in die Knie gehen?".

Die Frage eben ist: Setzt sich eine Position durch und wäre sie sinnvoll auf der einen Seite, eine, die sagt, wir machen eine strikte Trennung von Staat und Kirche, orientieren neutral über alles, was da kreucht und fleucht, und die andere, die sagt, wir wollen eine kleine entschlossene Gemeinde von Menschen, die einmal - auch das ein Begriff von Dyba - „durchgeglaubt" haben? Ja, Sie lachen immer, ich zitiere nur.

Ist das nicht attraktiver und sogar mächtiger als eine vorsichtige Volkskirche? Nun werde ich mich als gut katholisch erzogener Agnostiker hüten, mich zu dieser ja rein funktionalistischen Frage, was da wirkungsvoller ist, zu äußern. Vom Standpunkt eines vermittelnden, neutralen, an Kommunikation, sozialem Konsens und Zusammenhalt interessierten Verfassungsstaats sind zwei Volkskirchen vermutlich leichter zu integrieren als sechs oder sieben militante Kampfkirchen. Das könnte die Befürworter einer fundamentalistischen Haltung - ich verwende den Begriff jetzt mit spitzen Fingern - aber eher bestärken.

Also will ich einfach am Schluß jetzt meine Position sagen. Ich verspreche mir von einem solchen Traditionsbruch von zwei Seiten, bei denen, die LER in Brandenburg diskutieren und sonstwo, und von der Position, die ich jetzt gerade von Bischof Dyba zitiert habe, nichts Gutes. Die Idee, daß Wertevermittlung nicht mal von Leuten mit einem erkennbaren Standpunkt betrieben werden könnte, sondern von neutralen Lehrern, die irgendwo im Niemandsland zwischen römischen

Katholizismus, protestantischen Strömungen, Islam und Nietzsche herumschwimmen, halte ich für ebenso unbehaglich wie die Vorstellung, daß Schulkinder oder Studierende separiert würden, daß also der Dialog zwischen Gläubigen und Ungläubigen zerbräche. Das würde auf die Dauer ja dann auch eine grundlegende Umstellung in der Kirchensteuerfrage, in der Sozialpolitik und an vielen anderen Punkten, wo Christen und Nichtchristen miteinander in Berührung kommen und sprechen, also eine Veränderung erzwingen. Jetzt will ich zum Abschluß noch sagen, welche Motive mich zu dieser Position treiben, in der ich nun so ähnlich bin wie dieser Mensch, der in dem Film gezeigt worden ist.

Es ist der Prozeß der Selbstzersetzung, der wertrationalen Vernunft in den letzten 150 Jahren. Ich erinnere mich an dieses berühmte Diktum aus Gedanken und Erinnerungen aus der Autobiographie von Bismarck, in der er schrieb: „Als wir aus der Schule gekommen sind, waren wir alle landläufige Pantheisten."

An die Stelle dieses Pantheismus ist heute die Auffassung getreten, daß es keine rationale Begründung letzter Werte und Normen geben könne. Die Folge ist die Ausbreitung eines landläufigen Relativismus. Aber eben nicht in der höchst legitimen Form eines Wertskeptizismus, eines reflektierten Wertskeptizismus. Selbstverständlich hätte es ohne Georgias keinen Platon und ohne Hume keinen Kant und keinen deutschen Idealismus gegeben. Ich lade demnächst hier nach Erfurt an unsere Universität für die dritte Universitätsrede den jungen Philosophen Vittorio Hösle ein, der gesagt hat: „Nur wer dem Nihilismus ins Auge gesehen hat, wird Philosophie auf einem gewissen Niveau treiben können, wobei Ins-Auge-sehen einen Ernst einschließt, der nicht bei jedem Salonrelativisten zu finden ist." Ende des Zitats von Herrn Hösle. Genau um diesen Ernst geht es mir. Er verlangt meiner Meinung nach, daß in der Hochschule wie in der Schule, wie an anderen Plätzen, wo wir miteinander reden, authentische Positionen eingebracht werden. Denn dieses Lernen ist ja ein personales Geschehen. Mir ist durchaus verständlich, warum sich gläubige Christen dagegen wehren, daß ihr Glaube zu einem unverbindlichen Humanismus verdünnt wird, der niemandem mehr wehtut. Mir ist auch der Widerstand gegen Indoktrination verständlich.

Ich habe mich als junger Abgeordneter furchtbar geärgert in Dachau, daß dort in einem Heim für geistig Behinderte die Schwestern bei der Wahl immer dafür gesorgt haben, daß die Briefwahl so auslief, daß ich dort nur eine Stimme bekam und mein Gegenkandidat Richard Jäger hunderte. Aber ich fürchte, daß durch eine reinliche Trennung von Staat und Kirche diejenige Fraktion gestärkt würde, die nämlich eh schon die stärkste ist in unserem Land, die der Feld-, Wald- und Wiesenrelativisten. Ich schließe mit dem berühmten Satz von Herrn Bökkenförde, der gesagt hat, eine pluralistische Demokratie kann die Werte, von denen sie lebt, nicht selbst hervorbringen, also wörtlich zitiert: „Das Bekenntnis des Staates zum Pluralismus ist nicht in der Lage, ein gesellschaftliches Wertbewußtsein hervorzubringen, aber das doch gleichzeitig die ethische Basis des Menschen auch als civis bildet." Und weil das so ist, und weil ich glaube, daß die größte Gefahr für diese Gesellschaft die Segmentierung ist, das Auseinanderfallen - in Indianerstämme sozusagen, aus diesem Grund wünsche ich mir, daß eine Verfassung erhalten bleibt, in der authentische Sprecher unterschiedlicher Richtungen wenigsten miteinander reden, wenn sie auch bestenfalls zum Kompromiß kommen und nur in ganz seltenen Ausnahmefällen zum Konsens. Das ist meine Position.

Annette Schavan: Dieses Jahrhundert, das in wenigen Jahren zu Ende geht, ist ja ein Jahrhundert, in dem zigfach und auf erschreckende Weise deutlich geworden ist: Wer den Angriff auf den Menschen, den Angriff auf die Freiheit des Menschen, wer den Angriff auf das Gewissen des Menschen versucht, der versucht immer damit zugleich auch den Angriff auf Gott. Der Angriff auf Gott, auf das Gewissen und die Freiheit des Menschen sind nahezu identisch. Das gehört zu den zentralen Erfahrungen, die wir aus diesem Jahrhundert mitnehmen, und von daher ist für mich die entscheidende Konsequenz aus diesem immer dreifachen Angriff, der da versucht worden ist, daß eine Gesellschaft am Ende dieses Jahrhunderts, daß eine Kultur am Ende dieses Jahrhunderts immer Raum geben muß in ihrem öffentlichen Leben - Sie haben die Schulen erwähnt, die Hochschulen erwähnt - immer

Raum geben muß für die Frage nach Gott, für Religion und Religionsfreiheit und Religionspraxis. Und alle Versuche, daraus ein Segment zu machen, das sich aus dem öffentlichen Gespräch, das sich aus der öffentlichen Wirklichkeit, das sich aus den öffentlichen Weiterentwicklungsprozessen herausbegibt und damit die Hoffnung, zu mehr Profil verbindet, ist in meinen Augen eine trügerische Hoffnung. Und wer die Geschichte der letzten hundert Jahre kennt, der kann schwerlich aus dieser Hoffnung leben.

In der Apostelgeschichte, ziemlich am Anfang, wird über die ersten christlichen Gemeinden gesprochen. Und da heißt die Trias, in der sie beschrieben werden: sie kamen zum gemeinsamen Gebet zusammen, sie brachen miteinander das Brot und sie teilten ihr Gut und ihre Habe mit den Bedürftigen. Angefangen hat alles damit, daß niemand auf die Idee gekommen ist, Gottesdienst und Weltdienst als verschiedene und schwerlich miteinander vereinbare Dienste oder gar als Gegensätze zu sehen. Angefangen hat alles damit, daß diese Fähigkeit zur geistlichen Existenz, zum gemeinsamen Gebet, zum gemeinsamen Brotbrechen unmittelbar verbunden gewesen ist mit dem Sich-Hineinbegeben in eine Gesellschaft, in eine Öffentlichkeit, in eine Kultur, Menschen zu begleiten, den Dialog genau darin zu sehen, daß es eine Pflicht zur Solidarität mit den Nöten, mit den Ängsten, mit den Fragen der Menschen gibt.

Junge Menschen, das erfahre ich jeden Tag im Gespräch, wollen keine Erwachsenen, die für alles offen sind, die alles irgendwie unterbringen, sondern sie suchen nach authentischen Positionen, sie suchen nach Menschen, an denen sie erkennen können, was im Rahmen des geistigen Generationenvertrages für sie bedeutsam sein kann. Sie wollen keine Wertekataloge von uns gepredigt bekommen, sie wollen erkennen können, sie wollen erfahren können, wie das geht, gelingendes Leben, wie das geht, aus einer Hoffnung leben. Für mich ist immer ein zentrales Wort gewesen: „Ihr sollt Zeugnis geben von der Hoffnung, die Euch trägt. Ihr sollt etwas verkörpern von dieser Hoffnung, die Euch trägt“. Und das kann man nicht im Séparée, das kann man nicht in der kleinen heilen Welt derer, die sich nichts mehr zu sagen haben, weil sie sowieso davon ausgehen, daß sie sich einig sind, sondern dazu gehört, hineinzugehen in den Dialog derer, die sehr verschiedene Erfahrungen, die sehr verschiedene Positionen mitbringen, dazu gehört es, um die Armen zu wissen und in ihre Häuser zu gehen. Dazu gehört es, sich zu beteiligen an der Entwicklung von Zukunftsperspektiven, an der Entwicklung geistiger Positionen am Beginn des 21. Jahrhunderts.

Aber die Aufgabe beginnt ja dann erst, wenn wir uns einig sind darin, daß also Dialog eine Grundhaltung ist, die nicht zu einem Riesenpalaver führt, sondern die dazu führt, daß wir wirklich Position beziehen. Und wir haben, wenn wir etwa nur unseren Kreis des Zentralkomitees der deutschen Katholiken nehmen, natürlich in den letzten Jahren die Erfahrung gemacht, daß das zunächst einmal voraussetzt, in der konkreten Position auch wirklich zu einem Konsens zu kommen, konkrete Positionen nicht selbstverständlich vorauszusetzen, sondern darum zu ringen, sie zu suchen. Deshalb werden wir für vieles mehr Zeit brauchen, mehr ringen müssen, aber aus diesem Ringen kann uns niemand entlassen, indem wir wieder so tun, als sei eigentlich alles selbstverständlich und im Zweifelsfall neben der Welt möglich.

Peter Glotz: Ja, aber Frau Schavan, dann ist ja alles in Ordnung, habe ich den Eindruck, wenn ich Sie höre.

Annette Schavan: Dann beginnt die Arbeit erst.

Peter Glotz: Nein, schauen Sie mal, weil Sie gerade von den jungen Menschen sprachen, die Ihnen begegnen. Nun begegne ich denen, wenn ich mit denen diskutiere, ja nicht als gläubiger Katholik, sondern eher als teilgläubiger Sozialdemokrat, so daß ich solche Debatten nicht herausfordere. Nur, ist denn nicht auch Ihr Eindruck, daß das Hauptproblem ein großer Teil von Leuten ist, die den Fragen, die Sie als gläubige Christin aufwerfen, recht gleichgültig gegenüberstehen? Das heißt, manchmal stelle ich mir vor, Sie müssen ja richtig glücklich sein, wenn Sie noch irgendwo einen Atheisten finden, der Sie richtig bestreitet und der richtig mit Ihnen kämpft, weil der ja noch irgendwo einen Bezugspunkt zu dem Ganzen hat.

Mir begegnen eine Fülle von Leuten, auch jungen Leuten, die sich interessieren dafür, daß Sie einen guten Job bei RTL bekommen oder bei Pro 7, und die sich dafür interessieren, wie ihre Karriere weitergeht, und die sich dafür interessieren, ob ihre Seminararbeit in Ordnung war, und für vieles andere, die sich aber für alle solche Fragen überhaupt nicht interessieren. Ist nicht das eines der Probleme des Dialogs, die Sie als gläubige Christin in einer Gesellschaft führen, die doch immer mehr nicht mal agnostisch ist, sondern solche Fragen überhaupt nicht mehr stellt?

Annette Schavan: Das ist eine ganze Zeit lang ein Hauptmerkmal der gesellschaftlichen Entwicklung in Deutschland gewesen. Und es mag durchaus sein, daß es ein weitverbreitetes Phänomen auch auf Dauer bleibt, und zwar überall da, wo Kultur reduziert wird auf ökonomischen Fortschritt. Die Gesellschaft ist unpolitischer geworden, sie führt keine Kämpfe mehr über die großen Ideologien. Die Leute sind müde geworden, über Systeme zu diskutieren, weil sie den einen Zusammenbruch nach dem anderen erlebt haben.

Vieles wirkt dann unpolitischer, weil es sehr viel stärker ausgerichtet ist auf konkrete Wirklichkeit, auf das Moment des Authentischen. Und damit ist auch eine große Gefahr verbunden, daß alles segmentiert wird, daß alles individualisiert wird. Das heißt, die Glaubwürdigkeit und die Stimmigkeit eines Gedankens abhängig gemacht wird von der Authentizität des Gesprächspartners. Aber bei den ganz Jungen glaube ich, daß dies nicht dauerhaft so bleiben wird. Und die Frage, wie sich diese ganz junge Generation entscheidet, ist offen.

Ich glaube, die Generation, die sich das allgemeine Relativieren geleistet hat, war eine Generation, die nur offene Türen gehabt hat, die ja mit dieser Relativierung von allem und jedem auch viel Erfolg gehabt hat. Und darin unterscheidet sie sich augenscheinlich von der Generation, die jetzt heranwächst, die nicht auf offene Türen stößt, die in einer gesellschaftlichen und kulturellen Lebenssituation steckt, die hochkompliziert geworden ist, und die deshalb auch wieder anders fragt.

In meinen Augen ist das, was Sie schildern, eine Realität in dieser Gesellschaft, aber nur eine neben anderen. Und wenn ich die Besonderheit von Generationen und die Generationenunterschiede mir anse-he, dann glaube ich, daß der Relativismus nicht mehr das entscheiden-de Design in dieser Gesellschaft ist.

Peter Glotz: Wir stark ist denn die Gruppe derer in Ihrer Kirche, die sich aus diesem Dialog eher zurückziehen wollen? Also, daß der Bischof Dyba in der Bischofskonferenz keine Mehrheit hat, ist mir auch schon gesagt worden, obwohl man das ja vermutlich anders verstehen muß wie jemand, der eine Mehrheit oder Minderheit im SPD- oder CDU-Vorstand hat. Aber trotzdem, ich meine, haben Sie eine große Mehrheit mit Ihrer Position nicht nur hier im Zentralkomitee der Katholiken, sondern auch in der ganzen Kirche? Wie sieht das aus? Oder gibt es eine starke Gruppe, die in der Tat eher die kämpfende Kirche, die gläubige Kirche, die Menschen, die durchglauben, fördert und z. B. sagt: das ist sinnvoller als dieses Parlando, das wir in dieser Gesellschaft ständig führen?

Annette Schavan: Ich kann, da katholische Kirche eine Weltkirche ist, schwerlich Minderheiten und Mehrheiten festmachen. Ich glaube, daß es in Deutschland eine derzeit wachsende Minderheit ist, die die kämpfende Kirche will, aber eine wachsende, weil ja zwei Gruppen in dieser These zusammenkommen. Das eine sind diejenigen, die es mit Theologie begründen, die tief überzeugt sind, daß diese Gesellschaft modisch verseucht ist, diese Gesellschaft und die Kirche, die in ihr ist, auch. Aber die anderen sind diejenigen, die aus ganz anderen, auch politischen Gründen die Privatisierung von Religion wollen.

Minderheiten und Mehrheiten - in die Kategorien fasse ich es nicht - aber ich sage: diese Auseinandersetzung muß geführt werden. Die Auseinandersetzung muß geführt werden über die Fortentwicklung von Tradition. Das setzt allerdings voraus, daß wir innerkirchlich in der Lage sind zu einer Entwicklung, die nicht von vornherein mit der Forderung verbunden ist, daß nichts Neues zugelassen werden kann.

Das eine sind gesellschaftliche Entwicklungen, das andere sind kirchliche Entwicklungen. Und Traditionsentwicklung - Karl Gabriel hat es ja oft formuliert - setzt voraus, daß eine Institution, daß eine Gruppe bereit und in der Lage ist, Neues aufzunehmen. Das kennzeichnet auch 2000 Jahre Christentumsgeschichte. Und wenn ich auf diese 2000 Jahre Christentumsgeschichte schaue, dann denke ich, ist es eine Geschichte, in der vielfach unter Beweis gestellt worden ist, daß Neues zugelassen wurde, daß Fortschritt in der eigenen Entwicklung möglich war. Und in der Situation stehen wir in meinen Augen: Fortschritt in der eigenen Entwicklung zuzulassen, uns nicht durch jene madig reden zu lassen, die in der Situation tiefer Verunsicherung auch zurückschrecken. Ich glaube, daß vieles, was wir jetzt erleben, letztlich Konsequenz tiefer Verunsicherung ist. Das Milieu ist zerbrochen. Das, was im Milieu selbstverständlich war, muß erarbeitet werden. Diese Prozesse der Erarbeitung sind anstrengend, sie verunsichern. Sie nehmen manche Harmonie. Und die Gefahr, in einer solchen Situation der Verunsicherung dann lieber die Auseinandersetzung sein zu lassen, ist groß. Aber noch einmal: Der Blick auf die Kirchengeschichte und die Geschichte des Christentums macht mich eigentlich zuversichtlich, daß diese nächste Etappe, Tradition fortzuschreiben, möglich ist, daß sie notwendig ist, und daß, wenn sie gelingt, daraus auch in den nächsten Jahrzehnten ein wesentlicher Beitrag auch zur Fortentwicklung des Verhältnisses von Kirche und Staat erwachsen kann.

Peter Glotz: Da ich den Verdacht habe, daß ich hier eingeladen worden bin, um mich mit Ihnen zu streiten, Frau Schavan, will ich noch einmal sagen, daß ich eine ähnliche Diskussion kürzlich mit dem protestantischen Theologen Eberhard Jüngel hatte. Da wurde das gesagt: Was Sie da mit Ihrer Position zu Kirche und Staat sagen, damit schreiben Sie Kirchen sozusagen die Funktion Wertebeschaffung und Kontingenzbewältigung zu. Damit lassen wir uns nicht abtun. Das ist rein funktionalistisch. Das war eine Diskussion mit vielen evangelischen Theologen. Da hielten die mir immer den Begriff funktionalistisch entgegen. Halten Sie mir den auch entgegen?

Annette Schavan: Nein, ich vermute nur, für manchen in der Politik ist es erst in jüngster Zeit praktisch geworden, daß das Verhältnis zwischen Kirche und Staat so ist, wie es ist. Ich denke die Annäherung oder das Interesse nahezu aller Parteien an die Kirchen war nicht immer so ausgeprägt, wie es heute ist. Insofern ist schon bei manchen die Frage: Warum ist die Freundlichkeit gegenüber den Christen und den Kirchen politisch so gewachsen? Ist sie, schlicht gesagt, erst in dem Moment gewachsen, wo auch die parteipolitische Vielfalt unter Katholiken und Protestanten größer geworden ist? Aber, ich finde, die Situation, in der wir stehen, ist für mich eindeutig nicht davon geprägt, das jetzige Verhältnis von Kirche und Staat als wechselseitige Instrumentalisierung zu sehen - auch Politiker fühlen sich instrumentalisiert von den Kirchen -, sondern die gesellschaftliche Situation ist davon geprägt, daß Kirchen und Gesellschaft auf der Suche nach Orientierung sind, daß bisherige Milieus so nicht mehr existieren, und daß deshalb dieses Verhältnis immer auch geprägt sein muß davon, daß sich die Partner jeweils voneinander freischwimmen.

Es kann nicht sein, daß Kirche sich von irgendeiner Partei in Anspruch nehmen läßt, wie umgekehrt Parteien auch von Kirche nicht. Aber, das, was mit Kontingenzbewältigung, was mit Werteentwicklung benannt wird, sind ursprüngliche Aufgaben der Kirchen und sind immer auch, wenn die Parteien nicht einem Alltagspragmatismus erliegen wollen, Aufgaben gewesen, denen sich eine politische Tradition stellen muß. Ich habe keine Furcht, obgleich Mitglied einer Partei, die in dem Moment, wo Vielfalt unter Katholiken Platz greift, einen schwierigeren Stand hat als in vergangenen Zeiten.

Peter Glotz: Die sozialdemokratischen Milieus haben sich genauso aufgelöst. Das ist überall so.

Annette Schavan: So ist es. Nein, ich finde, das sind Schlachten von gestern, die da geführt werden, und die Situation ist heute eine andere. Deshalb müssen wir uns auch mit Veränderungen von Gesprächssituationen arrangieren.

Walter Bayerlein: Gestatten Sie, daß ich mich kurz einschalte. Sie diskutieren jetzt das Verhältnis von Staat und Kirche und von Parteien und Kirche. Im Thema steht „Ungeteilte Solidarität“. Ich würde das

Stichwort von der Segmentierung noch mal aufgreifen. Gibt es nicht eine Segmentierung, die nicht zu den Parteien querläuft, nicht Staat - Kirche läuft, sondern die Gruppierungen unserer Bevölkerung betrifft? Und auch die Frage von Realitätsbewußtsein, was eine plurale Gesellschaft in einer solchen Situation eigentlich tun kann und was denn etwa Kirche tun kann in dem Bereich - ich denke, das wäre eine Ergänzung zu der Sie vielleicht etwas sagen können. Sie müssen nicht unbedingt streiten, auch wenn Sie einig sind, gefällt es uns.

Annette Schavan: Die Kombination von Dialog und ungeteilter Solidarität wollte ich mit der Erinnerung an die ersten Gemeinden ausdrücken. Jeder, der heute sagt, wer seinen Glauben auch bezeugen will im tätigen Werk, läuft Gefahr, modisch verseucht zu werden, hat jedenfalls den Anfang der Christentumsgeschichte nicht mehr im Gedächtnis. Wer heute sagt, es gibt auf der einen Seite katholische Funktionäre, die nicht beten, und auf der anderen Seite fromme Christen, die alle Gefahren in dieser Welt entdeckt haben und sich deshalb lieber zurückziehen, der hat den Anfang der Geschichte nicht mehr im Gedächtnis. Ungeteilte Solidarität heißt eben nicht alleine das Gespräch, der Dialog oder die Solidarität mit denen, die mir unmittelbar nahe und mit denen ich im Blick auf Überzeugungen und Positionen immer schon einig bin, sondern ungeteilte Solidarität heißt heute z. B., daß unsere christlichen Gemeinden, unsere evangelischen und katholischen Gemeinden vor Ort sich fragen müssen, wie stark sie alleine auf sich selbst bezogen sind. Wie stark sie mittlerweile nur beschäftigt sind mit der eigenen Gemeinde und deren Entwicklung, und inwieweit die Fähigkeit zurückgegangen ist, genau dies im Blick zu haben, was am Beginn der Geschichte gestanden hat.

In meinen Augen braucht es im Blick auf Dialog und ungeteilte Solidarität vermutlich auf der einen Seite ein Mehr an Ausstrahlungskraft im Blick auf geistliche Existenz in dieser Welt, aber ebenso mehr Ausstrahlungskraft im Blick auf das, was Gemeinde, was unsere Verbände in diese Gesellschaft und Kultur einbringen. Deshalb ist alle Debatte, ob wir frommer oder politischer werden sollen, ein Scheingefecht. Es hat mit dem wahren Leben überhaupt nichts zu tun. Im wahren Leben ist das eine befruchtend für das andere, bringt das Politischsein den

Frommen auf den Boden der Realität. Es geht um das Zusammenspiel von beidem, und deshalb sind auch Dialog und ungeteilte Solidarität in diese Beziehung von uns gesetzt, zuletzt ja in dem Papier des Zentralkomitees aus dem vergangenen Jahr. Und deshalb glaube ich auch, die Frömmigkeitsgeschichte wie die politische Geschichte müssen weitergeschrieben werden. Ich finde, daß Elmar Klinger das in dem sehr schönen Wort gebracht hat: Christen und Christinnen, das sind Menschen, die an den Himmel glauben und die Erde lieben. Und ihr Glaube an Gott und ihre Liebe zur Welt, die gehören zusammen. Und das zusammen genommen, begründet erst einen Standpunkt, der die Welt verändert.

Peter Glotz: Ja, um das Zusammenspiel geht es schon lange, das ist klar. Mir fällt dabei, wenn Sie das sagen, ein berühmter Spott von Heinrich Heine ein, der auf Kant geht. Er sagt, der Herr Professor Kant war moralisch und sein Diener war fromm. So darf das Zusammenspiel ja möglichst nicht funktionieren. Aber davon abgesehen, um auf Ihre Frage noch mal einzugehen: Das Grundproblem ist doch, wie wir in der Gesellschaft, so wie sie existiert, Kommunikation überhaupt fertigbringen. D.h., der Tatbestand ist ja wirklich, wie ich vorhin gesagt habe, das Auseinanderfallen in Indianerstämme. Wir bekommen ja immer mehr Gruppierungen - schon unser System der Öffentlichkeit verändert sich ja tiefgehend. Ganz banal: solange wir 2-3 Fernsehprogramme hatten, gab es viel Gesprächsgegenstand aus dem einzelnen Programm für Menschen, worüber sie am nächsten Morgen reden konnten. Jetzt, durch die Vielfalt dieser Programme kann sich jeder aussuchen, welcher Kommunikation er sich aussetzt. Das ist eine völlig andere kommunikative Situation. Aber das ist nur das Banale, das ist nur der Vordergrund. Der Hintergrund ist schon, daß immer mehr gesellschaftliche Gruppen im eigenen Saft kochen, in einer eigenen Kommunikation umgehen. Die Frage, wie eigentlich noch eine gesellschaftliche Kommunikation entsteht, ist sehr problematisch. Es ist problematisch für Parteien, es ist problematisch für Kirchen und für alle anderen möglichen Gruppierungen, aus ihrer eigenen Gruppe herauszukommen. Und deswegen ist eben das Problem der Kommunikationsverfassung so wichtig und auch die Bereitschaft, diese Kommunikation überhaupt herzustellen. Gelingen tut sie trotzdem häufig nicht.

Annette Schavan: Also wenn es so ist, wie Sie sagen, dann ist es ja noch problematischer, wenn nun auch noch die Kirchen aus dem Bemühen um Kommunikationsstrukturen ausbrechen.

Peter Glotz: Ja sicher.

Annette Schavan: Der Beitrag besteht ja genau darin, solche Kommunikationszusammenhänge wieder herzustellen. Ich glaube im übrigen auch nicht, daß das Bild von der nur segmentierten Gesellschaft stimmt. Es ist die eine Wirklichkeit in dieser Gesellschaft, daß sie segmentiert ist. Aber es gibt längst auch - darüber wird nur sehr viel weniger gesprochen - ein Einvernehmen, das schon im Blick auf gelebte Erfahrungen existiert.

Die öffentliche Rede von der Segmentierung der Gesellschaft ist so richtig wie sie falsch ist. Sie ist an dem Punkt falsch, wo sie als Vorwand genutzt wird, um sich aus dem gesellschaftlichen Gespräch zurückzuziehen. Man kann es solange herbeirufen, bis tatsächlich nur noch Indianerstämme herumlaufen, die keinerlei Interesse mehr haben an einer Verständigung. Und genau das ist ja das Argument für diejenigen, die den Rückzug propagieren.

Einer der großen Prälaten, die im Zentralkomitee gut bekannt sind, Bernhard Hanssler, hat vor einigen Wochen einmal gesagt: die Kirche befindet sich in einem Prozeß der Metamorphose, und niemand von uns weiß, wie exakt das Ergebnis sein wird. Und in vielem wird es auch im Blick auf Gesellschaft und Kultur so sein.

Wenn es stimmt, daß in den nächsten zehn Jahren so viel geforscht und mehr publiziert werden wird als in 2500 Jahren zuvor, dann ist auch dies ein enormer Veränderungsprozeß. In diesen Veränderungsprozeß muß Kirche mit einem klaren Plädoyer für Gott und den Menschen, nicht für Gott oder den Menschen eingreifen.

Walter Bayerlein: Ich habe noch eine Frage hier, aber nicht an Sie beide, weil Sie sie auch nicht beantworten können. Ich auch nicht. Die lautet nämlich: Ist seitens der Kirche, des einzelnen und der Kirchenleitung ein Dialog als Ausdruck ungeteilter Solidarität mit allen Menschen überhaupt gewollt? Denn die Frage geht natürlich an jeden einzelnen von uns, ob wir das wirklich wollen. Und es geht an die Kirchenleitung, auch dafür können wir nicht sprechen. Aber ich denke, es ist eine offene Frage: Bereitschaft, Fähigkeit, Bewußtsein, wie notwendig das ist. Es schadet nichts, wenn ein solches Gespräch mit einer offenen Frage endet.

Prof. Dr. Hans Maier, Prof. Dr. Richard Schröder

Gespräch: Der Dialog zwischen Kirche und Welt muß ökumenisch sein

Richard Schröder: Wir haben ein ganz spontanes Gespräch vereinbart, aber so etwas muß natürlich organisiert werden. Um aber den Betrug nicht allzu groß werden zu lassen, haben wir das Organisieren auf eine einzige Absprache beschränkt. Zuerst soll jeder von uns erzählen, wie er die andere Seite erlebt hat, also Ihre Erfahrungen mit evangelisch, meine Erfahrungen mit katholisch. In einem zweiten Gang erst wollen wir zum Thema der Tagung kommen, dem ökumenischen Dialog in der Welt, mit der Welt. Wir schwören, dies sind alle Absprachen, die wir gemacht haben.

Herr Maier, was für Erfahrungen haben Sie mit „evangelisch"?

Hans Maier: Das ist natürlich ein weites Feld. Also die Evangelischen habe ich nicht kennengelernt in der Familie und in der Verwandtschaft, da war man auf sehr verschiedene Weise katholisch. Aber in der Schule, da gab es immer evangelische Mitschüler. Ich muß hinzufügen, daß ja die badische Schule eine Simultanschule war schon seit den 80er Jahren des vorigen Jahrhunderts, und es ist vielleicht auch kein Zufall, daß viele Ökumeniker, ich nenne nur Augustin Bea und Karl Rahner, aus dieser Schule kommen. Wenn man über den Rhein blickte, so hatte Albert Schweitzer eine ganz ähnliche Biographie. Der

Oberrhein war immer eine Landschaft des Streits auf der einen Seite, von den Bauernkriegen bis zum badischen Kulturkampf, da war man nicht kleinlich, aber auch des Ausgleichs. Man hat sich irgendwann dieses Streits geschämt und hat eingelenkt. Ja, wie habe ich die Evangelischen erlebt? Das klingt jetzt fast despektierlich. Zunächst mal als etwas Besseres, nämlich sozial bessergestellt. Sie kamen meistens nicht aus Arbeiter-, Bauern-, Kleinbürgerfamilien. Die vielen Professoren in Freiburg waren damals zu 80% Protestanten, und wenn wir eingeladen waren, stellten wir immer fest, die wohnten in eigenen Häusern, wir Katholiken eher in Mietwohnungen. Das war eine soziale Erfahrung, sie lag dem Religiösen voraus.

Zweitens hatten wir immer den Eindruck: die sind freier, die sind ungezwungener. Wie sich die einzelnen Positionen dann zu einem Ganzen zusammenreimten, das man evangelische Kirche nennen konnte, das war manchmal ihr Geheimnis, aber immerhin, sie waren freier. Wir waren eher an eine feste Marschordnung gewöhnt, damals noch, und gehorsam erzogen gegen Mutter Kirche, und wir schauten manchmal mit einer gewissen Bewunderung auf unsere evangelischen Mitschüler. Sie hatten ein besonderes Verhältnis zum Leben. Sie waren auf jeden Fall keine Eremiten, die sich zurückzogen, sie standen mitten im Leben, in ihren Familien. Das war so meine frühe Erfahrung.

Später natürlich hat sich dann der Kreis geweitet. Im Studium habe ich viele protestantische Mitstudenten, natürlich auch Professoren kennengelernt. Wir fuhren manchmal nach Basel mit Alexander Schwan, um Karl Barth zu hören in seiner letzten Zeit. Es war hocheindrucksvoll: der Alte vom Berge, Schöpfer einer riesigen Kirchlichen Dogmatik, heute kaum mehr gelesen, Zeugnis einer Verkirchlichung der evangelischen Theologie... Aber damit sind wir eigentlich schon in der Gegenwart, und jetzt müßten **Sie** erzählen. Sie sind, glaube ich, 1943 geboren. Ich habe festgestellt in Frohburg, ich in Freiburg, Frohburg in Sachsen. Vielleicht haben Sie ähnliche, vielleicht aber auch andere Erfahrungen mit den römischen Katholiken.

Richard Schröder: Meine erste Begegnung mit dem Katholizismus liegt so etwa in meinem achten Lebensjahr und hat den Namen

Edeltraud Meißner. Aber Sie denken jetzt in ganz falsche Richtung. Sie war das einzige katholische Kind in unserer Klasse und sie war ein Flüchtlingskind. Denn Sachsen ist urevangelisch, obwohl es ja seit August dem Starken einen katholischen Hof hatte. In unserer Kleinstadt also waren die Katholiken Flüchtlinge. Und wie's nun kommt, auch Kinder in diesem Alter sind offenbar in Konfessionskunde pfiffig, wenn's darum geht, Unterschiede zu entdecken. Jemand hat also der armen Edeltraud immerfort „Heilige Mutter Maria" nachgerufen. Ich behaupte ja, daß ich das gar nicht war, sondern mein Freund. Da nun Edeltraud ob solcher Kränkung weinend nach Hause kam, ging ihr Vater zu meinem Vater und sagte, wir müssen doch hier als Christen zusammenhalten und das darf doch nicht sein, daß meine Tochter wegen ihres Glaubens gehänselt wird, da müssen Sie doch einmal ein Wort mit Ihrem Sohn sprechen. Das hat mein Vater auch getan, er hat mich also streng ermahnt. Ich fand das aber sehr ungerecht, denn die quaestio juris: so etwas tut man nicht, war ja gar nicht strittig, sondern die quaestio facti: ich wars ja gar nicht - also wenn ich ganz genau bin: ich hab das ja gar nicht angefangen. Das also war meine erste Erfahrung.

Die zweite Begegnung hatte ich als Theologiestudent an der Kirchlichen Hochschule Naumburg. Dort wurden gute Beziehungen zum Priesterseminar in Erfurt gepflegt. Und die gingen weiter, als das heute im vereinigten Deutschland selbstverständlich ist. Es gab da nicht nur den Studentenaustausch, sondern auch Dozentenaustausch. Ich war später, als Dozent, öfter Gast bei der Semestereröffnung, und bei all diesen Gesprächen hat mir imponiert, daß die katholischen Kollegen die weltanschauliche Auseinandersetzung mit dem Marxismus-Leninismus, Apologetik also, sehr ernst nahmen, nicht unbedingt als Auseinandersetzung mit leibhaftigen Marxisten, sondern sozusagen in absentia, Argument gegen Argument setzend, als ging es hier um einen Streit auf derselben Ebene, Idealismus gegen Materialismus, wie das die Marxisten auch sahen.

Damit kontrastierte aber eine andere Erfahrung. Etwa seit 1984 gab es in Ungarn Veranstaltungen eines christlich-marxistischen Dialogs. Das war nicht etwa, wie viele denken, etwas Selbstverständliches, sondern etwas Ungewöhnliches. In der DDR war Dialog tabu, nach der Devise: über Grundsatzfragen reden wir nicht, sondern gehen einen gemeinsamen Weg. So sah das die SED und auch die Ost-CDU. Ich habe mich da immer gefragt, wie man das macht, gemeinsam gehen, aber nicht darüber sprechen, wohin. Jene Dialogveranstaltungen fand ich ganz interessant, weil damals schon einige ungarische Marxisten sehr frei und undogmatisch diskutiert haben, und ich sah die Chance, einmal auf die zentralen Dissenspunkte zu kommen. Einmal nun hatte ich die Gelegenheit, mit einem katholischen „Würdenträger" darüber zu sprechen und habe ihn gefragt: „Warum nehmen Sie an dergleichen nicht teil? Das ließe sich doch organisieren." Da hat er geantwortet: „Wir halten uns da zurück, denn so etwas verwirrt nur die Gläubigen." Das sollte offenbar heißen: strikte Trennung, keine öffentlichen Diskussionen, damit klar bleibt, wer wohin gehört. An einem Tisch sitzen ist zu mißverständlich. Nun, wir alle wissen, wie sehr der evangelischen Kirche in der DDR die Formel „Kirche im Sozialismus" am Ende auf die Füße gefallen ist, weil sie in der Öffentlichkeit oft als „sozialistische Kirche" interpretiert worden ist. An dieser Unklarheit ist auch die evangelische Kirche mitschuldig. Aber der ursprüngliche Grundgedanke war gut, finde ich, und enthält auch etwas für den Protestantismus Charakteristisches: wir dürfen uns den Auseinandersetzungen der Gegenwart nicht entziehen durch geistige Selbstisolierung, als wären wir uns selbst genug. Diese Offenheit hat auch ihre spezifischen Gefahren bei sich. Aber jene Dialogvermeidungsstrategie zur besseren Wahrung der katholischen Identität, das erschien mir doch nicht als bessere Wahl.

Dritter Komplex: Erfahrungen im Pfarramt. In meinem Filialdorf Walbeck gab es nur wenige Katholiken, und die benutzten unsere Kirche für ihren Gottesdienst. Erntedankfest haben wir gemeinsam, als ökumenischen Gottesdienst gefeiert. Aber, sagt mein katholischer Kollege, natürlich ohne Abendmahl. Das war nun eine kleine Asymmetrie. Für uns Evangelische war das trotzdem ein vollwertiger Gottesdienst, weil wir nicht jeden Sonntag das Abendmahl feiern. Für die katholische Seite war es höchstens ein halber Gottesdienst. Mehr wird nicht rausgerückt.

In anderer Hinsicht hat mir mein katholischer Kollege sehr imponiert. Seine Schwester war Nonne in einem westlichen Kloster und hatte ihr 25jähriges Einsegnungsjubiläum. Darauf hat mein Kollege einen Antrag auf Ausreise zum Verwandtenbesuch gestellt, und zwar mit dem Argument, daß die Silberhochzeit von Verwandten ersten Grades ein anerkannter Besuchsgrund sei, und seine Schwester sei ja sozusagen mit Jesus Christus verheiratet. Der Polizist aber erklärte, das interessiere ihn gar nicht, denn „was Recht ist, bestimmen wir." Er dagegen: „Ein bißchen müssen Sie sich aber auch nach dem da oben richten." „Wieso denn?" „Sie können doch nicht festlegen: alle Männer über zwei Zentner werden erschossen." „Das machen wir ja auch gar nicht". „Na eben." Diese naturrechtliche Argumentation hat mir durchaus imponiert, weil sie offenbar machte, was für ein Quatsch der so oft gehörte Satz ist: „Was Recht ist, bestimmen wir."

Die letzte Geschichte: der Altar in der Geburtskirche von Novalis in Wiederstedt. Wir mußten diese alte Klosterkirche außer Gebrauch nehmen, weil das kleine Dorf von 1000 Einwohnern zwei Kirchen hatte, denn es war einmal durch eine Landesgrenze geteilt. Da kam der katholische Kollege und fragte: „Was macht ihr denn mit dem Flügelaltar?" Es handelte sich um einen spätmittelalterlichen Marienaltar, aber Maria war in der Reformationszeit entfernt und durch eine Kanzel ersetzt worden. Also: rechts und links Bilder des Lebens Jesu, in der Mitte aber nicht Maria, sondern der Ort fürs Wort Gottes. Wir sind handelseinig geworden. Die katholische Gemeinde hat den Altar übernommen und renovieren lassen, für viel Geld. Die Kanzel wurde entfernt und eine Marienfigur besorgt, die eingesetzt wurde. Und so ist also dieser Altar von der Schande des Protestantismus gereinigt worden.

Hans Maier: Ja, wir könnten sicher Dutzende von Anekdoten erzählen, die eines belegen: daß wir uns vor 30, 40, 50 Jahren doch noch recht fremd gegenüberstanden. Nicht gerade feindlich, aber fremd - die anderen gewissermaßen Exoten. So ein Katholik in Bremen um 1930 oder ein Protestant in Altötting 1920, die waren sicher in einer schwierigen Minderheitsposition. Und das galt natürlich nicht nur von Mensch zu Mensch, es bezog sich eben auch auf die ganzen Ausdrucksweisen des Religiösen. Ich habe zu später Stunde noch beim Nordischen Katholikentag in Lübeck in den 80er Jahren eine herrliche Geschichte erlebt. Da hatten wir Gastrecht im Dom, aber der dortige Propst sagte uns, ihr könnt alles machen, aber bitte keinen Weihrauch. Über diese Grenze wollte er dann doch nicht springen, während wir als Katholiken dachten, die Wohlgerüche Arabiens und des Alten Testaments, die könnten auch Lübeck zieren. Nein, es ging nicht. Umgekehrt hat sich doch inzwischen eine große Annäherung vollzogen, vor allem in dogmatischen Grundfragen. Es ist ja staunenswert, daß im Jahr 1997 das erste gemeinsame Rechtfertigungsdokument zwischen Lutheranern und Katholiken seit der Reformation zur Verabschiedung ansteht. Andererseits haben sich auch die äußeren Formen, die liturgischen Formen, angenähert. Beim Weihrauch ist es noch etwas schwierig, aber mit den Kerzen schon nicht mehr. Es wäre zu meiner Schulzeit unmöglich gewesen: eine protestantische Prozession mit Kerzen oder ein Kirchentag mit violetten Halstüchern. Violett galt als katholische Farbe, und die Kerzen waren etwas, was an Lichtmeß erinnerte. Etwas ganz „Katholisches" waren sogar manche Formen des DDR-Protests in den 80er Jahren, 89/90. Vieles hat sich in Form einer - ich sage mal - katholischen Lichterprozession abgespielt. Also, nicht nur dogmatisch, sondern auch in den Ausdrucksformen hat man sich angenähert.

Die Frage ist jetzt: Was bedeutet das für den Dialog mit der Welt, der ja ökumenisch sein soll? Heißt unser Thema eigentlich, daß es keinen unmittelbaren Kontakt, keinen unmittelbaren Dialog der Protestanten mit der Welt oder der Katholiken mit der Welt mehr gibt? Müssen wir immer erst auf den anderen schauen (und da wäre ja noch der Dritte, die Orthodoxie!)? Müssen wir immer aufeinander schauen? Dürfen sich die Christen nur gemeinsam bewegen? Oder bedeutet es eher, daß wir unseren Traditionen treu bleiben, aber immer auf den anderen schauen, ihn nicht verletzen, ihm nichts Unmögliches zumuten? Ich will das nachher noch ein bißchen exemplifizieren an der Europa-Politik, die ja so ein Kriterium ist, wo sich Katholiken, Orthoxe und Protestanten ganz verschieden verhalten von den 80er Jahren bis heute.

Richard Schröder: Ich glaube, daß sich Katholiken und Protestanten viel einfacher verständigen können als beide mit den orthodoxen Kirchen. Ich darf mich hier nicht pauschal über *die* orthodoxen Kirchen äußern, weil ich mich da nicht genug auskenne. Aber von der russisch-orthodoxen Kirche kann ich doch einiges sagen. Ich denke dabei nicht an dogmatische Fragen, sondern an den kulturellen Kontext. Die russisch-orthodoxe Kirche hat keine Aufklärung durchgemacht. Es hat dort auch keine Scholastik gegeben. Ich verstehe unter Scholastik jene messerscharfe Durcharbeitung der Tradition, das Abklopfen auf innere Stimmigkeit und auf Unstimmigkeiten. Wir spötteln heute gern über die Scholastik. Man darf aber nicht übersehen, daß dieser Prozeß zwar einerseits die Theologie über das verträgliche Maß rationalisiert haben mag, aber auch die Aufklärung vorbereitet hat, die sich allerdings auch noch aus anderen Wurzeln speist. Ebenso fehlt in der russisch-orthodoxen Kirche die Erfahrung der Unterscheidung von Staat und Kirche, wie sie sich im Mittelalter als Nebeneinander, auch Gegeneinander von Papst und Kaiser präsentiert. Es fehlt im russischen Kulturkreis auch die Tradition (begrenzter) politischer Autonomie, wie sie die Reichsstädte präsentieren. Das alles sind ja Elemente, die zur europäische Freiheitsgeschichte gehören. Allerdings gehören zum Prozeß der europäischen Aufklärung auch die Tendenzen der Entkirchlichung und Entchristlichung unserer europäischen Kultur. Aber in mancher Hinsicht sind wohl die Verständigungsprobleme mit orthodoxen Kirchen sogar größer als die mit bestimmten Gestalten eines atheistischen Humanismus, der aus unserem Kulturkreis stammt, z.B. hinsichtlich der säkularen Begründung des Staates.

Das ist das eine Feld, auf dem wir einander näher sind als ein Rückblick auf die Kirchengeschichte vermuten läßt.

Das andere Feld: Je weiter die Entkirchlichung und Entchristlichung in unserer Gesellschaft voranschreitet, um so stärker erfahren wir, daß wir in demselben Boot sitzen. Anders ausgedrückt: die Differenzen, die uns beide von bestimmten in unserer Gesellschaft vertretenen Positionen trennen, erscheinen geringer als die Differenzen, die uns voneinander trennen. Wir gebrauchen angesichts bestimmter gesellschaftlicher Mißstände ungefähr dieselben Argumente. Oder wir verteidigen gemeinsam bestimmte Institutionen, die andere ruhig den Bach runtergehen lassen. Es gibt für uns sozusagen eine ähnliche Gefechtslage hinsichtlich bestimmter Positionen, Auffassungen und Meinungen, die rings um uns vertreten werden.

Hans Maier: Ich sehe das ganz genau so und darf es vielleicht noch ein bißchen illustrieren. Die Orthodoxie hat einen inneren, sehr starken glühenden Kern, das ist Gebet und Gottesdienst. In der Hinsicht richtet sie auch Fragen an uns beide, Katholiken und Protestanten. Aber rings um diesen inneren Kern - der ja so stark war, daß er 70 Jahre Kommunismus überdauert hat! - ist wenig, keine Diakonie, kein Kirchenrecht, keine Scholastik, nicht einmal eine Theologie im westlichen Sinn. Das ist Kirche vor dem Investiturstreit. Das ist auch Kirche, die sich immer flüchtet in die Identifikation mit dem Staat, das ist ja das heutige Problem. Lesen Sie die Hirtenbriefe der serbischen Bischöfe während des Krieges. Wir wollen da keine Steine werfen, aber es ist auf jeden Fall, wie Sie richtig sagen, eine andere Geschäftsgrundlage. Es ist schwieriger, die Ökumene nach dieser Seite hin zu festigen. Nötig ist es allemal. Ich möchte das Problem nicht aus dem Auge verlieren.

Jetzt aber zu unseren katholisch-protestantischen Kontroversen, deren es, zum Glück möchte ich fast sagen, immer noch welche gibt. Denn man ist ja bei der Ökumene immerhin hin- und hergerissen zwischen zwei Empfindungen. Auf der einen Seite flachen sich Unterschiede ab, und wir werden uns einiger, wir kommen uns näher. Auf der anderen Seite verlieren wir im Prozeß der Annäherung auch oft an Profil, an Tradition. Ich habe einmal einen schönen Briefwechsel gehabt mit einem evangelischen Würdenträger in Franken. Der disziplinierte seinen Chor - immerhin den Windsbacher Knabenchor! -, weil der Marienhymnen in Heilsbronn im Münster zum Vortrag gebracht hat. Ich habe ihm dann eine Auswahl von Lutherzitaten über Maria geschickt. Mit Luther war ich seit dem Seminar von Gerhard Ritter vertraut, da war ich immer schnell bei der Hand, mit Luther gegen die heutigen Protestanten zu argumentieren, und es hat sich dann ein Briefwechsel daraus ergeben. Aber ich verstehe diesen Mann auch irgendwo, der das Gefühl hat, unserer evangelischen Volkskirche schwimmen die Felle weg, wenn wir uns zu ökumenisch-europäisch-kosmopolitisch öffnen. Das ist das andere Problem.

Ich habe vorhin das Stichwort Europapolitik gebraucht, und da kann man prototypisch klar machen, daß sich die drei großen christlichen Konfessionen ganz unterschiedlich immer noch verhalten und daß die alten Traditionen immer noch recht mächtig und virulent sind. Sie erinnern sich an 1989/90. Das Ende des Sozialismus hat auch dazu geführt, daß die europäischen Kirchen sich zusammengetan haben. Zuerst die katholische, die hatte es am leichtesten, sie war in Ost und West vertreten, sie war, wie Ulrich Ruh einmal in der Herder-Korrespondenz geschrieben hat, die europa-kompatibelste. Und interessant war bei diesem Treffen, natürlich im Vatikan, daß hier das Wort Neuevangelisierung, Missionierung Europas ausgegeben wurde. Dann kamen die Protestanten in Budapest, übrigens die erste evangelische Weltzusammenkunft seit der Reformation! Und interessanterweise waren die Anglikaner nicht dabei. Die sagten, wir sind ebenso katholisch wie evangelisch, wir fühlen uns hier nicht betroffen. Dieses Protestantentreffen hat nach einem Vortrag von Eberhard Jüngel ein sehr interessantes Manifest verabschiedet, worin der Protestantismus ein bißchen vom katholischen Europa abgegrenzt wurde, indem man sagte, unsere Grundlage ist erstens die Reformation und zweitens die Aufklärung. Das wäre ja bei einem katholischen europäischen Kongreß nicht so einfach über die Lippen gegangen. Es ging auch in Budapest nicht sehr einfach, es gab viele Gegenstimmen. Dann kamen drittens die Orthodoxen, die tagten in Istanbul, im Phanar, und die klagten nun. Sie beklagten den Lauf der Zeiten. Diese Stellungnahme ist, wenn man sie mit unvoreingenommenem Auge liest und mit den katholischen und evangelischen Äußerungen vergleicht, eigentlich die pessimistischste, die resignativste. Und es kommt auch schon dieses orthodoxe Beharren auf nationalen Strukturen zum Ausdruck: Wo wir sind, darf kein anderer sein. Vor allem auch nicht Katholiken und Evangelische - und das hat sich ja nun fortgesetzt bis zu dem in diesem Jahr verabschiedeten russischen Religionsgesetz.

Es ist interessant, und ich will die Frage gleich weitergeben an Richard Schröder, es ist interessant, daß diese Traditionen immer noch weiterwirken und daß wir nicht glauben dürfen, die Annäherung, die in Deutschland, im Ursprungsland der Reformation, besonders stark ist, betreffe die ganze Welt. Vielleicht noch eine Bemerkung: Ich verdanke dem Landesbischof Dietzfelbinger den schönen Vergleich von Großkirchen mit Omnibussen. Er sagte, so eine Freikirche das ist ein Fahrrad. Die kommen an jeder Kreuzung durch. Aber ich als Bischof, ich sitze da in einem Riesencontainer und muß schauen, wie ich um die Ecke komme. Das gilt ein bißchen für alle. Die Protestanten haben im Gepäck, das kann auch eine Last sein, das ganze Kolonialzeitalter. Sie haben die europäische Expansion im Gepäck. Mein Lehrer Gerhard Ritter pflegte zu sagen: Was wir Moderne nennen, das ist die Weltwirkung des Protestantismus. Die Katholiken, die haben die Ungleichzeitigkeiten der Ersten, Zweiten und Dritten Welt im Gepäck, sie können sich nicht bewegen ohne die Lateinamerikaner, ohne die Afrikaner. Auch das ist unter Umständen eine große Geschichtslast. Kurzum, wir haben unterschiedliche Zeiten, unterschiedliche Beweglichkeiten. Wie wirkt sich das auf unseren Dialog mit der Welt aus?

Richard Schröder: Daß die katholische Kirche eine weltweite Organisation ist, das ist, glaube ich, eine Erbschaft des römischen Reiches. Der Protestantismus hat, auf niedrigerem Niveau, ebenfalls ein vergleichsweise hohes Organisationsniveau. Was ich meine, nennt man heute Amtskirche. Andere Religionen sind sehr viel lockerer organisiert, aber trotzdem sind sie in ihren Zusammenhängen stabil. Das ist die Stabilität der Verankerung im Leben. Die Zukunft des Christentums hängt erheblich von der Frage ab, wie weit es unabhängig von den Organisationsstrukturen seine Überzeugungssubstanz erhält. Die orthodoxen Kirchen sind geprägt vom Ideal einer Volksreligion. Das ist in den westlichen Kirchen insofern anders, als dort trotz aller Verflechtungen von Kirche und Staat ein Differenzbewußtsein von Kirche und Staat erhalten geblieben ist. Hier war das Ideal das einer Volkskirche. Die Frage, die mich beschäftigt, ist die, wie die christliche Substanz sich erhalten kann, wenn die Strukturen der Volkskirche zerbrechen. Im Osten Deutschlands ist das bereits der Fall. Denn 20-30% Christen, das ist keine Volkskirche mehr, sondern Diaspora, aber keine Diaspora von Evangelischen unter Katholiken oder umgekehrt, sondern von Christen unter Nichtchristen. Wie kann dann der Tradierungsprozeß zur nächsten Generation aussehen? Die Auseinandersetzungen um den Religionsunterricht haben ja in dieser veränderten Situation ihren harten Kern, aber darauf will ich jetzt nicht eingehen. Einmal im Jahr, nämlich zu Weihnachten, einen Gottesdienst besuchen, das genügt zweifellos nicht zur Traditionsvermittlung. Das ist zwar auch immerhin etwas, und das diffundiert auch irgendwie in die Gesellschaft hinein, aber es ist doch zu wenig, um eine Überlieferungssubstanz zu erhalten. Gerade unter den Bedingungen einer christlichen Diaspora brauchen wir auch die Laien, also Nichttheologen aller möglichen Berufe, die über eine fundierte christliche Bildung verfügen, die also nicht sagen müssen: da muß ich erst einmal meinen Pfarrer fragen, von Theologie verstehe ich nichts, sondern Rede und Antwort stehen können in Fragen des Glaubens. Deshalb plädiere ich für ein paar Konfessionsschulen, nicht sehr viele, aber hier und da eine.

Walter Bayerlein: Meine Herren, mir ist jetzt bei der Geschichte aufgefallen, es wurde auch geschrieben, Sie sind ja auch nebenbei Mitglied des Rates der EKD, nicht nebenbei, sondern unter anderem: Ist es nicht so, daß wir in den verschiedenen Schichten des Kirchenvolkes eine unterschiedliche ökumenische Richtung, auch was den Dialog mit der Welt angeht, haben? Da gibt es auf der einen Seite die Bischofskonferenz und die EKD, die neuerdings eine Erklärung nach der anderen gemeinsam zu wichtigen gesellschaftspolitischen Fragen machen, wobei die Frage der Beteiligung der Laien an solchen Erklärungen eine Frage ist, die uns mehr interessiert. Dann gibt es auf der Basis eine ganz selbstverständliche Zusammenarbeit, allerdings weniger in politischen Fragen, sondern eher im sozial-caritativen Gemeindeleben ausgedrückt. Was ist auf der Mittelebene, wenn dialogisiert wird mit der Welt, geht da Ökumene oder geht sie nicht? Also, für mich ist das ganz interessant. Vielleicht liegt es daran, daß das Papier ein so grundlegendes ist, vom breiten Teil des Kirchenvolkes über die Rechtfertigungslehre nicht als besonders bedeutsam angesehen, weil man eigentlich Probleme löst, die so weit zurückliegen und heute das normale christliche Leben wenig prägen. Ich weiß nicht, ob es mit der Eucharistie nicht ähnlich ist und hier Fragen diskutiert werden, die wohl theologisch wichtig sind, die aber an der Basis nicht die gleiche Relevanz haben. Da ist es oft schwierig, daß wir verschiedene politische Optionen haben. Die Zeit ist zu kurz, das alles anzusprechen, aber ich denke es ist vielleicht ganz gut, ein paar Bälle reinzuwerfen. Vielleicht kann jeder von Ihnen dazu was sagen.

Richard Schröder: Die Beobachtung ist richtig, daß auf der unteren Ebene, wo man auch zusammen wohnt und wo man in den neuen Bundesländern gemeinsam eine Zeit erlebt hat, in der Evangelische und Katholische gleichermaßen schief angesehen waren, die Zusammenarbeit am einfachsten ist. Die Unterschiede, die dort wahrgenommen werden, sind nicht zuerst theologische Unterscheidungslehren, sondern Erlebnisunterschiede. Euer Gottesdienst ist anders. Bei uns hat der Pfarrer einen schwarzen Talar an, bei euch ist er bunt gekleidet. Und dann gibt es Überraschungen über unerwartete Gemeinsamkeiten, z.B. beim Gesangbuch. „O Heiland, reiß die Himmel auf" ist fester Bestandteil des protestantischen Liedguts. Manche werden ungläubig dreinschaun, wenn sie erfahren, daß das Lied von einem Jesuiten stammt. Die entsprechende Überraschung können Katholiken erleben. In unserem neuen Evangelischen Gesangbuch ist nun immer vermerkt, ob das Lied „ökumenisch" ist. Das ist ja auch ganz praktisch, die könnten wir also mühelos gemeinsam singen. Das ist alles erfreulich und so weit in Ordnung. Wenn nun jemand sagt: Seht ihr, die konfessionellen Unterschiede spielen an der Basis keine Rolle mehr, also laßt sie uns begraben, würde ich antworten: Daß wir uns nicht mehr die Köpfe einschlagen ist ja in Ordnung; aber es gibt auch die Gefahr des religiösen Substanzverlustes durch das Ausweichen vor den religiösen oder theologischen Fragern ins gemeinsame Engagement. Wer also sagt: Laßt uns lieber etwas Soziales gemeinsam machen, statt uns über theologische Fragen zu zerstreiten, der beschädigt auch die Substanz, von der wir als Christen leben. Denn wenn wir uns über Fragen des Glaubens gründlich unterhalten, dann werden wir zwar auch Gemeinsamkeiten feststellen können, aber wohl auch darauf stoßen, daß es noch immer sozusagen verschiedene theologische oder religiöse Grundmelodien gibt zwischen evangelisch und katholisch, mit jeweils spezifischen Chancen und Gefährdungen. Wahrscheinlich hat jede Seite spezifische christliche Tugenden und spezifische christliche Laster. Auch hier ist das Gespräch sinnvoll: Wo liegen unsere spezifischen Stärken und Schwächen? Es wäre nichts gewonnen, wenn wir kühn behaupten, wir sind alle gleich stark, wir wollen doch alle das Gute. Faule Friedensformeln sind auch intellektuell unredlich. Es ist gar nicht nötig, daß sich jedermann jederzeit mit diesen Fragen beschäftigt. Ich glaube, daß eine stabile und verläßliche Beziehung zwischen einem Evangelischen und einem Katholiken nicht dadurch zustandekommt, daß beide sagen, über Differenzen reden wir nicht, sondern nur über unser gemeinsames soziales oder politisches Engagement, sondern dadurch, daß man gelassen und gelegentlich auch auf die noch bestehenden Unterschiede zu sprechen kommt.

Hans Maier: Was die Lieder angeht, so sind wir da relativ weit. Das darf man auch zurückführen auf das Kirchenlied 1938, das zum ersten Mal evangelische Lieder aufgenommen hat. Ein gewisser Rückschlag ist eingetreten bei der gemeinsamen Bibel- und Liturgiesprache, wobei ich gespalten bin. Ich verstehe gut, daß in evangelischen Gemeinden die manchmal doch sehr nivellierende Einheitsübersetzung nicht rezipiert wurde. Luther ist einfach stärker, und als Germanist muß ich sagen, ich sympathisiere damit, daß man diese Tradition einer hinreißenden großartigen Darstellung des Evangeliums in deutscher Sprache nicht einfach preisgibt. Anderseits: die Katholiken haben die Einheitsübersetzung rezipiert, die evangelischen nicht. Das ist also ein Unterschied, ohne daß ich jetzt einen Vorschlag mache, wie da weiterzukommen sei. Zur Politik und zum Wirtschaftlich-Sozialen: Ich erinnere mich noch, wie in meiner Studentenzeit das Naturrecht als ein Sonderbesitz der Katholiken hingestellt wurde und die Evangelischen demgegenüber auf ihrer Geschichtsnähe, ihrer Situationsethik beharrten. Heute kann man sich über einen Begriff wie Subsidiarität ohne Mühe zwischen Katholiken und Protestanten verständigen. Und die Katholiken haben - im Gegenzug - ihre pluralistische Lektion gelernt. Sie theologisieren nicht mehr alles und jedes. Sie haben einen freieren Blick auf Welt und Kirche, und das läßt hoffen.

Prof. Dr. Johann-Baptist Metz, Prof. Dr. Gesine Schwan

Gespräch: Salz der Erde - Sand im Getriebe? Über das Propium christlicher Weltverantwortung

Gesine Schwan: Wir haben uns eben kurzfristig darüber geeinigt, daß Herr Metz seine Ausführungen, die er gleich beginnen wird, nicht unmittelbar an Sie adressiert, sondern daß ich erst ein paar persönliche Fragen zu Beginn stelle, wie sich das für eine Frau gehört.

Zunächst: So richtig streiten hätten wir uns vor 25 Jahren wahrscheinlich besser können als heute, denn wir haben eine lange gemeinsame Geschichte. Ich will nicht so weit gehen, Sie als Spätachtundsechziger zu bezeichnen, aber immerhin, diese 68er Jahre waren ja etwas heikel, und da sind wir auch aneinandergeraten, wie so manche, die heute wahrscheinlich in der Sache dicht beieinander sind. Wir wollen deswegen heute nicht mit Zwanghaftigkeit einen Gegensatz aufbauen. Aber es ist wahrscheinlich schon ein Unterschied, ob man die Situation „Verantwortung für die Welt“, wie Sie sie proklamieren, lieber Herr Metz, eher als ein blutiger Laie, der ich bin, sieht, oder als ein unglaublich gebildeter, versierter und einflußreicher Theologe. Ich hoffe, daß sich daraus ein Stück Gegensatz entwickeln kann.

Außerdem habe ich Ihnen auch schon angedroht: „Wenn Sie länger als fünf Minuten reden, unterbreche ich Sie.“ Und jetzt fangen Sie mal an.

Johann-Baptist Metz: Ich habe etwas ganz anderes gelernt an diesem Nachmittag. Nämlich, es ist besser, ich lasse Sie beginnen, denn ich traue mich nicht so wie Peter Glotz das erste Wort gegenüber einer Frau zu ergreifen, heute im feministischen Umkreis. Und dann habe ich den Eindruck, daß man so spät am Abend auch eher ein bißchen unterhalten sein möchte. Ich will dazu zwei Dinge versuchen.

Zum ersten: Als die beiden verehrten Kollegen vorhin miteinander sprachen, habe ich immer gedacht: Wie würde ich meine Identität definieren? Vor allem bei Vorträgen im Ausland versuchte ich meine katholische Identität über meine bayerische Identität zu definieren. Und dann hab‘ ich erklärt, was das ist, ein Bayer: Der Bayer, das ist ein Mensch, der ein relativ ungespreiztes, natürliches Verhältnis zur Religion und ein mystisches Verhältnis zum Bier hat. Das ist auch katholisch, denken Sie mal darüber nach.

Soweit mein Beitrag zur Unterhaltung. Noch einer vielleicht, der aber schon ernster gemeint ist, weil Frau Schwan mir gerade sagt: „Also, wie schaut denn das heute vom Theologen her aus?" Ich muß Ihnen sagen, in der Situation, in der wir heute sind und in der wir uns nichts vormachen sollen, und in der ich mich zögerlich getraut habe, sogar von einer „Gotteskrise„ zu reden, in einer solchen Situation frage ich mich freilich immer auch: Wie geht denn das wohl weiter? Wie werden wir vorankommen, wenn die Schwierigkeiten sich türmen und der Eindruck entsteht, die Krisen verschwinden nicht, sie verstetigen sich vielmehr? Und man hat nicht zu lernen, wie man aus einer solchen Krise herauskommt, sondern wie man „in„ ihr glaubt.

Und dazu möchte ich Ihnen gerne sagen, daß ich eigentlich ein Bild habe, eine Metapher, für die katholische Kirche, die ich auch im Gespräch mit meinen evangelischen Freunden und Kollegen immer wieder mal bemühe: Es ist der „katholische Elefant„, der sozusagen schon über viele Epochenschwellen hinweggetrampelt ist und dem ich das auch heute noch zutraue. Der „katholische Elefant„, also die katholische Kirche: so groß wie ein Elefant, eine kulturell-polyzentrische Weltkirche mit nahezu einer Milliarde Menschen. Und dann die Kirche, begabt mit einem Elefantengedächtnis in unserem Zeitalter der kulturellen Amnesie, von der schwer zu reden ist, weil wir Vergeßlichen so wenig an unserer Vergeßlichkeit leiden. Weiterhin: Der Elefant mit seiner Dickfälligkeit, nicht nur gegenüber den Einflüsterungen des Zeitgeistes, wie das in der angeblichen katholischen Ungleichzeitigkeit so üblich ist, sondern auch störrisch jetzt inzwischen, störrisch auch gegenüber denen, „die da oben sitzen„: Niemand läßt sich heutzutage mehr ekklesiogene Neurosen anzüchten. Und schließlich:

Der Elefant mit einer, wie man ja sagt, sensiblen Seele. Und von der möchte ich gerne nachher ein paar Worte sagen, liebe Frau Schwan.

Gesine Schwan: Ja, ich finde diesen Unterschied der Perspektive recht interessant. Ich muß gestehen, mir würde die Idee, daß ich entweder selbst ein Elefant bin oder innerhalb eines Elefanten mich situiere, nicht ohne weiteres kommen. Und zwar wohl, weil wenn man nicht wirklich ständig in der Kirche als Organisation lebt (nicht daß ich sage, daß Sie von dieser Organisation lebten, aber doch in dieser sehr viel stärker, als wenn man nur ein Laie ist), dann fühlt man sich subjektiv eher in der Diaspora. Nicht nur als Berlinerin, da ist natürlich auch der Katholizismus nicht gerade Mehrheitssache, aber überhaupt in der Welt; aber nicht als traurig in der Diaspora, sondern so, wie mir das ab und zu begegnet, wenn ich mich in der Universität unterhalte oder mit irgendwelchen Vertretern anderer Bereiche. Das geht eine ganze Weile gut. Und auf irgendeine Weise erfahren meine Gesprächspartner, daß ich sowohl katholisch als auch in der SPD bin. Dann wundern sie sich über beides sehr, weil sie dachten: „Bis dahin hatten wir den Eindruck, Du bist ganz vernünftig.“ Diese Minoritätensituation, sowohl als Katholik als auch als Sozialdemokrat - ich meine die geistige Minoritätensituation - , mit der wird man konfrontiert. Das schokkiert mich nicht. Im Gegenteil, das lockt mich, weil ich dann den Eindruck habe, ich könnte das, woran ich als Wahrheit glaube, um so besser loswerden. Und damit habe ich dann auch ganz gute Erfahrungen.

Das knüpft an einen Punkt, glaube ich, vom ersten Gespräch;an, die Frage, wie das Verhältnis von Offenheit und Wahrheit ist. Sie haben mir vorhin - soviel Vorbesprechung hatten wir denn doch - gesagt, daß Sie sich ein bißchen über einen seichten Gebrauch von Pluralismus ärgern, darüber habe ich weiter nachgedacht. Mein Eindruck ist, wenn ich mich an die Kernfrage unseres heutigen Abschnitts noch mal erinnere: „Was ist das Proprium des Christen in dieser Welt, in der Weltverantwortung auch?“ - mein Eindruck ist, daß das Proprium ist, dieses komplizierte Spannungsverhältnis von Wahrheitsgebundenheit und Offenheit zu praktizieren. Und daß das auch gar nicht schwer ist, zwar schwer zu praktizieren, aber gar nicht schwer ist, als Proprium zu vermitteln. Und daß man damit eigentlich sehr schnell die Herzen erreicht und den Verstand, gerade bei jungen Menschen. Darüber bin ich zunehmend geradezu glücklich, daß dies gelingt. Daraus braucht man gar keine Mission zu machen. Wenn man zum Schluß einfach strahlend sagt: „Außerdem, lest doch mal die Bibel“, dann finden Studenten es auch wieder eine nette kleine Provokation, aber sie lassen sich‘s sagen. Und da scheint es mir geradezu attraktiv, diese Minoritätensituation zu praktizieren.

Johann-Baptist Metz: Ja, also jetzt muß ich wohl auf das eingehen, was ich eigentlich gar nicht wollte. Heute morgen hatte ich das Vergnügen zu hören, daß der Katholizismus inzwischen auch - von den Bischöfen habe ich das ja auch schon gehört und jetzt weiß ich‘s auch vom Zentralkomitee - bei der Bejahung des Pluralismus angekommen ist. Das ist wunderbar, darüber freuen wir uns alle! Aber der Pluralismus ist nicht einfach eine Antwort. Auch der Pluralismus ist eine Frage. Das möchte ich Ihnen gerne kurz erläutern. Ich meine, wir Christen haben doch mal begonnen als Universalisten. Die Leute aus der biblischen Landschaft hatten einmal gemeint, sie seien aufgebrochen, weil sie allen Menschen etwas zu sagen hätten. Was heißt das im Zeitalter unseres unhintergehbaren Pluralismus? Wie ist das denn jetzt? Kann man also noch etwas vertreten, was man eigentlich allen sagen möchte, ohne daß man totalitär wird oder imperial, geistesimperial oder wie immer? Gibt es das noch?

Gesine Schwan: Was würden Sie denn dann sagen, konkret?

Johann Baptist Metz: Was ich dann sagen würde? Konkret jetzt? Zunächst würde ich die Frage verschärfen. Gibt es nicht auch Grenzen für die Toleranz, gibt es nicht auch Kriterien für den Dialog? Oder anders gefragt: Gibt es im Grunde genommen in diesem Pluralismus der Religions- und Kulturwelten von heute nicht auch noch ein alle verpflichtendes und in diesem Sinn, wie ich meine, wahrheitsfähiges Kriterium der Verständigung? Gibt es das noch? Können wir das noch benennen?

Gesine Schwan: Ich glaube, wir sind uns schnell einig darüber, daß es das geben muß. Die Grenzen werden wir sehen. Doch.

Johann Baptist Metz: Nein, werden wir nicht. Ich glaube, wir sind uns nicht darüber einig.

Gesine Schwan: Ich finde, doch. Darüber sind wir uns eigentlich theoretisch einig, daß nicht alles grenzenlos und verschwimmend sein soll, beliebig. Ich frage mich aber nach einem Fall, wo es mir anschaulich sein kann. Oder anders herum, ich frage mich, welche sind Ihre Erfahrungen von Fällen, wo Sie sagen, bis hierher und nicht weiter. Oder hier ist jetzt der Punkt, wo ich nicht grenzenlos sagen kann, jeder hat seine Position. Ich habe solche Erfahrungen auch. Aber es interessiert mich einfach, welche Sie da haben.

Johann Baptist Metz: Na ja gut, ich würde sagen, ich darf mich ja als Theologe, wenn Sie gestatten, auch mal auf die Bibel beziehen. Als systematischer Theologe bin ich immerhin mit ihr vertraut. Ich würde sagen, dort gibt es solche Kriterien, die wir nicht einfach aufgeben können.

Vergessen Sie bitte nie: Es gibt meines Erachtens zwei Parabeln, mit denen Jesus sich sozusagen in das Gedächtnis der Menschheit hineinerzählt hat, weit mehr als wir Theologen mit unseren quasi platonischen universalistischen Begriffen jemals universell werden konnten.

Die eine Geschichte ist die uns allen bekannte vom barmherzigen Samariter. Dort wird ganz klar gemacht, worum es eigentlich geht: Es gibt Situationen, die nicht wir bestimmen und deren Umfang nicht in unseren Händen liegt und die wir schuldlos passieren können. Es gibt da kein „höheres Interesse“, mit dem etwa der Priester und der Levit, die da vorübergehen, sich entschuldigen und zum Tempel weitergehen. Nein, wer von Gott im Sinne Jesu redet, der kennt da kein „höheres Interesse“, der muß da stehen bleiben. Anders ausgedrückt, Jesus hat Leidende (wie den in der Parabel unter die Räuber Gefallenen) mit einer „göttlichen“ Autorität ausgestattet, die ich gern die „Autorität der Leidenden“ nenne.

Vergessen Sie nicht die zweite Parabel, um die es mir geht. Es ist die Geschichte vom Weltgericht. Auch dort erzählt Jesus, wie es denn sein wird, wenn es um alles geht. Er redet nicht von Gott, aber er kennt eine richtende „göttliche Autorität„: Ich war hungrig - und ihr habt mich nicht gespeist ... Also die Hungernden, die Kranken, die Einsamen, die Ungetrösteten, die, die im Gefängnis sitzen usw. Ich meine, daß es wichtig wäre für uns alle, diese Autorität der Leidenden - vorweg und vor allem der ungerecht Leidenden, der unschuldig Leidenden - für uns unbedingt zu einem solchem Kriterium des göttlichen Gerichts zu machen. Und ich halte dieses Kriterium, darum geht es mir jetzt, für universalisierungsfähig und für wahrheitsfähig.

Gesine Schwan: Jetzt freue ich mich richtig, daß ich Sie unterbrochen habe, weil ich das nämlich ganz wunderbar finde als Beispiel, als konkretes Beispiel. Und wenn Sie es mir nicht verübeln, würde ich es gerne komplementär durch etwas ergänzen, was ich genau auf dieser Linie erlebt habe in einer anderen Sphäre.

Das war in der Zeit, wo es um den Artikel 16, also die Asylregelung ging, und ich war im Kreis von Kollegen, Juristen vornehmlich. Da habe ich als Grundsatz dieser Regelung gesagt: „Ich finde, man muß ein ausgewogenes Verhältnis finden zwischen dem, was Deutschland als politisches Gemeinwesen schafft, und den Ansprüchen derer, die als Menschen zu uns kommen, in irgendwelcher bedrängten Situation sind, und auf diese Weise also eine Regelung finden, die bei mir konkret in einer Einwanderungsgesetzgebung liegen würde."

Da bin ich sehr entschieden und fast aggressiv gefragt worden, wie es denn kommen könne, daß ich das Interesse des deutschen Staates nicht an die erste Stelle setzen könnte als Politologin und politisch Engagierte usw., sondern daß ich es so im Grunde gleichrangig oder sogar unterrangig unter Menscheninteressen setzen könnte. Da hab ich gesagt: „Wenn Sie mich persönlich fragen, das liegt an meinem christlichen Bekenntnis." Darauf wurde mir entgegengehalten: „Aber haben Sie nicht mitbekommen, daß wir in einer säkularisierten Welt leben?"

Da habe ich geantwortet: „Natürlich habe ich das mitbekommen. Aber es ist mein christliches Bekenntnis, daß ich nicht, weil Deutsche Deutsche sind - das Samariterbeispiel - sie vorrangig behandeln kann, sondern, daß ich natürlich vernünftig sein muß, aber daß ich andere mindestens gleich - oder in ihrem Leid dann vorrangig sehen kann.“

Also ich wollte das nur ergänzen. Ich finde das eine sehr überzeugende Position.

Johann Baptist Metz: Ich finde großartig, was Sie gesagt haben. Was ich nur noch anfügen will, ist: Ich habe eigentlich für diese Einstellung, für die sich in der Autorität der Leidenden die Autorität Gottes in der Welt für alle Menschen manifestiert - für alle, ich möchte diesen Universalismus gerne festhalten - , dafür habe ich kein gutes deutsches Wort. Bei meinen Vorlesungen in den USA konnte ich immer das Wort „compassion“ verwenden. Compassion?

Gesine Schwan: Mitempfinden.

Johann Baptist Metz: Mitempfinden! Ja, als Empfindlichkeit für fremdes Leid oder als Eingedenken fremden Leids ist es mir ganz besonders wichtig.

Und ich möchte nun gerne nur, ganz im Sinne dessen, was Sie gerade angedeutet haben, sagen: Bitte, mißverstehen Sie diese Compassion nicht als einen Rückzug des politischen Theologen in die Lyrik oder ich weiß nicht wohin. Diese Compassion ist ganz politisch: Stellen Sie sich einmal vor, im ehemaligen Jugoslawien hätte es diese Compassion gegeben. Und die Kirchen - Herr Maier hat vorhin angedeutet, wie das in der serbischen Kirche war - die Kirchen, die christlichen Kirchen, hätten diese Compassion Jesu gepredigt. Das heißt, sie hätten gesagt: Du darfst nicht nur dauernd an deine eigene Leidensgeschichte denken, sondern du mußt als Christ im Grunde genommen immer auch die Leiden, die du anderen angetan hast, bis hin zum Leiden deiner Feinde, bei deinem eigenen Handeln in Betracht ziehen. Was wäre geworden, wenn das auch nur ansatzweise gelungen wäre? Oder was ist in Irland, was ist im Libanon? Was ist im Verhältnis Israel-Palästinenser, obwohl doch Rabin und Arafat sich das einmal in Washington so versprochen hatten, daß sie nun künftig nicht mehr bloß auf die eigenen Leidensgeschichten schauen, sondern das Leid ihrer bisherigen Feinde mit in Betracht ziehen wollen? Was könnte an Friedenspolitik entstehen, wenn das gelänge?

Ich will damit nur sagen: Es gibt politische Impulse aus dieser Einstellung, die ich für universalisierbar halte und die wir auch nicht aufgeben dürfen. Man kann sagen, das sei eine Übertreibung.

Ja, wissen Sie, das Christentum ist selbst eine Übertreibung. Gott - welch eine Übertreibung, welch ungeheure Übertreibung! So meine ich. Jedenfalls ist das Christentum keine legere Zivilreligion. Warum wir uns den Übertreibungen zumeist nicht mehr stellen, auch ich nicht, hängt für mich daran, daß wir nicht mehr schuldig werden und nicht mehr scheitern wollen. Ich sage das für mich, ich möchte das nicht verallgemeinern: Warum wollen wir nicht mehr schuldig werden? Weil wir nicht mehr an die Gnade der Vergebung glauben. Oder nur noch an die Gnade im Stile bürgerlicher Religion, an die Gnade, die wir mit uns selber haben. Also, die Übertreibung werden wir nicht los, bei der müssen wir bleiben. Und zwar um Gottes und der Menschen willen, wenn ich das richtig sehe.

Aber gibt's denn unter uns Christen für so eine Rede überhaupt empfängliche Ohren? Ist das nicht zu negativ? Was ist denn daran frohe Botschaft: „Empfindlichkeit für fremdes Leid“?

Ein Satz noch, weil er dazugehört, meine ich, und weil ich Sie was fragen möchte. Kann man so etwas den Menschen heute, besonders jungen Leuten zumuten? Das werde ich immer wieder gefragt. Und dann kann ich nur mit einer Gegenfrage antworten, und die heißt ganz einfach: Ja, wem sollte man denn diese Übertreibung überhaupt zumuten können? Wem etwa diese abenteuerliche Vorstellung, für andere dazusein, ehe man von ihnen etwas hat, also die Durchbrechung des Tausch- und Konkurrenzprinzips in einer gewissen Weise, wem denn, wenn nicht gerade jungen Menschen?

Gesine Schwan: Und ich habe die Erfahrung - jetzt unterbreche ich doch - ich habe die Erfahrung, daß es gar nicht schwer ist, das jungen Menschen zu sagen. Also das ist nun das leichteste. Älteren ist viel schwerer, das zu sagen. Ich werde aber gerne einen komplementären Akzent oder zwei komplementäre Akzente setzen.

Das eine ist: Sie haben eben gesagt, Sie als Theologe können diese Position vielleicht leichter vertreten als ich als Politologin bei dieser Frage. Im Gegenteil, es ist sogar für mich meistens eine sehr positive Erfahrung, wenn eine solche Position von jemandem vertreten wird, der es ja nicht professionell muß. Gerade weil ich nicht Theologin bin, kann ich diese christliche Position mit mehr Aha-Effekt vertreten, und insofern ist das eigentlich gar keine schwierige Sache.

Aber einen anderen Punkt gibt es noch, der mir dabei einfiel, einen anderen Aspekt von Universalität, wie soll ich sagen, den ich als Christin für wichtig halte: nämlich, daß ich das Universelle, was Sie da im Inhalt, in der Substanz beschrieben haben, auch bei Menschen wiedererkenne und sie damit sozusagen als Brüder oder Schwestern im Geiste wahrnehme, die sich selbst überhaupt nicht christlich nennen.

Ich war im Juni in Belgrad und habe mich dort mit verschiedenen Personen unterhalten, unter anderem mit einer serbischen Sozialistin, die lange in Sarajewo gelebt hat. Und da habe ich sie gefragt: „Wie war das eigentlich, wie solide war dieses multikulturelle Zusammenleben verankert in der Gesellschaft? War es labil? Ist es im Grunde nur kaputt gegangen, weil es sowieso nicht solide war, oder ist es doch vielmehr zerstört worden?“ Da hat sie mir folgende Szene beschrieben, die mich sehr an das erinnert hat, was Sie eben gesagt haben, nämlich immer das Leid des anderen im Kopf zu behalten. Sie hat gesagt: „Wenn wir zusammensaßen mit Muslimen und Kroaten aus unserer Generation und wenn wir Streit hatten, dann hatten wir die Gewohnheit entwickelt, uns daran zu erinnern, welches die Erfahrungen des Muslimen oder des Kroaten waren, aus der heraus diese Person sprach. Die Erfahrungen nicht unbedingt der Person selbst, sondern auch der Familie und konkret die Leiderfahrungen.“ Das heißt, das, was potentiell aggressiv wirken konnte oder einseitig, in dem was Muslime oder

Kroaten oder auch Serben sagten, wurde von der anderen Seite gleich abgeglichen mit einer Art intellektueller, aber auch emotionaler Compassion, weil man sich in die Situation der anderen Person und ihrer Vergangenheit hineinversetzte, und dadurch war die Verständigung viel leichter.

Das Gleichgewicht, was sie beschrieb, erklärte die Sorge darum, daß diese Kultur nicht zerbrechen darf, sie war nicht selbstverständlich. Sie war nicht einfach solide verankert. Man wußte, daß sie heikel und fragil war und daß man sie pflegen mußte. Aber zugleich hatte man sich angewöhnt, eben genau dies zu tun: um der Verständigung und des Friedens willen nachzuschauen, aus welchem Erfahrungshintergrund, aus welchem Leid, aber auch Schuldhintergrund spricht die andere Person, und wie kann ich das, was sie sagt, dadurch einordnen und wie können wir zusammenkommen. Ich finde, genau das ist in der Praxis dieser Universalismus, den ich als Katholikin vertrete, aber den diese Person, die in einer anderen Tradition aufgewachsen und möglicherweise sogar in einer antireligiösen, sozialistischen, auch vertrat.

Es war dann in einem weiteren Schritt überhaupt nicht schwierig, sich über dieses Prinzip zu einigen. Man hätte wahrscheinlich - das ist dann nicht geschehen - in einem weiteren Schritt auch noch vielleicht sogar theologische Fragen ansprechen können.

Also das wollte ich nur komplementär aus der anderen Erfahrung sagen.

Johann-Baptist Metz: Da würde ich gerne noch etwas dazu sagen. Zunächst einmal bin ich dankbar, wenn Sie sagen, jungen Menschen kann man das gut sagen. Vielleicht haben wir ganz und gar vergessen, daß das Christentum einmal eigentlich als eine Jugendrevolte im damaligen Judentum begonnen hat. Wir haben zu sehr Abschied genommen von der Chance, daß junge Menschen eigentlich faszinierbar sind vom Kern dieser Botschaft. Also, deshalb bin ich sehr dankbar, wenn Sie das bestätigen und diesen Eindruck verfestigen.

Was den Universalismus, wie Sie ihn genannt haben, angeht, möchte ich gerne sagen, daß wir Theologen da manchmal besondere Schwierigkeiten haben. Ziemlich ungeniert ist man heutzutage daran zu sagen: „Also sind wir nur froh, daß wir die Dreifaltigkeit haben und trinitätstheologisch denken, das ist beziehungsreich, da sind wir demokratiefreundlich, demokratieverträglich.„ Das aber darf man meines Erachtens nicht sagen, weil man indirekt damit dem Judentum und dem Islam, also den anderen großen monotheistischen Religionen diese Demokratiefähigkeit von vornherein abspricht. Ich halte es für ziemlich gefährlich, wenn man hier gegen das monotheistische Prinzip argumentiert, wie das heute häufig in der Theologie geschieht.

Den Monotheismus sollte man eben so sehen, wie ihn Jesus und wie ihn die biblischen Traditionen gesehen haben. Dort war er immer gebrochen durch eine ebenso unbeantwortbare wie unvergeßliche Frage an Gott, nämlich durch die Theodizeefrage. Aus der haben wir uns theologisch - wenn ich das so sagen darf - viel zu früh herausgeschwindelt, indem wir meines Erachtens diese Frage umgetauscht, umgetäuscht haben! Wir haben nämlich aus der Frage nach der Gerechtigkeit für die unschuldig Leidenden - aus der Frage des Hiob - die Frage nach der Erlösung der Schuldigen gemacht. Das sind zwei unterschiedliche Fragen, die nicht einfach deckungsgleich sind. Und das zurückzuholen, halte ich für unsere Verkündigung, nicht nur für die Theologie, für ganz wichtig, um eben die Empfindlichkeit für fremdes Leid als zentrales Anliegen der Christen zu wahren.

Gesine Schwan: Dazu würde ich gerne etwas bemerken und Ihnen dann eine Frage stellen. Das Bemerken ist dies: Ich glaube, es ist nicht von ungefähr - ich weiß jetzt nicht, ob das allgemein in der Theologie der Fall ist -, daß die Frage der Erlösung von Schuld den Vorrang hat vor der anderen Frage. Aber ich würde zumal in Deutschland, aber darüber hinaus dafür einen Grund darin sehen, daß die gegenwärtige eben auch sehr stark säkularisierte Welt - und in Deutschland ist das ein pointiertes Problem - ja kaum noch einen Umgang mit Schuld hat, der gesellschaftlich akzeptiert oder gar eingebürgert wäre. Denn wenn Sie außerhalb eines religiösen Milieus gehen: Wer glaubt denn noch an solche Begriffe wie Reue und Umkehr? Das sind ja Märchen, wenn man sowas erzählt. Entweder wird man für psychologisch naiv gehalten oder für spinnert oder sonstwas.

Und umgekehrt ist es für mich eine theologische, aber auch eine politische Frage, wohin eine Gesellschaft kommen soll, die nicht mehr an Reue und Umkehr glaubt und das nicht mehr praktizieren kann. Denn im Grunde kann sie sich über ihre Norm nicht vergewissern, und eine Gesellschaft ohne zusammenhaltende Norm kann auf Dauer als freie Gesellschaft nicht existieren. Das ist sofort die Reihe, die Kette, die sich mir anschließt. Aber es ist mir nicht von ungefähr, daß sich diese Frage nach der Erlösung der Schuldigen in den Vordergrund rückt. Denn so sehr wie Schuld als eigentlich privatistische, persönliche Kategorie aus dem öffentlichen Leben weggedrängt wird und anderseits in jeder Zeitung wiederkehrt: Es gibt - ich bin ja schon fixiert auf das Thema seit Jahren - es gibt keine Morgenzeitung, wo Sie nicht das Wort Schuld finden. Aber so sehr Schuld auch weggedrängt wird, andererseits immer wiederkehrt, das Problem ist, daß keiner wirklich mit Schuld leben kann, wenn er sie sich klar gemacht hat. Es sei denn, er findet einen ganz bewußten Weg, sie dann auch zu bearbeiten.

Und dieser Vorrang ist in meiner Diagnose im Grunde ein Indiz für eine sehr egozentrische Weise, mit Religion umzugehen, wo es um das eigene Seelenheil geht und nicht um die Frage des anderen.

Aber jetzt habe ich noch eine andere Frage an Sie. Als es um die konfessionellen Unterschiede zwischen Herrn Maier und Herrn Schröder ging, da habe ich mich so gefragt - ich komme ja aus einem sehr gemischten Milieu, so eine astreine Katholiken bin ich nicht - : Ist es für mich persönlich eigentlich wirklich zum Beispiel wichtig, den Unterschied zu machen zwischen: das ist mein Leib oder das bedeutet mein Leib? Also wenn ich zur Kommunion gehe und wenn ich wieder zurückgehe, dann muß ich gestehen, auch wenn ich das Nachdenken sozusagen professionell trainiert habe, so ganz genau entscheiden könnte ich mich wahrscheinlich nicht, welche Antwort ich gebe. Ich weiß, wie ich sie rechtmäßig zu geben hätte, aber was für mich existentiell viel problematischer ist, ist die Glaubensfrage selbst im Zusammenhang mit der Theodizeefrage nach wie vor. Denn das ist wirklich viel schwieriger für mich, am Glauben immer wieder festzuhalten angesichts des Leids. Wie machen Sie das?

Johann-Baptist Metz: Jetzt sind wir im Zentrum sozusagen, auch der schwierigen Fragen, ganz sicher. Ich habe vorhin die Formulierung benutzt, wir sollten uns im Christentum vielleicht zunächst einmal pointiert verdeutlichen, daß wir als Christen eigentlich nicht eine Antwort, sondern vermutlich eine Frage mehr haben als andere. Und das ist diese Frage, von der man sagt, für die gibt es eigentlich keine Antwort gibt: die Theodizeefrage.

Dann kommt natürlich der Gebildete mit einem bereits im Spätmittelalter formulierten Vernunftprinzip, das etwa lautet: Fragen, auf die es zugestandenermaßen keine Antwort gibt, lasse man gefälligst fallen. Das aber würde bedeuten, daß wir genau in die kulturelle Amnesie verfallen würden, statt eine solche Frage durchzutragen, letztendlich betend durchzutragen.

Da kippt in der Tat die Theologie für mich ins Gebet um. Ich kann das nicht anders formulieren, und ich glaube nicht, daß es eine Schande ist zuzugeben, daß hier eine vermeintlich alles überschauende Theologie in ihrer Rede über Gott in einen Schrei zu Gott umkippt.

Das ist Theologie! Sonst kommt das Vergessen und die Vergeßlichkeit der modernen Vernunft, die die Theodizeefrage mit einem mitleidlosen Vergessen der Opfer still stellt. Ich glaube, daß ich - wenn ich das sagen darf - einiges getan habe, um Aufklärung in der katholischen Theologie, mindestens mal die europäische Form von Aufklärung, trotz all ihrer Ambivalenz hoffähiger, akzeptabler zu machen. Aber eines habe ich auch gelernt, daß die Aufklärung bei ihrer notwendigen Kritik an Dogma und Tradition die intelligible Macht der Erinnerung unterschätzt hat und die Vernunft sozusagen ihres anamnetischen Charakters beraubte und damit auch Gefahren für das Bild des Menschen heraufbeschwor. Das kann man, wenn Sie so wollen, in so profanen Büchern wie der „Dialektik der Aufklärung“ sehr wohl auch nachlesen. Dort ist diese Vergeßlichkeit, die dann nichts mehr vermißt angesichts der Leidensgeschichten der Menschen, eindrucksvoll kritisiert.

Schließlich können wir Christen das „Selig, die Trauernden ..." nicht durch Nietzsches „Selig, die Vergeßlichen" ersetzen.

Gesine Schwan: Der liebe Gott ist doch stärker, stellen wir fest. Denn diese nichtanamnetische Vernunft wird ja zunehmend, zum Beispiel in unserem zentraleuropäischen Raum - ich beobachte das in der Wissenschaft - abgelöst von einer unglaublichen Wiederaufwertung der Erinnerung. Wenn ich mal vergleiche, was etwa Geschichtswissenschaft oder auch Politikwissenschaft vor 20 Jahren in dieser Hinsicht gemacht haben und heute: Sie können ja kaum noch in eine wissenschaftliche Zeitschrift in diesem Bereich gucken, ohne auf das Wort Erinnerung zu stoßen: Politik der Erinnerung, Geschichte der Erinnerung. Ununterbrochen kommt das hoch, in allen Ländern rund um uns herum. Man kann das auch säkular erklären, aber vielleicht ist das auch ein Wink des lieben Gottes.

Johann-Baptist Metz: Mag sein, aber eines dürfen wir, bitte, nicht tun: Wir dürfen nicht das Speichern des Computers mit dem Erinnern verwechseln. Ich habe immer gesagt, Computer können niemals erinnern, weil sie nichts vergessen können. Aber darin sind wir uns wohl einig.

Walter Bayerlein: Nachdem Sie schon genickt haben, brauchen Sie nicht mehr antworten, daß es falsch ist. Die Zeit ist leider um. Ich fand es äußerst faszinierend, wenn ich das sagen darf. Es ist faszinierend für mich zu sehen, daß man gar nicht streiten muß und es trotzdem zu einem hochinteressanten Gespräch kommt.

Prof. Dr. Hans Joachim Meyer

Abschluß der Studientagung

Meine Damen und Herren, liebe Schwestern und Brüder!

Das letzte, faszinierende Gespräch hat uns in so viele Fragen hineingebracht, Fragen, auf die wir weiter nach Antwort werden suchen müssen, es hat uns so viele Anregungen gegeben, daß es vermessen wäre zu sagen: ein Schlußwort. Schlußwort ist sozusagen als Tagesordnungspunkt zu verstehen, nicht als Anspruch und Anmaßung.

Ich will den Versuch machen, auf das eine oder andere nochmal erinnernd hinzuweisen.

Unsere Studientagung zum Thema „Dialog und Solidarität" stand in einer zweifachen Beziehung: Natürlich in einer Beziehung zu unserer Vollversammlung des Zentralkomitees der deutschen Katholiken. Denn dieses Zentralkomitee versteht sich ja als ein dialogisches Forum, es bedarf der Kooperation mit anderen, es bedarf des Nachdenkens mit vielen anderen aus dem weiten Kreis der katholischen Kirche in Deutschland und des Nachdenkens mit den evangelischen Christen im Geist der ökumenischen Geschwisterlichkeit und Gemeinsamkeit. Denn es geht um eine gemeinsame Anstrengung. Die Studientagung sollte uns verdeutlichen, was es denn nun bedeutet, wenn wir Christen versuchen, als Zeitgenossen einer freiheitlichen Gesellschaft zu wirken, was es heißt, als Christen Zeitgenossen zu sein, was es heißt, als Zeitgenossen Christen zu sein in dieser freiheitlichen Gesellschaft, in einer freiheitlichen Gesellschaft, die sich zunehmend neuen Herausforderungen gegenübersieht. Wo bleiben in diesen Herausforderungen, die wir bestehen müssen, die Wertegrundlagen, wie kommen wir zu neuen strukturellen Antworten, die unseren Werten, dem, was wir für richtig halten, dem, was wir gegenüber unseren Mitmenschen für unverzichtbar halten, entsprechen und darin ihren Ausdruck finden? Was können wir tun, was müssen wir tun?

Die andere Beziehung, an die ich erinnern möchte, sie wird durch dieses Haus deutlich: Es ist die Beziehung zu Erfurt als Ort in Deutschland, als ein Ort der deutschen Geschichte, als ein Ort in den deutschen Ländern, die seit 1990 ihr Leben auf der Basis des Grundgesetzes neu gestalten und neu aufbauen, mit all den Schwierigkeiten, mit all den Problemen und den Nöten, die wir weiß Gott nicht leugnen. Es ist ein Beispiel für Erfolg, aber auch für die weitere Notwendigkeit der gesamtdeutschen Solidarität in all diesen Nöten und Schwierigkeiten. Und der Ort Erfurt war und ist ein Kraftfeld für die katholischen Christen und ein Ort christlichen Miteinanders.

Die Debatte der Studientagung wie schon die Debatte der Vollversammlung zeigten die Breite und Vielfalt des Engagements katholischer Christen. Wenn es um Breite und Vielfalt geht, muß man Grundsätze betonen. Der erste, der wichtigste Grundsatz ist: Das Fundament ist der Glaube und das Leben in und mit der Kirche. Nun weiß ich sehr wohl, daß man es sich damit nicht zu einfach machen darf. Denn der Glaube muß immer wieder neu befragt werden; die Zeit befragt ihn, und wir buchstabieren Wahrheiten neu, erkennen Wahrheiten neu in diesem Glauben. Aber er ist das Fundament, er ist der Orientierungsrahmen, er ist die Quelle, aus der wir immer wieder trinken. Und er ist natürlich das Leben in und mit der Kirche.

Das ist nicht ein Glaube, den wir für uns allein haben. Daraus ergibt sich natürlich auch das Kriterium für Dialog und Toleranz. Denn das ist ja ein Weg, eine Methode, uns mit Mitmenschen zu verständigen, die eindeutig nicht unsere Auffassung haben, innerhalb der Kirche und außerhalb der Kirche. Toleranz ist nicht das, wo wir ankommen, denn wir wissen natürlich, daß wir uns im Dialog, im Gespräch mit anderen nicht aufgeben können und auch gar nicht aufgeben dürfen. Um der Wahrheit willen, auch um des Dienstes an unseren Mitmenschen willen werden wir die Wahrheit, für die wir stehen, ernstnehmen.

Der andere wichtige Grundsatz, den wir in besonderer Weise eingeschärft haben, ist der Öffentlichkeitsanspruch der Christen, der Öffentlichkeitsauftrag, den uns der Glaube gibt. Das ist die notwendige Konsequenz des Glaubens. Glaube existiert nicht als Abkapselung, nicht als Verteidigung von Rechtspositionen, nicht als eine Weise, wie sich Minderheit irgendwo situiert und sieht, wie sie in der Gesellschaft ihren Platz findet, sondern als Sorge um die gesamte Gesellschaft. Da haben wir es mit vielerlei Problemen zu tun: der religiösen Gleichgültigkeit, die uns umgibt, der Tatsache, daß die Frage nach Gott für viele Menschen keine Rolle mehr spielt oder zu spielen scheint. Zwar wissen wir sehr wohl und wollen es nicht übersehen, daß das Leben dieser Menschen, ihr eigenes Fragen uns doch immer wieder deutlich macht: Auch da gibt es eine Frage nach Gott. Aber wir wollen es uns wiederum nicht so einfach machen, daß wir für uns die Dinge einfach übersetzen und sagen: Das ist deren Frage nach Gott, und damit ist es genug. Die religiöse Gleichgültigkeit ist, so glaube ich, die allergrößte Herausforderung für uns, weil wir erst einmal wieder eine Sprache lernen müssen, um Menschen anzusprechen und sie zu finden, auch sie aufzubrechen, auch gegen die Gleichgültigkeit, die verletzt, die sie selbst verletzt und die uns verletzt, einen Zugang zu finden.

Das andere ist die aggressive Antikirchlichkeit. Das ist für mich nicht identisch mit Atheismus. Ich weiß sehr wohl, daß Menschen aus Gründen, die ich nicht teile, aber die ich verstehe und nachvollziehen kann, sich gegen die Kirche und gegen den Glauben entscheiden. Aber es gibt eine neue Form von aggressiver Antikirchlichkeit, die sehr eindeutige gesellschaftliche Gründe hat, die das Ziel hat, Kirche als einen Ort, wo ethische Forderungen erhoben werden, Kirche als eine ethische Ressource in dieser Gesellschaft möglichst zurückzudrängen, abzudrängen, unwichtig zu machen. Und daneben gibt es den scheinbar aus einer ganz anderen Motivation kommende Versuch, Glauben zu privatisieren, zurückzudrängen in eine Nische, uns weiszumachen, Öffentlichkeitsengagement und Öffentlichkeitsauftrag des Glaubens und des Christen gäbe es nicht, es gehe darum, sich einzig und allein um Glaube und Anbetung zu bemühen. Dieser Versuch, das Öffentlichkeitsengagement von Christen zu ironisieren und zu diffamieren, offenbart einen Abgrund von Irrationalität und von historischer Ignoranz. Wir sind nicht Wertebeschaffer, wir wollen auch nicht Menschen die heile Welt herbeireden, wir sind auch nicht dafür zuständig, die Kontingenznot der Welt zu lösen. Sondern wir verkünden durch unser Leben - so unzulänglich uns das auch immer gelingt - die Frohe Botschaft, und wir wollen, daß diese Botschaft uns selbst frohmacht und andere frohmacht.

Es gibt Einsichten, die sich bei dieser Tagung bestätigt haben und die neu akzentuiert wurden. Die Wertegrundlage ist notwendig, aber sie ist nicht selbstverständlich in dieser Gesellschaft, in der man durchaus reden und schreiben kann: „Gib doch dem Ego seinen Lauf, gib deinem Ego freien Lauf!“. In dieser Welt ist das nicht selbstverständlich, und wir sollten uns das auch nicht einreden. Der Christ ist kein Mitläufer, er ist auch nicht auf Beifall aus. Er sollte seine Position klar bestimmen, und er sollte nicht darauf aus sein - das ist jedenfalls meine Überzeugung -, von vorneherein den anderen zu versichern, daß wir im Grunde genommen alle einer Auffassung sind. Man fragt sich dann: Was braucht es dann noch den Christen und die Kirche?

Ich will im Schlußwort doch noch eine Bemerkung machen, die möglicherweise in der Diskussion besser angebracht wäre. Wir aus dem Osten Deutschlands haben eine Erfahrung gemacht und aus unserem Leben mitgebracht, die ich so ausdrücken möchte: Es ist die Erfahrung der klaren Grenze zwischen der nichtchristlichen Umwelt, ja, der nichtchristlichen Mehrheit und den Christen. Ich habe gelegentlich den Eindruck, daß die Tatsache, daß die Entchristlichung im Westen Deutschlands ein sehr viel langsamerer Prozeß war, nicht etwas Schlagartiges, nicht etwas, das gewaltsam erzwungen wurde, sondern was sich von Schritt zu Schritt ergab, daß dies bei dem einen oder anderen die Deutlichkeit dieses Prozesses zugedeckt und möglicherweise auch die Versuchung genährt hat zu sagen: „Aber wir werden uns doch wieder verständigen.“ Es geht mir jetzt gar nicht so sehr um die Frage, ob auch im Westen Deutschlands die Christen schon eine Minderheit sind oder noch eine Mehrheit. Entscheidend ist: Die Christen können nicht schlechthin für sich in Anspruch nehmen, daß das, was in dieser Gesellschaft gedacht, gesagt, gehandelt wird, unter christlichem Vorzeichen erfolgt. Und diesen Zustand werden wir auch mit Sicherheit nicht wiederherstellen, wenn er denn je bestanden hat. Also sollten wir uns zu der eigenen Position klar bekennen und uns auf dieser Grundlage mit jenen, denen es auch um Mitmenschlichkeit und um die Zukunft dieser Gesellschaft geht, verständigen, wo wir uns verständigen können. Aber wir sollten Positionen und Grundlagen nie verwischen.

Nun kann es keinen Rückzug allein auf die Ziele geben. Die Härte der Debatten hat uns dies noch einmal deutlich gezeigt. Es kann uns auch nicht nur um Methoden und Mittel gehen. Beides ist wichtig. Es genügt nicht, daß wir uns über die Ziele verständigen, diese proklamieren und sagen, nun haben wir das unsere für die Gesellschaft getan. Nein, wir müssen Mittel und Methoden finden, die überzeugend sind. Sie müssen realistisch sein, sie müssen in einer wirklichen Beziehung zur Wirklichkeit stehen.

Das bedeutet, daß wir uns auch über die Sachverhalte, die diese Wirklichkeit ausmachen, verständigen müssen. Das ist schwierig und bedeutet Streit, zwingt uns zur Klärung der Sachverhalte, die oft bitter sind. Dialog und Solidarität sind Wege, haben wir uns selbst gesagt, Wege, die auf Ziele bezogen werden müssen, die auch zielbezogen sind, die durch konkrete Modelle umgesetzt werden müssen. Das ist eine Erkenntnis, die wir ganz generell durch all die Themen, die wir behandelt haben, stärker erkannt haben und an der wir festhalten.

Es wird auch in Zukunft eine Spannung geben zwischen Dialog und Identität. Wir müssen uns mit unserer Identität einbringen, wir wollen sie nicht verwischen. Die Aufgabe unserer Identität als katholische Christen ist nicht die Voraussetzung des Dialogs, es würde den Dialog töten, es würde ihn sinnlos machen. Und das beantwortet auch die Frage: Gibt es Dialog mit jedem? Es gibt Dialog mit jedem, bei dem wir diese Identität nicht aufgeben müssen, das heißt mit jedem, der bereit ist zuzuhören und sich mit uns in ein Gespräch einzulassen. Da wollen wir mit jedem den Dialog anstreben. Denn Dialog ist Streit um Werte, Streit um Ziele, aber auch Streit um gemeinsame Verantwortung. Wie nehmen wir katholischen Christen an diesem öffentlichen Dialog teil?

Indem wir die Identität betonen, schließen wir die kritische Selbstreflexion nicht aus, sondern sie ist dringend erforderlich. Wie können wir sonst mit anderen sprechen? Wie sind wir situationsfähig, wenn wir uns selbst nicht kritisch prüfen und im kritischen Dialog uns selbst befragen: Stimmt denn das, was wir sagen? Ist das zuverlässig, was wir sagen? Hat das einen Überzeugungswert? Was bringen wir in die Gesellschaft als Angebot?

Wir haben heute das schöne Wort gehört: Ein Ziel muß sein, daß das Leben für jedermann gelingt. Ich finde, das ist ein beeindruckendes und schönes Bild. Und dann kam dicht hinterher: Es gibt das Glück der Menschen und das Heil der Menschen. Wenn wir diese Sätze abklopfen, dann werden wir merken: Von Schritt zu Schritt wird es deutlicher, was uns als Christen wichtig ist. Wir werden es ja sicherlich von der anderen Seite lesen wollen. Wir würden sagen: Das Heil ist für den Menschen wichtig, und dann kann er auch glücklich werden, dann gelingt sein Leben. Es ist richtig, daß wir Menschen fragen und es als unser gemeinsames Ziel sehen zu sagen: Wie kann Leben gelingen? Es kann uns aber nicht dazu verführen, Menschen nicht zu sagen, daß dazu ihr Heil notwendig und zwingende Voraussetzung ist.

Wir haben uns darüber unterhalten, wie wir in einer modernen Kommunikationgesellschaft am öffentlichen Dialog teilnehmen. Und wir haben uns daran erinnert, wir haben es uns erneut gesagt, daß wir die Eigenheiten dieser Gesellschaft beachten müssen. Darum müssen wir Ereignisse schaffen, Anliegen durch Personen und Persönlichkeiten verdeutlichen, Themen besetzen und bestimmen. Ich sage das jetzt im Blick auf diese Tage hier in Erfurt und nicht als Medienschelte, sondern um uns deutlich zu machen, was wir erreichen müssen. Wir haben uns bemüht, eine interessante und differenzierte Tagung durchführen, die, wie ich denke, sehr viel zu tun hat mit dem Leben um uns. Es ist uns nicht gelungen, soviel Aufmerksamkeit auf uns zu ziehen wie andere, die die Komplexität des Lebens auf weniges reduzieren. Das ist immer leichter zu vermitteln. Ich will uns nicht dazu auffordern, daß wir unser Anliegen auf Schlagzeilen reduzieren. Gleichwohl sollten wir uns folgendes klar machen: Gelegentlich ist Komplexität und Differenziertheit auch eine Ausrede. Es ist zwar nach meiner Überzeugung und Lebenserfahrung nicht wahr, daß die Wahrheit immer einfach ist. Gelegentlich braucht man mehr als einen Satz. Aber wenn es mehr als drei Sätze sind, sollten wir nachdenklich werden. Es ist also nicht Medienschelte, wenn ich sage: Es muß uns trotz notwendigem Bemühen um Komplexität und Differenziertheit gelingen, dann auch wiederum zu sagen, und zwar klar und für die Öffentlichkeit vernehmbar und verständlich, was wir wollen und was wir nicht wollen.

Der Glaube bleibt für uns der durchtragende ideelle Impuls, der Orientierungsrahmen des Lebens. Dieser Impuls führt uns immer wieder in Situationen, die heute mit dem schönen und anrührenden Wort der Naivität bezeichnet worden sind. Und es ist das wichtige Wort gesagt worden: Am Anfang jedes Neuen steht Naivität. Wenn ich an die Erfahrung der Wende denke: In dieser Wende waren wir natürlich auch alle naiv, aber ohne unsere Naivität hätte es diese Wende nicht gegeben. Es ist aber richtig, daß wir mit Naivität beginnen. Nur, wenn wir dann merken, daß es eines längeren Atems, größerer Geduld und sehr viel mehr Hartnäckigkeit bedarf als wir meinten, dann dürfen wir uns weder auf die Naivität zurückziehen noch die Naivität durch Zynismus ersetzen. Sondern der ideelle Impuls, der uns zu einem naiven Ansatz geführt hat, muß in nüchternem Beharren, in Ausdauer, in Geduld durchgetragen werden. Das ist etwas, was gute katholische Tradition ist, eine Tradition guten katholischen Realismus. Wir müssen uns dessen wieder erinnern. Ein Grundsatz, an dem wir uns messen, muß sein: Christsein ist nicht Christsein für sich, es ist vor allem Option für die Schwachen, es ist Option für die kommenden Generationen. Sich daran immer wieder zu erinnern ist ein gutes Heilmittel gegen Opportunismus, zu dem wir ja alle neigen. Für Opportunismus gibt es immer gute Gründe, ich weiß das aus sieben Jahren Politik.

Die Vollversammlung und die Studientagung bezeugen erneut die Vielfalt und die Breite der Positionen katholischer Christen im Umgang mit der Wirklichkeit. Pluralismus, daran hat uns Johann Baptist Metz erinnert, ist keine Antwort. Er ist gelegentlich, füge ich hinzu, auch sicherlich eine Ausrede. Ich lege großen Wert auf die Unterscheidung zwischen der Pluralität unter katholischen Christen, die sich nach wie vor und unverdrossen auf die gemeinsame Wertegrundlage des christlichen Glaubens beziehen, und dem Pluralismus, der notwendigerweise in der freiheitlichen Gesellschaft herrscht, wo eine solche Verbindlichkeit der Wertegrundlage nicht eingefordert werden kann, sondern wo es immer nur einen Wertekonsens gibt, der mühsam genug errungen und immer wieder hergestellt wird. Das ist nicht das gleiche. Es gibt ja gelegentlich in der Welt die Meinung, daß Menschen vom Wertekonsens leben. Das halte ich für ein großes Mißverständnis. Die Gesellschaft bedarf des Wertekonsens. Davon lebt sie, und ohne den Wertekonsens geht sie zugrunde. Aber der einzelne Mensch, der vom Wertekonsens lebt, der ist, fürchte ich, eine Ausrede. Denn der Wertekonsens ergibt sich ja aus sehr unterschiedlichen Wertegrundlagen, wie sonst? Jeder steht für seine Wertegrundlage, und nur dann, wenn er das, wovon er überzeugt ist, bekennt und dazu steht, werden wir auch zu einem Wertekonsens kommen.

Die Debatte über die Analyse und die Identifikation der Sachverhalte über konkrete Lösungsmodelle wird uns immer wieder in den Streit bringen. Das halte ich für unverzichtbar. Dieser Streit ist eine Herausforderung, und er ist eine Chance. Eine Herausforderung, weil er uns eigentlich erst dazu befähigt, einen redlichen und belastbaren Konsens in der Pluralität zu finden und dann sozusagen aus unserer Debatte unter katholischen Christen in die Öffentlichkeit zu gehen und an der öffentlichen Debatte teilzunehmen und zu sagen, das ist das, was nach unserer Überzeugung die jetzigen Probleme der Gesellschaft löst oder was die Gesellschaft insgesamt braucht, um eine Perspektive zu haben, um zukunftsfähig zu sein. Es ist eine Herausforderung, ja, wenn man so will, ein Leistungsmaßstab, daß wir im Streit unter uns versuchen herauszufinden: Was ist es denn, worauf wir uns einigen, und was ist es, worauf wir uns nicht einigen? Dann müssen wir eben mit einem Teilergebnis oder mit einem offenen Diskussionsstand an der öffentlichen Debatte teilnehmen. Die Chance ist, daß wir den Dialog darüber vorbildlich und überzeugend für die gesamte Gesellschaft führen. Das können wir auch dann, wenn wir uns, sagen wir im konkreten Modell für die derzeit bedrückenden Probleme der Wirtschaft, nicht einigen können. Auch dann können wir den Dialog darüber vorbildlich führen, indem wir ihn jeweils an den Wertegrundlagen unseres Glaubens messen. Und das ermöglicht uns dann auch - dem Zentralkomitee und allen, die als Christen tätig sind -, Orte des gesellschaftlichen Dialogs zu begründen, zusammen mit den evangelischen Christen die Gesellschaft einzuladen zu Orten, an denen man einen solchen Dialog führt, ein Netzwerk gesellschaftlicher Initiativen herzustellen und zu projektbezogenen Kooperationen und Allianzen zu kommen. Denn das müssen wir. Wir können uns ja nicht der Illusion hingeben, wenn wir uns denn hier verständigen, wirken wir sozusagen hinaus in die Gesellschaft, und die Gesellschaft sagt: „Auf euch haben wir schon lange gewartet". Das wäre eine Illusion. Wir brauchen, wenn wir uns zu Vorschlägen und Angeboten an die öffentliche Debatte durchringen, natürlich Partner und Verbündete in dieser Gesellschaft, um etwas zu erreichen. Es geht ja nicht darum, daß wir unser Gewissen beruhigen, indem wir sagen: Wir haben das Richtige gesagt und unsere Seele gerettet. Sondern es geht darum, daß wir das Mögliche tun, um der Gesellschaft eine Zukunft zu ermöglichen.

Die ganze Brisanz dessen, was wir uns da vornehmen, hat die Debatte der Vollversammlung zum Problem Beschäftigungspakt gezeigt wie auch die gleichgelagerte Debatte im Arbeitskreis 2. Gemeinsam ist uns die Überzeugung: Die Massenarbeitslosigkeit ist das zentrale Thema der Gesellschaft, wir müssen uns diesem Thema stellen. Aber es zeigte sich natürlich das ganze Spektrum zwischen jenen, die sagen, es geht jetzt darum, diesen Sozialstaat, wie wir ihn in Jahrzehnten aufgebaut haben, zu verteidigen, und jenen, die sagen, wir müssen die Prinzipien dieses Sozialstaates festhalten, aber die Strukturen werden wir so nicht retten. Ich stelle das erstmal einfach nebeneinander. Die Frage ist: Geht es uns in erster Linie um Abwehr und Verteidigung, oder geht es uns in erster Linie um Neujustierung? Diese Debatte wird weitergeführt, aber sie ist in jedem Falle wichtig als Signal, daß wir sagen: Es ist uns das zentrale Thema, daß Menschen ohne Arbeit sind und an ihrem Leben verzweifeln.

Die Studientagung ist, denke ich, eine Bekräftigung dessen, was wir uns für Mainz vorgenommen haben. Mainz: 150 Jahre deutscher Katholizismus - ich benutze bewußt dieses Wort, das man uns unlängst vorgeworfen hat. Wir wissen, daß dies unverzichtbar ist. Die katholische Kirche existiert über die Geschichte hinweg und durch alle Perioden. Wir setzen uns jeweils mit einer bestimmten Phase auseinander und werden in der Art, wie wir uns als katholische Christen aus dem Glauben heraus mit dieser Zeit auseinandersetzen, natürlich eine ganz bestimmte Form von politischem und sozialem und kulturellem Katholizismus prägen; es ist unser Beitrag zu dieser Gesellschaft. Diese 150 Jahre Katholizismus haben uns viele Erfahrungen und Einsichten gebracht. Es sind auch bittere Erfahrungen dabei. Es ist jedenfalls eine kostbare Frucht. Das wollen wir in Mainz zeigen, wir wollen uns dessen vergewissern, und wir wollen in jedem Fall die Notwendigkeit unseres öffentlichen Engagements gegen jede Versuchung abgrenzen, uns in die Nische zurückzuziehen und anderen diese Gesellschaft zu überlassen.

Es ist eine Vorbereitung für Hamburg, denn Hamburg zeigt uns ja wieder den ganzen Ernstfall unseres Zeugnisses: Hamburg, eine Stadt, von der man in aller Nüchternheit sagen muß, es ist eine Stadt der nichtchristlichen Mehrheit; die Katholiken sind in der christlichen Minderheit wiederum die Minderheit. Wenn wir dort hingehen, ist dies eine doppelte Herausforderung: Wir müssen und können diesen Katholikentag nur mit unseren evangelischen Mitchristen gemeinsam gestalten, wir können und müssen die Erfahrung von Dresden aufnehmen und weiterführen, und - auch dies knüpft an Dresden an - wir müssen das Gespräch mit unseren nichtchristlichen Mitmenschen suchen. Sonst ist dieser Katholikentag die Veranstaltung einer Sekte in einer großen Stadt, es ist nicht der Anspruch, mit dem Katholikentage an die Öffentlichkeit dringen. Dies wollen wir uns vornehmen, es ist ein Ausblick für unsere Arbeit, ein Aufruf zur Teilnahme, des Mitwirkens an diesem großen Projekt Katholikentag in Hamburg. Und Hamburg steht für eine bestimmten Charakter unserer Gesellschaft.

Wir können nicht auseinandergehen, ohne allen jenen zu danken, die das hier ermöglicht haben: dem Bistum Erfurt, Bischof Joachim Wanke, seinen Mitarbeiterinnen und Mitarbeitern, den Mitarbeitern der Geschäftsstelle des Zentralkomitees der deutschen Katholiken. Wir müssen danken all den Gästen der Studientagung, die die Einladung angenommen haben und zu uns gekommen sind. Insbesondere freue ich mich über die Teilnahme unserer evangelischen Mitchristen. Die

Teilnahme der evangelischen Bischöfin von Hamburg war für uns eine Ermutigung, nach Hamburg zu kommen und den Katholikentag dort so zu gestalten, wie wir uns das vornehmen. Auch dieser Ort war uns eine Ermutigung. Hier haben Christen über Jahrzehnte die Notwendigkeit ökumenischer Geschwisterlichkeit erfahren, und sie haben erlebt, was für ein kostbarer Schatz das ist. An diesem kostbaren Schatz wollen wir festhalten, und wir wollen ihn mehren. Auch das ist ein Ausblick, den wir von dieser Studientagung mitnehmen und der uns zum Hamburger Katholikentag begleiten soll. Ich danke Ihnen!

Abendlob

Propst Joachim Jäger

Begrüßung

Ich begrüße Sie zu diesem Abendlob hier in der Augustinerkirche. Zunächst einmal möchte ich sehr herzlich grüßen die Teilnehmer der Studientagung des Zentralkomitees der deutschen Katholiken. Wir hatten gestern hier zusammen den ökumenischen Eröffnungsgottesdienst, und ich freue mich, daß wir am Ende Ihrer Tagung zusammen dieses ökumenische Abendlob halten können. Ich möchte Ihnen wünschen, daß Sie von dieser Tagung wegfahren mit der Gewißheit, daß Sie Ihre Sache gut weitergeführt haben, unsere gemeinsame Sache. Ich grüße Bischof Müller aus Regensburg, der uns die Ansprache halten wird, und Prof. Dr. Bretschneider aus Bonn, den wir an der Orgel hören. Dann möchte ich gerne alle grüßen, die als Besucher hier sind, Erfurt-Besucher, die Freunde hier besuchen, und ich möchte alle Gemeindeglieder grüßen, die ohnehin gerne zu dieser Sonntagsbegrüßung zu uns kommen. Und schließlich möchte ich einen ganz besonderen Gruß an unsere vier Schwestern sagen. Die Schwestern der Communität Casteller Ring sind nun seit einem Jahr unter uns, und wir freuen uns nach wie vor und jeden Tag neu, daß sie aus Bayern zu uns hier nach Thüringen, nach Erfurt gekommen sind. Und was kann man jemandem Besseres sagen, als daß ich Ihnen zum Ausdruck bringe, daß wir Sie hier dringend brauchen. Gott schenke viele weitere Jahre mit uns.

Bischof Manfred Müller

Predigt

Liebe Schwestern und Brüder im Glauben!

Eine große Ordensfrau unserer Kirche, die vor 100 Jahren zum Herrn heimging, deren Gedächtnistag wir in dieser Woche begingen, benützte gerne die Formulierung: „Une delicatesse du bon Dieu“ - „eine liebenswürdige Fügung der göttlichen Vorsehung“. So sagte Theresia von Lisieux jedesmal, wenn etwas scheinbar zufällig auf sie zukam, sie dann aber bei längerem Nachdenken und im nachhinein erkannte, daß dies eben doch mehr als ein Zufall war, nämlich eine „liebenswürdige Fügung der göttlichen Vorsehung“.

„Une delicatesse du bon Dieu“, so möchte ich es heute abend empfinden, daß ich als bayerischer Bischof Ihnen, liebe Schwestern, die Sie aus Bayern nach Thüringen gekommen sind, ein bayerisches „Grüß Gott“ sagen darf. Und in diesen Gruß schließe ich unsere katholischen Mitschwestern herzlich mit ein.

Für unsere Schwestern vom Casteller Ring ist morgen der 19. Sonntag nach Trinitatis. Sie haben mir als Schrifttext jene Perikope aus dem Markusevangelium vorgegeben, die bei Ihnen im liturgischen Kalender steht. Diese Vorgabe habe ich gerne aufgegriffen und sie auch als eine „liebenswürdige Fügung der göttlichen Vorsehung“ betrachtet, denn in diesem Abschnitt aus dem Markusevangelium lassen sich die beiden Themenschwerpunkte unserer Studientagung, nämlich Dialog und Solidarität, deutlich erkennen.

Ich gehe den Versen Mk 2,1-12 entlang. Erwarten Sie bitte keine tiefschürfenden theologischen Erwägungen, deren gab es in Predigten und auch heute in hochgeistigen Dialogen schon genug. Außerdem wurde mir nahegelegt, nicht wesentlich länger als fünf Minuten zu sprechen, weil ja heute noch ein schöner Thüringer Abend auf uns wartet.

Im biblischen Text, den Sie mir, verehrte Schwestern, vorlegten, haben mich schon immer die vier Männer fasziniert, die den Gelähmten zu Christus trugen. In ihnen verkörpert sich Dialog und Solidarität. Das Quartett mußte ja zunächst untereinander in einen Dialog treten, um sich dann mit dem eigentlich Betroffenen zu verständigen, der seine Hoffnung auf Christus setzte. Aber es blieb nicht beim Dialog, die Tat der Solidarität folgte. Es war eine Solidarität aus dem Glauben. Das Quintett bestand aus fünf gläubigen Männern. Es heißt im Schrifttext ausdrücklich: „Als Jesus **ihren** Glauben sah ...". Also Glaube in der Mehrzahl und nicht nur Glaube des Gelähmten! Die vier Männer tragen den Gelähmten nicht nur physisch, sie tragen ihn auch durch ihren Glauben innerlich zu Jesus hin. Der Glaube hat etwas Gemeinschaftsbezogenes an sich. Ich habe meinen Glauben nicht aus mir selbst. Im Glauben solidarisiere ich mich mit anderen. Auch der Bischof muß sich getragen wissen vom Glauben seiner Mitchristen. Wir alle werden im Bild des Gelähmten zu Christus getragen.

Die fünf kommen nun zu dem Haus, in dem Christus lehrte. Bei den vielen Menschen, die sich dort versammelt hatten, war keine große Dialogbereitschaft und Solidarität zu spüren, denn sonst hätten sie ja gesagt: „Macht doch Platz und laßt die vier Mannsbilder, die den armen Kerl zu Jesus tragen wollen, in das Haus hinein!" Sie scheinen eine recht unbewegliche Masse gewesen zu sein. Um so bewundernswerter ist der Erfindungsreichtum und die Phantasie der vier Männer! Die Beweglichen stiegen den Unbeweglichen förmlich „auf's Dach"! Und denen im Hause fiel in des Wortes wahrster Bedeutung „die Dekke auf den Kopf""! Sie wurden bis zu einem gewissen Grad obdachlos! Martin Luther übersetzt Markus sehr deutlich: Die Männer „machten ein Loch". Ich gehe bei Ihnen davon aus, daß Sie alle so biblisch beschlagen sind, die drei Synoptiker zu kennen, Matthäus, Markus, Lukas, um zu wissen, daß die nicht immer dasselbe beschreiben. Lukas drückt sich etwas vornehmer aus: „Sie ließen ihn durch die Ziegel hinunter" (vgl. Lk 5,19). Jedenfalls ist ihr Tun ein Ausdruck von großer Solidarität.

Es gibt freilich nicht nur diese Solidarität aus dem Glauben. Es gibt auch eine Zusammenrottung des Negativen. Und dies zeigt sich bei den Schriftgelehrten und Pharisäern. Die Begegnung Jesu mit ihnen leitet Lukas mit einem eigenen Satz ein: „Eines Tages, als er wieder lehrte, saßen unter den Zuhörern auch Pharisäer und Schriftgelehrte; sie waren aus allen Orten Galiläas, Judäas und aus Jerusalem gekommen" (vgl. Lk 5,17). Sie waren zu einem echten Dialog mit Jesus weder bereit noch fähig. Sie waren selbst wie Gelähmte, gefangen in ihren Vorstellungen vom Messias. Sie sprachen auch gar nicht mit Jesus, sondern „... sie dachten im stillen: Wie kann dieser Mensch so reden? Er lästert Gott", wenn er sich anmaßt, die Sünden des Gelähmten zu vergeben (vgl. Mk 2,6-7). Jesus braucht sie auch gar nicht zu befragen, denn es heißt von ihm, daß er wußte, was im Herzen der Menschen war (Joh 2,25; vgl. hier Mk 2,8). Sie waren gekommen, um ihn zu beobachten, zu observieren. „Et observabant eum" - „und sie beobachteten ihn" heißt es an anderer Stelle von ihnen (Lk 14,1). Jesus aber spricht sie an und er weicht ihren Einwänden nicht aus.

Vor allem aber tritt er in einen Dialog mit dem Gelähmten und mit ihm solidarisiert er sich. Er, der Menschensohn, sagt zu dem Gelähmten: „Mein Sohn" (Mk 2,5). Gott solidarisiert sich in Jesus mit uns Menschen, auch mit den Sündern. Er will Heiland sein für Leib und Seele. Deshalb spricht er ihm das weltbekannte Wort zu: „Steh auf, nimm dein Bett und geh' nach Hause!" (vgl. Mk 2,11). Als der Mann sofort aufstand, seine Tragbahre nahm und vor aller Augen wegging, „da gerieten alle außer sich" (Mk 2,12); „sie entsetzten sich", heißt es in der Übersetzung des Dr. Martinus. Sie kamen förmlich „aus dem Häuschen". Sie gerieten - so heißt es im griechischen Text „in Ekstase". Bei Matthäus hieß es: „Sie erschraken" (Mt 9,8). Darin drückt sich aus, was im Evangelium immer wieder betont wird, daß die Begegnung mit der Person Jesu das beinhaltete, was später als „tremendum et fascinosum" bezeichnet wurde. Jesus fasziniert die Menschen, aber auch das „Tremolo", das „Erzittern" ist bei denen zu spüren, die ihm begegneten. Lukas sagt: „Sie wurden von Furcht erfüllt" (Lk 5,26). Ich würde diese Furcht allerdings nicht so deuten, daß ihnen nun die Knie schlotterten. Ich würde die Furcht eher im Sinne von Ehrfurcht deuten. Und „Ehrfurcht" paßt ja mit „Erfurt" allein schon sprachlich besser zusammen. Jedenfalls hat es ihnen die Stimme nicht verschlagen und der Lobpreis Gottes blieb ihnen nicht im Halse stecken. Im Gegenteil: Bei allen drei Synoptikern heißt es im abschließenden Vers: „Sie priesen Gott“ (Mk 2,12 par.).

Das tun wir nun mit Ihnen, meine lieben Schwestern, heute im Abendgebet der Kirche. Jetzt, unmittelbar nach meiner Ansprache, werden wir das Magnifikat der Mutter Maria singen: „Meine Seele preist die Größe des Herrn“ (Lk 1,46).

Wir danken Ihnen, verehrte Schwestern, wenn Sie den Lobgesang der Kirche pflegen. Wir bitten Sie: Schließen Sie auch uns in Ihr Gebet mit ein! Wir danken Ihnen für diese Abendstunde. Gott segne Sie! Amen.

Eucharistiefeier

„Ich will euch Zukunft und Hoffnung geben“ (Jer 29,11)

Georg Kardinal Sterzinsky

Predigt

Die Sacharbeit der Studientagung des ZdK ist gestern abgeschlossen worden. Zu einer Studientagung gehört aber auch das Feiern; deshalb haben wir an jedem Tag auch gefeiert. Am Schluß steht - darf ich sagen: als ein Höhepunkt? - die eucharistische Feier. „Ich will euch Zukunft und Hoffnung geben" - schwingt in diesem Prophetenwort nicht die Predigt mit, die dieser Dom durch die Jahrhunderte bis in unsere Tage hält? Zeit seines Bestehens war er steinerner Zeuge für die christliche Hoffnung, auch in den vergangenen Jahrzehnten inmitten einer Gesellschaft, die Gott verschweigen und verleugnen wollte. In diesem Dom und um ihn herum versammelten sich immer wieder Gläubige aus dem Thüringer Land und von weiter her zu Wallfahrten, Priester- und Bischofsweihen, zu Jubiläen ... In der Nachfolge Jesu wurden sie bestärkt, Zeugen der christlichen Hoffnung zu bleiben. Viele können sich erinnern: Am 20. September 1981 kamen etwa 65.000 Katholiken zur Wallfahrt aller katholischen Jurisdiktionsbezirke in der DDR anläßlich des 750. Todestags der heiligen Elisabeth von Thüringen. Von dieser Wallfahrt ging ein Signal mit überregionaler Bedeutung aus: gegen alle Hoffnung zu hoffen, gegen alle Erfahrung der Schwachheit neu anzufangen, gegen alle Übermacht des atheistischen Umfelds Zukunft neu zu wagen. Als der Wunsch nach einer zentralen Wallfahrt aller Katholiken in der DDR, verwirklicht im Dresdner Katholikentreffen, laut wurde, knüpfte er an das Erlebnis des Elisabethjubiläums an.

„Ich will euch Zukunft und Hoffnung geben"

1. Der Rat des Propheten Jeremia

„Ich will euch Zukunft und Hoffnung geben" - an wen ist dieses Prophetenwort gerichtet? Es steht in einem Brief, den Jeremia an die Verbannten seines Volkes in Babel geschrieben hat. Der Prophet wendet sich gegen zwei Fehlhaltungen unter den Verbannten, die ihren Grund in einem Mangel an Glauben und an Hoffnung auf Jahwes Führungsmacht hatten: 1. gegen eine leichtfertige Hoffnung auf baldige Heimkehr nach Juda, 2. gegen Niedergeschlagenheit und Verzweiflung bei denen, die sich in der neuen Lebenslage nicht zurechtfinden wollten. Für beide, die leichtfertig Wartenden wie die Verzweifelten und Resignierten, hat Jeremia den gleichen Rat: Häuser bauen, Gärten anlegen, Familien gründen und Kinder zeugen, damit das Gottesvolk sich in der Fremde nicht vermindert, sondern vermehrt (vgl. Jer 29, 5-6). Dieser Rat - als Wegweisung Gottes - war für die Angesprochenen zunächst eine bittere Enttäuschung. Jeremia mutete ihnen - im Namen Gottes - zu, sich in dem fremden Land auf eine gewisse Dauer - nicht für immer, aber doch für längere Zeit - einzurichten. Ja, sie sollten sich sogar um das Wohl „der fremden Stadt" bemühen und für sie beten. „Denn in ihrem Wohl liegt euer Wohl" (Jer 29, 7).

Das Volk Israel konnte erfahren, was Marcel Proust so ausgedrückt hat: „Nichts kommt so, wie man es erhofft, aber auch nichts so, wie man es befürchtet." Nicht jeder Wunsch wird erfüllt. Gott aber schenkt Zukunft.

Wir Deutsche haben Schlimmes erlebt, 1989 aber auch die Erfahrung machen dürfen, daß Gott auf eine Weise Zukunft und Hoffnung schenkt, die wir so nicht planen und herbeiführen können. Gott gibt Zukunft. Darauf bauen wir. Trotzdem müssen Christen sich engagieren. Denn Jünger Christi sind bekanntlich zwar nicht von der Welt, aber in der Welt (vgl. Joh 15, 19). Deshalb müssen sie sich auch für die Welt und die Belange der Menschen engagieren, ohne in der Welt aufzugehen. In jedem politischen System gilt es, Gesellschaft, Kultur, Politik ... zu prägen - und sei es durch Verweigerung, aktiven oder passiven Widerstand, wie die Erfahrungen in diktatorischen Systemen gezeigt haben. Aber immer bleibt - auch in frei gewählten Verhältnissen - die Spannung zwischen totaler Identifikation und Kritik.

2. Warum engagieren sich Christi Jünger in der Welt?

Vor allem um des eigenen Nutzens willen? Aufgrund schlauer Berechnung oder weiser Voraussicht? Weil sie tiefere Einsicht als andere haben? Jedenfalls haben wir immer noch weiterführende Fragen und einen weiteren Horizont. Jeremias Rat ergeht nicht aufgrund kluger Berechnung oder der Erwartung von Vorteilen nur für die Verbannten. Sein Rat ist vielmehr selbstverständliche Folge des Glaubens an Jahwe und seinen umfassenden Heilswillen. Er ist fest überzeugt: Gottes Pläne sind nie Pläne des Unheils, sondern immer des Heils (vgl. Jer 29, 11), - und zwar für alle. Auch Jesu Jünger sind daran zu erkennen, daß Triebfeder ihres Handelns Gottes universeller Heilswille ist. „Vor allem fordere ich zu Bitten und Gebeten, zu Fürbitte und Danksagung auf, und zwar für alle Menschen“, so das Anliegen des 1. Timotheusbriefes (1 Tim 2, 1). Denn: „Gott will, daß alle Menschen gerettet werden“ (1 Tim 2, 4).

Den Menschen des ausgehenden 20. Jahrhunderts ist bewußt: Das Schicksal der einen Welt ist in einem gewissen Sinn unteilbar. Der Jeremiatext verdeutlicht aber: Für den einzelnen kann es eine ungeheure Zumutung sein, Gottes universellen Heilswillen zu akzeptieren. Diese Zumutung haben auch viele Christen in der DDR gespürt: in einem diktatorischen System gefangen zu sein und dennoch anerkennen zu müssen, daß universeller Heilswille Gottes auch das Heil der Menschen einschließt, die für das System verantwortlich waren. Dann eröffnen sich auch Horizonte, die über das Geschichtliche hinausgehen. Die zur Dresdner Pastoralsynode der katholischen Kirche in der DDR zusammengekommenen Synodalen bekannten 1974 - also nach jahrzehntelanger Erfahrung mit zukunftslosen politischen Systemen: „Wir sehen heute mehr als früher die Hoffnung, die uns in Christus gegeben ist. Wir glauben daran, daß Gott der Menschheit eine Zukunft schenkt, die über alles hinausgeht, was menschliche Bemühungen und die Möglichkeiten unserer Welt erhoffen lassen." Warum glaubten die Synodalen daran, daß Gott Zukunft schenkt? Worin liegt für sie der Grund der Hoffnung?

In der Auferstehung Jesu von den Toten. Weil er der „Erstgeborene von den Toten" (Kol 1,18) ist, glauben wir, daß auch wir mit ihm zu einem neuen Leben auferstehen werden.

3. Heutige Zeugnisse christlicher Hoffnung

Wie sehen Zeugnisse christlicher Hoffnung in der heutigen pluralistischen und säkularisierten Gesellschaft aus? Die Studientagung hat nach Möglichkeiten der Weltgestaltung aus christlicher Hoffnung gefragt und an einigen Beispielen für dialogisches und solidarisches Handelns konkretisiert ... Auf vielfältige Art wurde deutlich, daß Christen eintreten (müssen) „für eine Zukunft in Solidarität und Gerechtigkeit". Christen fordern „Zukunftsfähigkeit und Nachhaltigkeit". Das bedeutet: mittel- und langfristige Interessen zu berücksichtigen und die Lebenschancen der nachwachsenden Generationen zu sichern, gerade wenn sie in der Tagespolitik oder auch im Handeln einzelner unterzugehen drohen.

Jeremia meint mit „Zukunft" das Ende der Verbannung und eine Neuordnung des Gottesvolkes im Land der Väter. Diese Zukunft versteht er nicht nur als Ergebnis menschlichen Handelns, sondern auch und gerade als Erfüllung göttlicher Pläne. Und bei uns: Wird nicht einerseits Zukunftsplanung für Kirche und Gesellschaft bisweilen so verbissen geführt, daß man denken könnte, es hänge alles nur davon ab? Wird nicht andererseits aus Resignation auf Zukunftsplanung verzichtet, und das womöglich mit dem Hinweis fromm verbrämt, alles sei von Gott zu erwarten? Ist bei Aktivitäten unserer Weltgestaltung bewußt, daß sie immer unter dem Vorbehalt göttlichen Handelns stehen und wir immer Empfangende bleiben, aber auch umgekehrt sich niemand aus der Verantwortung stehlen darf?

Der Dienst der Kirchen für eine Zukunft in Solidarität und Gerechtigkeit besteht darin, daß die Kirchen erfahrbar werden als „Orte der Orientierung, ... der Wahrheit und der realistischen Sicht des Menschen, ... der Umkehr und Erneuerung, ... der Solidarität und Nächstenliebe, ... [als] Orte der Freiheit ... [und] der Hoffnung, an denen Perspektiven gesucht werden für eine sinnvolle Gestaltung gesellschaftlichen Zusammenlebens und an denen bei dieser Suche der Blick über das Heute hinaus geöffnet wird". So gilt es, den Blick über das Heute hinaus öffnen, d. h., ihn öffnen für das irdische Morgen und Übermorgen, aber auch für das zeitlos Ewige

Hoffnung bedeutet für das Gottesvolk, sich auf dem Weg zu einer von Gott gesicherten Zukunft zu wissen. Deshalb können wir Unvollkommenes ertragen und trotz aller Mißerfolge Mut zum Neuanfang finden. Denn, wie Peguy sagt, „nur durch die Hoffnung bleibt alles bereit, immer wieder neu zu beginnen".

Schriften des Instituts für Christliche Sozialwissenschaften der Westfälischen Wilhelms-Universität Münster

Begründet von Josef Kardinal Höffner†
Herausgegeben von Karl Gabriel

Johanna Bödege-Wolf
Menschen, Müll und Moral
Konflikte bei der Ansiedlung von Deponien und Verbrennungsanlagen – ein Beitrag zur politischen Ethik der Risikogesellschaft
Bd. 29, 1994, 300 S., 48,80 DM*, br., ISBN 3-8258-2200-1

Franz Furger (Hrsg.)
Akzente christlicher Sozialethik
Schwerpunkte und Wandel in 100 Jahren "Christlicher Sozialwissenschaften" an der Universität Münster
Bd. 30, 1995, 160 S., 38,80 DM*, br., ISBN 3-8258-2201-X

Marianne Heimbach-Steins
Unterscheidung der Geister
Strukturmoment christlicher Sozialethik
Dargestellt am Werk Madeleine Delbrêls
Bd. 31, 1994, 380 S., 58,80 DM*, br., ISBN 3-8258-2202-8

Petro Müller
Die "Dritte Idee" Alfred Delps
Ethische Impulse zur Reform der Gesellschaft
Bd. 32, 1995, 208 S., 44,80 DM*, br., ISBN 3-8258-2322-9

Albert-Peter Rethmann
Asyl und Migration
Ethik für eine neue Politik in Deutschland
Bd. 33, 1996, 432 S., 48,80 DM*, br., ISBN 3-8258-2743-7

Gerhard Kruip
Kirche und Gesellschaft im Prozeß ethisch-historischer Selbstverständigung
Die mexikanische Kontroverse um die "Entdeckung Amerikas"
Bd. 34, 1996, 432 S., 68,80 DM*, br., ISBN 3-8258-2760-7

Karl-Wilhelm Merks
Gott und die Moral
Theologische Ethik heute
Bd. 35, 1998, 400 S., 39,80 DM*, br., ISBN 3-8258-2597-3

Gotthard Fuchs; Andreas Lienkamp (Hrsg.)
Visionen des Konzils
30 Jahre Pastoralkonstitution "Die Kirche in der Welt von heute".
Mit Beiträgen von Thomas Gertler SJ, Gustavo Gutiérrez, Marianne Heimbach-Steins, Peter Hünermann, Nikolaus Klein SJ, Elmar Klinger, Andreas Lienkamp, Hans-Joachim Sander, Rolf Schumacher, David Seeber und Franz Weber
Bd. 36, 1997, 232 S., 34,80 DM*, br., ISBN 3-8258-2807-7

Valentin Zsifkovits
Die Kirche, eine Demokratie eigener Art?
Bd. 37, 1997, 144 S., 29,80 DM*, br., ISBN 3-8258-3422-0

Franz Furger †
Christliche Sozialethik in pluraler Gesellschaft
Posthum herausgegeben von Marianne Heimbach-Steins, Andreas Lienkamp und Joachim Wiemeyer
Bd. 38, 1998, 352 S., 39,80 DM*, br., ISBN 3-8258-3527-8

Joachim Wiemeyer
Europäische Union und weltwirtschaftliche Gerechtigkeit
Die Perspektive der Christlichen Sozialethik
Bd. 39, 1998, 352 S., 59,80 DM*, br., ISBN 3-8258-3574-x

Ursula Wollasch
Normenkodizes in Unternehmen
Kundenorientierung – Strategisches Management und Christliche Sozialethik im Dialog
Haben Unternehmensleitbilder eine ethische Qualität? Inwiefern können sie zur moralischen Orientierung in sozialen Organisationen beitragen? Am Beispiel der "Kundenorientierung" geht die vorliegende Studie diesen Fragen nach.
Die Untersuchung, die im Rahmen des Forschungsprojekts "Normenkodizes in Unternehmen und Verbänden" der Volkswagen-Stiftung entstanden ist, führt erstmals zu einer grundlegenden Verhältnisbestimmung zwischen moderner Managementtheorie und christlicher Sozialethik. In Gestalt eines Dialogmodells bringt sie Grundbegriffe der strategischen Planung mit einzelnen Strukturmomenten des sozialethischen Schemas Sehen-Urteilen-Handeln zusammen, das dadurch eine neue Tiefenschärfe erhält.
Mit dem Prinzip der Kundenorientierung fügt das Dialogmodell der traditionellen sozialethischen Debatte um "Kapital und Arbeit" einen eigenständigen Akzent hinzu. Auf bisher unbekanntem Terrain – im Kontext von Marketingethik, Wettbewerbsrecht und Verbraucherschutz – erweist sich die christliche Sozialethik als aufgeschlossene und kompetente Dialogpartnerin, die auch die Grenzen ihrer Kompetenz nicht verkennt.
Bd. 40, 1998, 384 S., 59,80 DM*, br., ISBN 3-8258-4043-3

LIT Verlag Münster – Hamburg – London
Bestellungen über: Grevener Str. 179 48159 Münster Tel.: 0251 – 23 50 91 Fax: 0251 – 23 19 72
* unverbindliche Preisempfehlung